D0283626

Lisa Plumley est une auteure acclamée pour la fraîcheur de ses comédies romantiques et le caractère incroyablement attachant de ses personnages.

Lisa vit avec sa famille en Arizona, où elle aime parcourir les montagnes, les étendues désertiques et les villes fantômes.

CE LIVRE EST ÉGALEMENT DISPONIBLE
AU FORMAT NUMÉRIQUE

www.milady.fr

Lisa Plumley

Soyons fous

Traduit de l'anglais (États-Unis) par Mélanie Rouger

Milady Romance

Milady est un label des éditions Bragelonne

Titre original : *Let's Misbehave*
Copyright © 2007 by Lisa Plumley

© Bragelonne 2012, pour la présente traduction

ISBN : 978-2-8112-0857-8

Bragelonne – Milady
60-62, rue d'Hauteville – 75010 Paris

E-mail : info@milady.fr
Site Internet : www.milady.fr

Merci à toutes les personnes talentueuses et dévouées de Kensington Books, et plus particulièrement à John Scognamiglio.
Vous m'avez aidée à réaliser mon rêve !

Merci à mon mari, John Plumley,
qui rit toujours aux passages amusants.
Les écrivains ont tous besoin de lecteurs comme toi !

Chapitre premier

—On est perdues.

Cette annonce tira Marisol Winston d'un sommeil agité. Tant mieux. Elle rêvait de fauteuils de luxe, de soldes et de mojitos. Après la nuit qu'elle venait de passer, elle n'avait vraiment pas besoin d'un autre cocktail. Même imaginaire, plein de glaçons, bien chargé en rhum et servi par un barman tout beau et tout muscl…

Zzzz.

—Oui. On est vraiment perdues.

Hein ? Marisol n'était vraiment pas prête à affronter ce genre de crise aujourd'hui. Elle voulait simplement se poser dans son grand lit douillet, dans sa maison douillette sur la plage de Malibu, dans sa vie douillette et tranquille, jusqu'à ce qu'elle retrouve la pêche. Elle avait encore passé la nuit à faire la fête pour célébrer une belle razzia dans ses boutiques préférées de la 3ᵉ Rue et de Robertson Boulevard et, pour l'heure, elle ne voulait surtout aucun ennui. Elle n'était même pas certaine d'avoir planqué toutes ses emplettes avant d'écumer les boîtes de nuit avec Caprice et Tenley. Cette insouciance indiquait qu'elle glissait de nouveau vers la zone dangereuse où faire les magasins se muait en…

Peu importe. Où était-elle ? Quelque chose allait de travers.

Le regard trouble, Marisol analysa la situation. Le ventilateur du plafond devait tourner à plein régime, car l'air soufflait beaucoup trop fort. La lumière qui tapait sur ses paupières fermées était trop intense pour provenir du soleil de Los Angeles filtrant à travers les rideaux de sa chambre. De plus, malgré l'oreiller moelleux contre lequel elle se blottissait, elle aurait juré que cet endroit bougeait.

Mince !

Elle ouvrit les yeux.

Ah oui !

Tout lui revint d'un coup. Elle était installée sur le siège passager de sa Mercedes blanche décapotable, essayant de survivre à une virée improvisée avec sa belle-mère vers un lointain magasin d'usine de créateurs.

Avec la gueule de bois et sûrement le coffre plein d'une centaine de sacs accumulés pendant la séance de shopping de la veille.

Si Jamie, sa belle-mère, tombait sur ces sacs…

Pourquoi avaient-elles pris sa voiture à elle ?

— On ne peut pas être perdues.

Marisol remonta ses lunettes de soleil Gucci sur son nez afin de se réfugier derrière le noir intense de leurs verres, mais prenant bien garde à ne pas s'énucléer avec. Les créateurs italiens ne plaisantent pas avec leurs branches de lunettes.

—Tu oublies que le GPS de cette voiture est à la pointe de la technologie, rappela-t-elle à Jamie en indiquant le tableau de bord outrageusement sophistiqué.

—Ah! Ce truc est un GPS! Euh… problème résolu, je pense.

Sourcils froncés, Jamie examina l'autoroute I-40 qui se déroulait devant elles. La vue du plateau austère et des buissons difformes qui les entouraient ne semblait pas la rassurer, même si elle conduisait depuis leur départ de Los Angeles, deux ou trois heures plus tôt… enfin, depuis qu'elles avaient pris la route pour le nord de l'Arizona. Un tout nouveau magasin d'usine, a priori extraordinaire, venait d'y ouvrir ses portes, et Jamie aimait plus que tout au monde découvrir de nouveaux horizons.

Toutes les deux, elles étaient les Lewis et Clark du prêt-à-porter. Leur toute nouvelle aventure : les sorties d'usine. Du jamais-vu.

Jamie secoua la tête.

—Vraiment, vu le prix qu'elle coûte, cette voiture pourrait au moins s'autopiloter.

—La bonne blague!

Surtout de la part d'une femme habillée en authentique Matthew Williamson jusqu'au bout des ongles. Jamie visitait le showroom de Matthew dès qu'elle se rendait à Londres.

—C'est papa qui te l'a soufflée?

—Non, Marisol, mais ton père n'est pas le seul à s'inquiéter pour ton…

— Laisse tomber. Oublie ce que j'ai dit, l'interrompit Marisol.

À trente et un ans, elle ne s'engageait plus dans des batailles perdues d'avance. Et c'était l'hôpital qui se moquait de la charité. Marisol portait elle-même un superbe ensemble Stella McCartney.

— Réveille-moi quand on approchera de *Dolce & Gabbana*, d'accord ? reprit-elle.

— OK, accepta Jamie avant de marquer une pause. Tu crois que tu seras à la hauteur ?

— Absolument. Je vais peut-être prendre quelques sacs à main de la nouvelle collection pour ma coiffeuse et mon assistante. Ça leur fera plaisir. Trish adore les trucs de créateurs. (Elle bâilla.) Enfin, il aurait fallu me poser la question avant de me tirer du lit à même pas 11 heures du matin. Tu sais bien que je me couche à l'aube.

— Je ne pouvais plus attendre. Je tiens à cette expédition.

— Je sais, tu me l'as déjà dit. C'est pour ça que j'ai enfilé les premières fringues haute couture qui me tombaient sous la main et que je suis venue braver les dangers des sorties d'usine pour la première fois. Avec toi. Je ne suivrais pas n'importe qui en terre discount, tu sais. Je suis très exigeante.

En ce moment précis, Marisol était également très exposée au vent. Les courants d'air de l'autoroute agitaient ses longs cheveux châtains qui s'emmêlaient en lui fouettant le visage. Elle les attacha en une queue-de-cheval basse avant de s'emmitoufler sous son châle en cachemire, trophée de shopping d'une saison fort lointaine. Elle en avait alors acheté une dizaine d'exemplaires pour ses amies et pour Jamie. Rien de mieux que les soldes pour trouver des cadeaux. Et ce châle était parfait.

Ah! Dormir! Quelle merveille!

Seul le sexe surpassait le sommeil sur la liste des plaisirs de la vie. Enfin, selon les partenaires…

—Ça compte vraiment pour moi, insista Jamie d'une voix sérieuse et légèrement… tendue. J'espère que tu t'en souviendras.

—Euh… d'accord. (Le coup d'œil reconnaissant que sa belle-mère lui adressa mit Marisol mal à l'aise.) Je m'en souviendrai. C'est promis.

Jamie hocha la tête en resserrant ses doigts parés de bagues autour du volant. Le cuir blanc crissa.

—Qu'est-ce qui se passe? (Protégée par le doux cachemire, roulée en boule sur son siège, Marisol observa plus attentivement sa belle-mère.) Tu as l'air contrariée. Est-ce que papa…

—Ça va! Tout va bien. J'ai dû avaler trop de caféine avec mon triple café au lait, avança-t-elle en indiquant du menton les gobelets de chez *Starbucks*. Tu ne trouves pas ça excitant?

D'un air dubitatif, Marisol regarda ce qui l'entourait. L'autoroute balayée par le vent était presque déserte. Sur la colline, les buissons de genévriers se raréfiaient. Des provisions pour le voyage, presque intactes, garnissaient l'intérieur cuir et high-tech de la voiture.

Sur la route du magasin d'usine du trou paumé de l'Arizona, où les deux femmes se rendaient,

Marisol n'apercevait pas âme qui vive, et encore moins quiconque susceptible de l'intéresser – à savoir, un mâle.

En effet, c'est vraiment excitant.

— C'est génial.

Pas la peine de chercher les problèmes.

Toutefois, Jamie avait réellement l'air préoccupée. Marisol la dévisagea encore, dans l'espoir de deviner de quoi il s'agissait.

Elle ne vit rien d'autre que les cheveux blonds et ondulés de sa belle-mère, son habituel bronzage d'institut, son buste finement musclé par ses nombreuses séances de yoga et ce fameux mélange de sincérité et de réalisme qu'aucune femme plus jeune n'aurait pu afficher. Grâce à Jamie, l'âge de cinquante-cinq ans semblait extraordinaire.

Elle était trop bien pour Gary Winston.

Et certainement trop bien aussi pour Marisol.

Marisol avait aimé Jamie dès que cette dernière avait épousé son père et s'était installée à la villa des Winston. Étonnamment, Jamie avait toujours été là pour Marisol. C'était elle qui lui avait tenu la main pendant qu'on lui resserrait son appareil dentaire, elle qui l'avait soutenue pour son premier rendez-vous – dans un country club –, pour son premier soutien-gorge – une brassière haute couture – et pour sa première peine de cœur – maudit Brandon Hollister !

C'était Jamie qui l'avait épaulée quand sa mère avait épousé un toréador de vingt-quatre ans à Madrid – *Olé !* – laissant sa fille apprendre la nouvelle grâce à la rubrique People du magazine *Harper's Bazaar*.

C'était Jamie qui avait soutenu Marisol quand elle avait quitté le foyer familial pour s'installer à Malibu six ans plus tôt, amadouant son père strict et accro au travail afin qu'il débloque assez de fonds pour le lui permettre. C'était Jamie qui avait initié Marisol aux achats *duty free* en Europe et à toutes les merveilles du textile italien, sous couvert de prospecter pour *The Home Warehouse*, la célèbre chaîne de centres commerciaux familiaux consacrés au bricolage et à la décoration d'intérieur.

Au départ, Jamie et Marisol avaient tissé des liens grâce à leur amour partagé pour la musique forte, pour les Doritos et pour la collection grunge de Marc Jacobs pour Perry Ellis, presque quinze ans plus tôt, et elles n'avaient jamais remis leur complicité en question.

Ce qui expliquait cette virée vers un magasin d'usine.

Toujours aussi enjouée, Jamie consulta le GPS de la Mercedes avant de jeter un coup d'œil au bout de la route. Une pancarte écrite à la main indiquait une voie transversale — menant sûrement à un vendeur de gelée de cactus maison, de poupées kachina ou d'autres souvenirs pour touristes. Un imposant pin en masquait la vue, tandis que d'autres arbres bordaient la route. Marisol bâilla de nouveau.

— Alors, comment s'est passée ta soirée d'hier ? s'enquit Jamie. Tu t'es bien amusée ?

— Oui. On a dîné chez *Koi* avant d'aller à deux fêtes à Beverly Hills. Tenley a rencontré quelqu'un. On a bu des mojitos.

Elles tournèrent, passèrent en cahotant devant une barrière à bétail – à en juger par le panneau – et continuèrent le long des pins. La campagne de l'Arizona se rapprochait.

Waouh! Les magasins d'usine de luxe sont vraiment paumés. On va finir au Grand Canyon, à ce train-là. Jamie ferait n'importe quoi pour avoir une longueur d'avance.

— C'est bien. Je suis contente que vous vous soyez amusées. Tu sais, soupira Jamie, il faut vivre chaque instant à fond. On ne peut pas prévoir quand ça s'arrêtera.

— Pour moi, jamais.

— Tout de même… on ne sait jamais, insista sa belle-mère avec un regard sérieux. Un jour, tu auras un travail. Tu trouveras ta vocation.

Ma vocation?

Marisol savait qu'elle sous-entendait «s'intégrer au conglomérat familial». Ce qui impliquait de passer le restant de ses jours à ouvrir les yeux des banlieusards sur la nécessité d'améliorer leur habitat. Elle devrait imaginer de nouvelles façons géniales de vendre de la mélamine, du Polywood et du plastique composite. Il lui faudrait se mettre au pas de la dynastie Winston, dont les fondements remontaient à plus de cinquante ans, à l'époque du grand-père entrepreneur de Marisol, et qui aboutissait, pour l'instant, à l'immense réussite de son père.

— Beurk! s'exclama Marisol avec une grimace.

Elle n'envisageait pas un instant de devenir un robot formaté pour l'industrie de l'aménagement.

Elle préférait la ville à la campagne. Elle était plus du genre célibataire coquette que mère de famille en survêtement. Et même si, ces derniers temps, elle songeait vaguement à ce qu'elle pourrait faire de sa vie en dehors de chercher des fringues chez *Fred Segal*, de sortir avec des beaux gosses et de s'éclater jusqu'à l'aube – par exemple, ouvrir sa propre boutique de décoration d'intérieur ultrasophistiquée –, il lui restait encore à trouver comment réaliser ses rêves ou comment aborder la question auprès de son père pour qu'il finance le projet. Celui-ci était franchement intimidant.

—Ce n'est pas demain la veille. Je n'ai jamais eu de «vocation» pour quoi que ce soit d'autre que m'amuser. (Jamie se renfrogna.) Je ne savais pas que le fait de s'amuser pouvait faire aussi mal au crâne, cela dit, ajouta Marisol avant qu'une autre secousse lui rappelle sa gueule de bois. Aïe ! se plaignit-elle en tendant le bras derrière son siège pour attraper son sac à main. Est-ce que tu as de l'aspirine ? Je ne trouve pas mon portefeuille là-dedans.

Cela n'avait rien d'exceptionnel : Marisol était notoirement désordonnée ou, comme elle préférait le croire, ostensiblement libre de toute entrave. Heureusement, ce n'était pas le cas de sa belle-mère.

—Tiens.

D'une main, Jamie sortit une boîte d'aspirine. En bonne mère de famille, elle transportait un véritable arsenal d'objets utiles dans son fourre-tout Prada.

—Sers-toi et garde la boîte. Tu pourrais en avoir besoin plus tard.

—Merci.

Soulagée, Marisol avala trois aspirines avec une gorgée de café frappé, puis elle rangea le reste des antidouleurs dans son sac avant de se caler contre son dossier en cuir ergonomique.

Ah! Le vendeur avait raison : cette voiture est un vrai berceau. Ça ne vaut peut-être pas 150 000 dollars, mais c'est quand même sympa. Bien douillet.

Or, aujourd'hui, Marisol ne rêvait que de cela. Un mal de tête atroce lui martelait les tempes, ses oreilles sonnaient, elle avait la langue pâteuse et elle aurait juré que ses genoux tremblaient encore depuis la nuit dernière.

Les genoux qui tremblent! Sans blague, je ne suis pas si vieille. Je suis en pleine fleur de l'âge!

Une simple nuit à danser n'aurait pas dû avoir cet effet sur une femme intelligente, drôle et branchée comme elle. Une nouvelle fournée de bourgeois post-ados envahissait ses repaires préférés… et alors? La rédaction du magazine *W* avait bien élu Marisol Winston héritière la plus sexy du moment, non?

Toutefois, à la réflexion, cet article reluisant datait déjà de six ans…

—Allons donc! dit Jamie en lui jetant en coin un coup d'œil maternel, tirant efficacement Marisol de ses sombres pensées. Tu es en hypoglycémie, diagnostiqua-t-elle. Ça joue sur ton humeur. Je te l'avais dit, tu aurais dû prendre un peu de dinde séchée. Ma nutritionniste vient de lancer sa propre marque. Goûte.

Elle agita le sachet de nourriture posé entre elles sur le tableau de bord impeccable. Ce simple geste libéra le parfum de la viande.

Marisol examina le sac.

Sérieux ? Sa propre marque ? Même Bree « Terminator » Jones a plus d'ambition que moi.

Et alors ? Je ne prévois pas de devenir la reine du comté de L.A.

— S'il te plaît, arrête. Une meute de coyotes suit ma voiture, maintenant.

— De toute façon, il va bientôt t'en falloir une nouvelle. Je sais que tu viens d'acheter celle-ci, mais, au risque de t'étonner, je ne la trouve pas super pratique. (Jamie lui lança un regard entendu.) J'aurais dû t'accompagner. Tu ne peux pas mettre un siège-auto dans un minuscule roadster comme ça.

Oh non ! D'abord, elle s'apercevait qu'elle se faisait vieille et, maintenant, elle subissait des sermons en bonne et due forme.

Marisol tendit la main pour interrompre sa belle-mère, mais trop tard : celle-ci était lancée. Il s'agissait de sa dernière obsession depuis que l'animatrice de son club de lecture avait commencé à apporter des photos de ses petits-enfants.

— Il n'y a même pas de siège arrière, poursuivit Jamie sur un ton guilleret. Encore moins de place pour un sac à langer. Ils en font de si mignons, de nos jours ; on en trouve même des plus masculins juste pour les papas. Tu as de la chance. Les papas s'impliquent beaucoup plus maintenant que…

— S'il te plaît, arrête de les appeler « papas », grommela Marisol.

— Pourquoi ? Tu vas en avoir besoin, tu sais. D'un papa. Une figure de père pour tes enfants…

— Je t'en prie ! Déjà que j'ai la gueule de bois…

— Tout ce qu'il te faut, c'est un homme bien, lança Jamie d'une traite. Quelqu'un qui pourra t'enfourner sa grosse saucisse.

— Non, mais je rêve !

— Bon, d'accord, j'ai lu ça dans mon livre du mois d'avril. C'était très graveleux, avoua-t-elle en rougissant et en agitant la main. Ce que je veux dire, c'est que tu as besoin d'un homme qui te connaisse, qui comprenne pourquoi tu n'aimes pas les dimanches, pourquoi tu aimes le papier cadeau, pourquoi tu n'aimes pas être seule, et qui sache que tu fais les meilleurs câlins du monde, par exemple. C'est tout ce que je veux dire.

Oh ! Jamie était vraiment merveilleuse. En un éclair, et malgré le commentaire sur la saucisse, Marisol sentit les larmes lui monter aux yeux. Ce genre d'hommes correspondait exactement à ce qu'elle attendait. Un type droit qui ne la laisserait jamais tomber. Un type qui l'aimerait et la chérirait et…

Allô, la Terre ? Une gueule de bois et ça y est, tu bascules dans le sentimentalisme ? Nom d'un chien, ma grande, qu'est-ce qu'ils ont versé dans tes mojitos ?

— Tu parles ! rétorqua-t-elle avec une grimace.

— Ne fais pas ton adolescente attardée, tu sais très bien que c'est vrai !

—J'ai déjà essayé, répondit Marisol en secouant la tête. Impossible d'en trouver un valable.

—Au fond de ton cœur, tu sais que quelqu'un t'attend quelque part. Il te suffit de le rencontrer, insista Jamie en examinant le volant customisé d'un œil perplexe. Et, quand ça arrivera, je ne suis pas sûre que tu puisses tenir derrière ce volant avec un ventre de femme enceinte. C'est trop petit.

—Tu veux bien arrêter, s'il te plaît? Rien de ce que tu diras ne me fera changer d'avis. Les enfants, ce n'est pas mon truc. Tu as déjà essayé d'emmener un mouflet en boîte? C'est un coup à se faire refouler, à tous les coups.

—Marisol!

—Les gamins n'aiment pas le spa, commença à énumérer Marisol. Ni le shopping, ni les sashimis…

—Je reconnais que ce sont trois choses dont tu raffoles, mais…

—… et ça fait du bruit, ça pleurniche et c'est sale.

Marisol contempla le cuir blanc immaculé de son siège, sous sa jupe blanche immaculée. Des enfants? Dans sa vie à elle? Pas question. Ça ne collerait pas.

—Non merci, reprit-elle d'un ton décidé. Même toi, tu ne t'es pas laissé embobiner pour faire des bébés. Tu m'as juste eue, moi, et même moi j'ai fini par grandir.

—Euh… «grandir» n'est peut-être pas le bon terme.

—À part ça, avec mon rythme effréné, te donner des petits-enfants me mettrait de sacrés bâtons dans les roues. *(Même si cette vie commence à ne plus me satisfaire. Attends! C'est vraiment ce que je pense, là?)*

Et ne t'avise plus de me traîner au rayon bébé de Benetton, annonça Marisol d'une voix aussi sévère que possible en secouant la tête.

— Mais ces tout petits pulls sont tellement mignons !

— Ça suffit.

Devant elles, quelque chose attira son regard à point nommé : elles approchaient d'une série de bâtiments bas. Des paysages vallonnés aux couleurs naturelles ornaient leurs façades en roche de rivière et en rondins sans écorce.

Parfaitement rustique. Peut-être trop. N'empêche… ouf ! Tant que ça met un terme à cette conversation sur les mioches.

— Regarde ! On y est. Bonnes affaires, nous voilà !

Chapitre 2

La belle-mère de Marisol fit ralentir la Mercedes, comme si elle rechignait à atteindre leur destination. Chose particulièrement étrange quand on savait que le shopping était la raison de vivre de Jamie. Nul ne l'ignorait. Surtout pas Marisol, son acolyte régulière. Toutefois, celle-ci n'allait pas se plaindre alors qu'elle entrevoyait une diversion bienvenue.

Des branches de pin frôlaient la décapotable. L'odeur des résineux et du sol s'intensifiait. Marisol inhala une bouffée de ce parfum de terre moussue, plus authentique que la plus bio des bougies senteur sous-bois. Elle n'avait jamais rien vécu de tel, surtout dans sa vie raffinée et manucurée.

— Waouh! On est vraiment… euh… en pleine nature, ici.

Elle inclina la tête pour exposer son visage aux rayons du soleil, soulagée d'être momentanément débarrassée de la pression de la procréation – ou de l'éventualité qu'un géniteur potentiel lui «enfourne sa grosse saucisse». *Beurk!* Marisol retira son châle pour laisser ses cheveux voler au vent.

— Tu savais que ce serait comme ça?

—Euh… oui, à peu près. Je me suis un peu renseignée avant.

Il était toujours bon d'effectuer une reconnaissance pré-shopping, mais Jamie semblait légèrement tendue. Inquiète, Marisol la regarda plus attentivement et en déduisit que sa belle-mère devait manquer de sa dose quotidienne de civilisation, surtout après un tel trajet.

Se jurant de lui offrir un expresso pour la détendre dès qu'elles entreraient – et de faire venir leur jet privé pour le retour –, Marisol contempla le décor.

Elles longèrent les jardins avant de s'arrêter devant un grand portail en fer entouré de plantes luxuriantes. Jamie fit signe à une personne du poste de sécurité, et les portes s'ouvrirent avec la grâce d'un robot. Au moins, elles bougèrent en douceur, silencieusement et sans heurt pour la gueule de bois de Marisol.

Toutefois, maintenant qu'elle y pensait, il lui semblait improbable qu'un magasin d'usine soit enfermé dans une telle enceinte. Cela n'était-il pas réservé aux propriétés privées ? Ou aux écoles ? Ou encore aux centres de convalescence ?

Avant que Marisol puisse tirer cela au clair – les mojitos parasitaient son esprit d'analyse –, elle s'aperçut qu'autre chose clochait. Jamie avait encore ralenti la voiture. À cette allure, la boutique *Versace* fermerait avant qu'elles aient pu y poser un pied.

—Eh ! Ça va ? s'enquit Marisol en l'encourageant d'un coup de coude amical. Je ne t'ai jamais vue conduire aussi lentement un jour de shopping.

—Je vais bien. C'est juste que… (Jamie planta son regard sombre dans les yeux de sa belle-fille.) Il faut que je te dise quelque chose avant d'arriver. J'avais promis de tenir ma langue, mais je trouve injuste que tu ne sois pas prévenue.

Si Marisol se basait sur son expérience personnelle, cela ne pouvait signifier qu'une chose.

— Oh non ! Papa veut divorcer ?

Jamie fit « non » de la tête en pinçant les lèvres.

— Il te délaisse, alors ? (Sans se laisser démonter, Marisol prit immédiatement la défense de sa belle-mère.) J'aurais dû me douter qu'il se passait quelque chose quand il n'a pas arrêté de parler des tondeuses de compétition l'autre soir, au dîner. (Son père avait pour obsession de détrôner ses deux principaux concurrents, *Home Depot* et *Lowe's*, et ses heures supplémentaires en témoignaient.) Ne t'en fais pas. Ne le prends pas personnellement. Après une bonne thérapie par le shopping, tu te sentiras mieux.

— Tout va bien entre ton père et moi. Vraiment.

Bon. Ce n'est pas ça, alors. Dans ce cas, qu'est-ce qui ne va pas ?

La simple pensée que Jamie soit malheureuse mettait Marisol mal à l'aise. La gueule de bois, elle pouvait la gérer. En revanche, un problème avec sa belle-mère…, peut-être pas. Elle prit son courage à deux mains.

Allez, reste positive. Tu peux peut-être l'aider.

— Tu as oublié ton American Express ? C'est ça ? Parce que je peux payer pour toi. Tu le mérites bien. Tu as fait tellement pour…

— Tu ne m'achèteras rien du tout, la coupa Jamie.

OK, d'accord.

Bizarre. Jamie, d'habitude si calme, était vraiment irritable ce jour-là. Ce qui ne pouvait vouloir dire qu'une chose…

— Tu as fini par craquer! Tu vas te payer des injections de Botox? Et tu as préféré aller trèèès loin de chez nous pour le faire en cachette? (Cela expliquait leur départ précipité et son intérêt soudain pour un magasin d'usine.) Oh, Jamie! S'il te plaît, ne fais pas ça. Tu es belle comme tu es. Offre-toi une petite douche autobronzante pour te remonter le moral, à la rigueur…

— Arrête, Marisol! l'interrompit Jamie avant de respirer lentement, comme dans ses séances de yoga Ujjayi Pranayama. Je ne vais pas me faire injecter de Botox, mais ceci n'est pas non plus un magasin d'usine de luxe.

— C'est un centre de chirurgie plastique? demanda Marisol en levant les yeux au ciel. Je te jure que si papa t'a demandé de te faire liposucer pour impressionner ses copains d'affaires et les poupées Barbie qui leur servent de femmes, je lui en colle une.

— Écoute-moi, tu veux bien? Au point où on en est, c'est presque évident, annonça-t-elle avec un air qui la suppliait de comprendre. Nous ne sommes pas ici pour moi, mais pour toi. Il s'agit de… euh… c'est…, bégaya-t-elle en gesticulant. Bref, regarde autour de toi, et tu comprendras.

Perplexe, Marisol sonda les environs. Elle avisa plusieurs bâtiments, des allées sinueuses, et même des carillons. La bâtisse en pierre située sur leur droite avait l'air d'un point d'accueil. La vérité frappa Marisol.

— C'est un village de vacances ! Évidemment !

Oh ! Cela ressemblait tellement à Jamie, d'organiser des surprises pareilles. Elle avait dû sentir que Marisol déprimait un peu ces derniers temps. C'était sa façon de l'aider. Ne venait-elle pas de dire qu'elles étaient là pour elle ?

— Tu es adorable, renchérit-elle. Merci !

— Attends, attends. Laisse-moi t'expliquer avant de…

Marisol l'enlaça pour la faire taire.

— Tu es géniale. Nous ferons les magasins plus tard toutes les deux, d'accord ? Peut-être après un bon massage. C'est promis. Il doit y avoir des boutiques dans le coin. Tu n'as pas pu organiser une telle expédition sans prévoir un peu de shopping.

— Euh… il est bien question de shopping, mais…

— Quelle bonne idée tu as eue ! s'écria Marisol avec une mine rayonnante tandis que Jamie garait la voiture. Ce doit être à cause de mon mal de tête, mais je n'arrive pas à croire que je n'aie rien vu venir.

— Oui, mais avant d'entrer…

Marisol trépignait d'impatience. Après des heures de voiture et avec juste un café frappé dans l'estomac, elle ne tenait plus en place. Quand elle vit trois hommes en uniforme s'approcher de la voiture, elle leur fit signe impatiemment.

— Waouh ! s'exclama-t-elle discrètement. Il y a même des domestiques ! Ils ont plus des têtes à soulever ma Mercedes qu'à la garer, cet endroit est vraiment fait pour moi.

Elle s'empressa de prendre son châle et son sac, puis elle lissa ses cheveux et rajusta sa jolie jupe Stella et son haut blanc assorti. L'heure était venue de se faire bichonner, et cela tombait à point nommé. Si Marisol Winston comprenait bien une chose, c'était son droit de bénéficier du meilleur dans tous les domaines.

Du moins, presque tous.

Un employé en uniforme ouvrit les bras pour la saluer en souriant.

— Mademoiselle Winston, nous sommes ravis de vous accueillir parmi nous. Si vous voulez bien me suivre.

— Bien sûr.

Il prit Marisol par le bras et eut l'élégance de lui proposer de porter son sac à main. Celui-ci était assez lourd, mais, comme elle ne possédait pas d'autres bagages, le pauvre homme cherchait certainement à se rendre utile.

Marisol entendit des clés tinter. Jamie avait dû confier celles de la Mercedes à un employé. Se délectant de cette atmosphère, Marisol se dirigea vers l'entrée du bâtiment avec son escorte. Tout semblait rustique, et pourtant paisible. Les oiseaux chantaient dans les pins, et un ruisseau tortueux passait en clapotant sous un petit pont.

La décoration extérieure de cet endroit était une vraie réussite. Tout paraissait authentique, des pierres aux plantes, en passant par la terre de l'allée. Ce dernier détail prouvait à Marisol que tout était faux. En effet, qui pouvait bien apprécier la vraie terre?

— Nous y voilà, mademoiselle. (Son escorte s'arrêta sur le seuil et lui indiqua les dalles sous ses pieds.) En général, les gens préfèrent franchir ce pas tout seuls. Le séjour au sein de *Dzeel* commence par là.

— « *Dzeel* »? Cet endroit s'appelle comme ça?

Son accompagnateur hocha la tête.

— Ça signifie « force » en navajo, mademoiselle. Vous comprendrez mieux à l'intérieur.

— Parfait, répondit Marisol avec un grand sourire.

Ces temps-ci, les centres de ce genre devaient en mettre plein la vue. Un service cinq étoiles ne suffisait plus.

— J'ai hâte d'y être.

Elle ne saisissait pas pleinement l'intérêt de franchir le premier pas toute seule, mais peu lui importait. Elle voulait bien se prêter au jeu. Elle entra donc.

Immédiatement, une aura paisible l'enveloppa. Un bouquet de fleurs des champs égayait la table de l'accueil, d'autres ornaient le comptoir où attendaient quelques employés en uniforme. Des canapés et des fauteuils couverts de tissu douillet aux couleurs douces meublaient deux espaces détente équipés chacun d'une cascade d'intérieur en cuivre scintillant.

Marisol entendit des pas précipités dans son dos. Quand elle se retourna, elle vit Jamie accourir vers elle, l'air navré.

— Je suis désolée. Je ne voulais pas te laisser seule. J'espère que je n'arrive pas trop tard.

—Trop tard pour quoi?

Trois personnes sortirent de l'espace détente le plus proche. Elles devaient jusque-là être cachées par la fontaine et par les feuillages. Ébahie, Marisol reconnut chacune d'entre elles.

—Papa? Qu'est-ce que tu fais là? Caprice? Tenley? (Elle avança vers eux en ouvrant les bras, un sourire fragile aux lèvres.) Qu'est-ce qui se passe? Pourquoi vous êtes tous ici? Comment vous êtes venus?

Ah! À tous les coups, ils ont pris le jet, eux.

Tenley, sa meilleure amie, la serra dans ses bras.

—Je t'aime.

Dans la plus grande confusion, Marisol lui rendit son accolade. Caprice se joignit à elles en les enveloppant de ses bras maigres.

—Moi aussi, je t'aime!

Nom d'une paire de Ferragamo, qu'est-ce qui se passe?

Les employés restaient à distance. Du coin de l'œil, Marisol en vit deux à l'entrée, les bras croisés dans une posture de mafioso. Soudain, ils s'accordaient parfaitement avec l'énorme portail qu'elles avaient passé ainsi qu'avec l'agent de sécurité et l'ambiance excessivement calme.

Ce fut au tour de Jamie de la serrer dans ses bras.

—S'il te plaît, ne sois pas fâchée.

—Fâchée? Mais pourquoi je serais fâchée?

Cherchant ses affaires du regard, Marisol examina l'homme qui l'avait escortée et qui tenait son sac à main, non loin de là. On aurait dit que…

Eh! Il fouille dedans!

Comme elle s'élançait vers lui, son père la retint.

—Non. Il fait son travail. (Comme d'habitude, Gary Winston portait un costume sur mesure et affichait la même expression que les gorilles de l'entrée.) Écoute, avant toute chose, il faut que tu saches que c'est pour ton bien. Ensuite, je manque une réunion importante pour être ici, donc tu as intérêt à prendre cela au sérieux.

Mais où il a appris à commander comme ça?

—C'est la surprise de Jamie, s'emporta Marisol. Alors…

Soudain, Jamie lui prit le bras.

—Tu ferais mieux de t'asseoir. Tu as l'air un peu faiblarde.

Ah bon? Mais… j'étais en train de parler! Je… Oh, merde! Voilà que je me mets à trembler. Saloperies de genoux trentenaires!

Bouche bée, Marisol s'effondra sur le canapé le plus proche, sous les yeux de sa famille et de ses amies, qui s'empressèrent de l'entourer, Caprice et Tenley assises près d'elle, Jamie sur le fauteuil voisin et son père debout à côté.

—Bon, arrêtez. Vous me faites tous flipper.

—On veut t'aider, dit Jamie en lui serrant la main.

—En me faisant peur?

—Tu as un problème, intervint Caprice.

Tous les autres acquiescèrent.

—Tu es accro au shopping, et on est là pour t'aider à t'en sortir.

Et pan! Merci Tenley.

— Vous vous êtes réunis pour me parler de mes achats ?

Ils hochèrent la tête solennellement. Il n'en fallut pas plus à Marisol.

— C'est bon. Je m'en vais, déclara-t-elle en se levant d'un bond.

Étonnamment, ses proches devaient s'y attendre car ils la saisirent tous à bras-le-corps. Elle retomba dans le canapé, les cheveux dans la figure. Elle souffla sur les mèches rebelles.

— C'est ridicule ! Je fais les magasins et j'aime ça. Et alors ? s'exclama-t-elle en ouvrant ses bras en un geste d'incrédulité mêlée d'agacement. Je ne fais de mal à personne, alors laissez tomber.

— Ça te fait du mal, à toi, répondit Jamie, les yeux brillants d'émotion.

Un instant, Marisol sentit ses propres larmes monter.

— Je vais bien. Allez, faisons un tour à la boutique souvenirs et oublions ça. Papa, il te faut une nouvelle cravate ; celle-ci est vraiment trop...

— Tu n'iras nulle part pour le moment, l'interrompit-il. Pas tant que nous n'aurons pas réglé ce problème.

Même son père semblait légèrement ému, ce qui sema le trouble dans l'esprit de Marisol. Gary Winston était réputé pour son impassibilité et son aisance à donner aux autres l'impression d'être invisibles. Si même lui était bouleversé...

— Tu n'as pas aimé tes nouveaux clubs de golf ? C'est ça, ton problème ? lâcha Marisol. Je sais que je ne suis pas experte en la matière, mais je pensais que ce serait un cadeau parfait pour toi. C'est pour ça que je les ai achetés.

— Ne sois pas ridicule, répondit son père en secouant la tête.

— Laisse tomber. (Comme d'habitude, il venait d'écarter tous ses arguments.) Je n'ai aucun problème, insista Marisol. Je ne resterai pas ici.

— Mademoiselle ? intervint un employé en s'approchant discrètement. Je suis désolé de m'immiscer dans votre conversation, mais puis-je déposer ceci dans votre suite ou préférez-vous qu'on les renvoie chez vous ?

Marisol regarda du coin de l'œil. Quatre employés attendaient, mais ils passaient presque inaperçus à côté de l'unique valise qu'elle n'avait certainement pas apportée… et des quelque quatre-vingt-douze sacs qu'elle avait laissés dans le coffre après l'orgie de shopping de la veille. Tous les paquets arboraient les noms de ses boutiques préférées et débordaient d'articles qu'elle avait absolument besoin de posséder.

Ces sacs brillants et familiers lui donnaient un sentiment de sécurité. Pendant un quart de seconde, Marisol eut l'étrange envie de plonger dedans et de disparaître.

Ses proches contemplèrent ce monceau de preuves accablantes avant de reporter leur attention sur elle. Marisol détourna les yeux, et ses mains se mirent à trembler. Elle ne pouvait pas les affronter.

— Passe un peu de temps ici, insista Jamie d'une petite voix. Cet endroit est bien, avec un bon programme dirigé par des experts et un traitement en deux étapes apparemment révolutionnaire. Ils pourront peut-être t'aider, si tu leur en donnes la possibilité.

— Oui, l'encouragea Caprice.

À côté d'elle, Tenley acquiesça.

— Tu restes, décida Gary en croisant les bras d'un air autoritaire. En attendant, tu ne toucheras plus à un seul centime de ton héritage. Je t'en fais le serment.

Pardon ? Outrée, Marisol se releva d'un bond. Déjà que son père gérait son argent jusqu'à son trente-cinquième anniversaire, selon une précaution exigée par son grand-père exagérément prudent, mais voilà qu'il voulait lui couper les vivres complètement !

— Tu ne peux pas faire ça.

— Si, contredit son père. Et je ne vais pas m'en priver.

Même Jamie acquiesça. Face à cette trahison, Marisol détourna les yeux et entrevit ce sournois d'employé qui fouillait dans son sac à main.

— C'est interdit, annonça-t-il en agitant un tube d'aspirine d'un air réprobateur. On va devoir le confisquer.

— Quoi ? Mon tube d'aspirine ? (Marisol pivota pour le regarder.) Mon Canderel aussi ? Vous plaisantez ? (Sans son édulcorant préféré, elle allait prendre cinq kilos en une nuit.) Qu'est-ce que c'est que cette maison de fous ?

— C'est le genre d'endroit qui peut t'aider, répondit doucement Jamie. On nous l'a chaudement recommandé. *Dzeel* soigne toutes les addictions : shopping, drogue, pornographie… Au début, ce centre se consacrait aux sportifs accros aux antidouleurs, puis il s'est développé en…

—Mouais, l'interrompit Marisol. La pornographie ? Il doit y avoir des gens vraiment sains ici. Je devrais m'y sentir chez moi.

Jamie ferma la bouche et lâcha la brochure qu'elle avait ramassée quelque part. Un silence gêné s'abattit sur le groupe.

Marisol se dit que, si elle tenait bon, ils allaient finir par céder. Son besoin de quitter cet endroit dépassait forcément leur envie de l'y laisser.

—C'est pour ton bien, insista Caprice. Tu as besoin d'aide.

—Dans ce cas, toi aussi ! rétorqua Marisol. Je ne suis pas la seule à avoir acheté cette adorable jupe Lisa Kline en plusieurs exemplaires.

—Ce ne sera pas si terrible, la cajola Tenley, qui n'affichait pas le moindre remords d'avoir participé à ce marathon shopping. Qui n'a pas besoin de reprendre des « *dzeel* » de temps en temps ?

Des « dzeel ». *Des forces*, se rappela Marisol.

Encore éberluée de la tournure que prenait cette situation, elle examina les visages accusateurs de sa famille et de ses amies.

Tout ça pour du shopping. On me coupe totalement les vivres ! Et cette gueule de bois qui me tue ! Sale journée !

Si elle voulait leur prouver qu'ils avaient tort, elle aurait besoin de *dzeel* – de « force ». En effet, ils se trompaient à son sujet ; Marisol le savait. Elle n'avait pas besoin d'une cure de désintoxication au shopping à la noix. Ce dont elle avait besoin, c'était d'un système de livraison à domicile. Si personne n'avait découvert ces sacs de courses, personne n'aurait rien su de ses dernières folies, et elle aurait évité une belle pagaille.

Hésitante, elle garda soigneusement les yeux dans le vide.

Je suis Marisol Winston, nom d'un chien! Je n'ai pas à me plier à ça!

Jamie écarta une mèche de cheveux qui barrait le visage de Marisol, exactement comme tant d'années plus tôt, quand cette dernière avait tellement besoin d'elle.

— Tu veux bien essayer pour moi? demanda sa belle-mère.

Il n'en fallut pas davantage.

— OK, soupira-t-elle.

Chapitre 3

Trois semaines plus tard.

— Votre attention, s'il vous plaît.

Imelda Santos s'affairait devant le groupe de parole du mercredi matin. Elle serrait dans ses bras un sac en papier plein à craquer, tellement énorme qu'il cachait son badge de conseillère en oniomanie de *Dzeel*. Elle sourit à Marisol et à ses camarades de désintoxication avec une jovialité inébranlable.

— Bonjour et bienvenue ! Comment allez-vous, ce matin ?

Des murmures s'élevèrent du groupe assis en cercle.

— Parfait. Aujourd'hui, nous allons parler des déclencheurs, annonça Imelda en décalant son sac. Comme nous l'avons vu lors de nos sessions du mardi après-midi, les achats compulsifs sont toujours précédés de déclencheurs. Votre guérison repose en grande partie sur votre capacité à identifier vos propres déclencheurs et à y résister.

Marisol s'affala contre son dossier et bâilla en rêvant à la seule chose qu'elle voulait identifier : un gros matelas de plume recouvert de draps ultradoux. Contre tout espoir, les lits de *Dzeel* ne valaient pas ceux d'un hôtel cinq étoiles, même si Marisol avait convaincu une employée de lui donner deux protège-matelas supplémentaires. Cette faveur lui avait coûté l'une de ses jupes préférées – un modèle haute couture que Jamic avait fourré dans sa valise le jour de son arrivée –, et elle n'était toujours pas sûre que le jeu en vaille la chandelle.

Probablement pas. Cette jupe était vraiment jolie. Cela dit, une héritière de trente et un ans ne pouvait pas se permettre de souffrir du dos comme pendant ses premières nuits ici. La réhabilitation de son matelas n'y faisant rien, Marisol était prête à céder une bonne partie de sa fortune en échange d'un massage professionnel. Au passage, elle en aurait même fait profiter toutes ses camarades de cure.

Malheureusement, les massages étaient interdits à *Dzeel*. D'ailleurs, personne n'offrait rien à qui que ce soit. Sans compter que son père, fidèle à sa menace, avait catégoriquement refusé de débloquer ses comptes tant qu'elle ne serait pas guérie de son addiction au shopping.

Point à la ligne.

Quelle injustice ! Sans accès à ses fonds, Marisol ne pouvait ni reprendre le cours de sa vie ni en commencer une nouvelle. Elle était coincée. Ainsi avait-elle décidé de serrer les dents en attendant la fin de cette stupide thérapie. Après la première phase – assistance socio-psychologique et ateliers – viendrait la deuxième étape – stage en entreprise.

Beurk ! Plus tôt et plus brillamment elle en finirait, plus vite elle retrouverait sa routine et serait de nouveau libre comme l'air. Même si cela lui semblait pour l'instant très lointain.

Par conséquent, elle devait endurer cette nouvelle séance abrutissante avec la conseillère psychologique.

À l'avant de la salle baignée par le soleil, Imelda s'éclaircit la voix et sourit au groupe. Manifestement, le contenu de son sac en papier de chez *Shoparama* l'exaltait.

Derrière ses lunettes de soleil, Marisol leva les yeux au plafond. Elle n'avait toujours pas pardonné à Imelda de l'avoir retenue dans cette salle après leur toute première réunion d'évaluation ni d'avoir refusé les superbes boucles d'oreilles qu'elle lui avait offertes deux jours après.

Ce n'était même pas une tentative de corruption, pourtant.

— La seule façon d'apprendre à résister est de s'entraîner dans un environnement calme et sûr, expliqua Imelda sur un ton pseudo-apaisant de conseillère. Ainsi, vous apprendrez à tolérer les sentiments négatifs, vous ne chercherez plus l'approbation des autres et vous développerez un comportement qui vous aidera à résister à l'envie d'acheter en quantités excessives. La stratégie est la clé du succès.

Marisol reporta son attention sur sa manucure. Quel ennui ! Oui, elle faisait beaucoup les magasins. D'accord, elle y prenait plaisir. Certes, elle dépensait beaucoup, mais elle était une authentique héritière qui pouvait se le permettre. Le shopping ne faisait de mal à personne. Et si on la considérait comme une sorte de cinglée parce qu'elle faisait des folies de temps en temps, alors les fous couraient les rues.

En vérité, après toutes ces séances, ces ateliers, ces tests et ces exercices, Marisol ne se reconnaissait toujours pas dans les caractéristiques de l'oniomaniaque – l'acheteuse compulsive – et elle ne pensait pas s'y identifier un jour.

— Avant de passer à l'exercice d'aujourd'hui, ronronna Imelda, vous allez toutes me remettre le journal de vos dépenses, d'accord ?

Pff ! Comme si on avait le choix !

Marisol donna son cahier à sa voisine. Toutes ses camarades en firent autant, comme à l'école primaire, et la dernière femme du cercle posa la pile sur la table prévue à cet effet. Le journal de Marisol se retrouva juste sur le haut du paquet. Elle avait d'abord essayé d'utiliser son agenda Kate Spade préféré, mais ce coup de génie s'était heurté à un refus catégorique.

Désormais, son journal ressemblait à tous les autres, très certainement comme son contenu. Le site de *Dzeel* comprenait trois minuscules boutiques, où les résidents pouvaient acheter ce dont ils avaient besoin – en-cas, cosmétiques ou autres. Pour le paiement, chacun possédait des bons d'achat. Pour marquer le milieu de la cure, ils passeraient à un système de règlement uniquement en espèces, qui évoluerait en crédit pendant la phase de stage en entreprise. Il s'agissait en réalité d'une série de tests. Chaque semaine, les conseillers relevaient les journaux et en lisaient le contenu pendant la séance.

Marisol trouvait cela humiliant. Se faire évaluer sur du shampoing et des Doritos ? Pitié. À en juger par l'air résigné qu'affichaient les six autres femmes de son groupe de parole, elles éprouvaient le même sentiment. Marisol avait appris que l'âge de ces personnes variait de dix-neuf à soixante-trois ans. Certaines s'étaient inscrites elles-mêmes ; d'autres, comme Marisol, avaient été amenées là par la ruse.

—Attention, annonça Imelda. Tenez-vous bien.

Elle retourna son sac en papier, dont le contenu se déversa au centre du cercle en un méli-mélo de couleurs et de formes. Le parfum du cuir travaillé à la main emplit l'air, l'or et le cuivre scintillèrent sur un contraste de jacquard italien, de cuir tressé métallisé et de peau de serpent.

—Ma parole ! Ce sont des sacs à main, souffla Georgia, une blonde de Caroline du Sud. Des dizaines de sacs !

D'autres murmures s'élevèrent. Certaines remuèrent nerveusement sur leur chaise. Quelques-unes détournèrent le regard, une autre se tordit les mains.

—Pour cet exercice, nous allons toutes choisir un sac à main, expliqua Imelda en désignant le tas. Allez-y, mesdames. Ne soyez pas timides. Vous aussi, Marisol, ajouta-t-elle sur un ton légèrement plus sec.

—Non, merci. J'ai déjà des tonnes de sacs.

—Ce que vous possédez n'a aucun intérêt. Ici, il est question de guérison.

Marisol fit une grimace.

—Si c'était vrai, je n'aurais pas atterri ici à cause de mon coffre plein de sacs de shopping.

—Euh… je vous sens encore d'humeur bagarreuse.

La conseillère lui adressa un regard pacifique mais aucunement intimidé. Un regard qui aurait bien aidé Marisol à convaincre son père de lui accorder un accès plus large à ses comptes.

—S'il vous plaît, ne faites pas attendre tout le monde.

—D'accord.

Marisol ramassa un sac au hasard. À l'instant où elle perçut la douceur du cuir vénitien sous ses doigts, sa détermination se dissipa. Juste un peu.

Et zut !

—Bon, alors commençons, déclara Imelda en contournant le groupe pour s'assurer que tout le monde était équipé. Posez vos sacs sur vos genoux, s'il vous plaît. Maintenant, serrez-les. Doucement !

Tout le groupe obéit. Marisol se figura qu'elle étreignait un objet des plus banals, un journal par exemple. Elle sentait à peine le poids de cette feuille de chou imaginaire sur ses cuisses. Plus sûre d'elle, elle attendit la prochaine instruction de la conseillère.

—Bobbi, il ne vous faut qu'un seul sac pour cet exercice. Remettez l'autre dans le tas, s'il vous plaît. Merci. (Sans cesser de tourner autour du cercle, Imelda claqua des mains.) Lynda, ouvrez les yeux.

La voisine de Marisol grommela en reportant son attention sur son sac à main. Toutes les autres l'imitèrent.

— Le sac à main fait souvent l'objet d'achats compulsifs chez les femmes, expliqua Imelda. C'est un accessoire féminin, attrayant, et on en trouve de tous styles et dans toutes les gammes de prix. Il paraît indispensable, mais, pour vous, dorénavant, il ne le sera plus.

Seuls quelques frottements de pieds et quelques raclements de gorge rompirent le silence. Sous les rayons de soleil qui emplissaient la pièce chaude et lumineuse, Marisol se sentit étrangement à nu.

— Respirez. Concentrez-vous sur le sac que vous avez choisi. Voyez-le vraiment. (Imelda passa devant Marisol, laissant dans son sillage un parfum d'antiseptique.) Touchez-le. Que vous disent sa douceur, sa forme, sa couleur et ses poignées ?

— Que j'ai envie de le porter ! s'écria une femme au foyer de Topeka.

— Cela n'arrivera pas. Prenez votre temps, Rhonda. Rome ne s'est pas construite en un jour, l'encouragea Imelda en lui touchant délicatement l'épaule. Marisol, vous n'êtes pas concentrée. Le sac que vous avez choisi ne vous plaît pas ? N'hésitez pas à en prendre un autre.

— Celui-ci me convient.

— En êtes-vous sûre ? Vous pourriez en avoir un qui vous plaît vraiment.

La voix de la conseillère, tentatrice et mystérieuse, communiquait soudain un soupçon d'espoir. Pourraient-elles garder les sacs ? Cette thérapie comportait peut-être de bons côtés, finalement !

Tout excitée, Marisol examina le sac qu'elle avait choisi. Quelle erreur ! Ses boucles ravissantes ressortaient nettement sur le cuir brillant, dans un style rock chic. Trop joli! Ce sac conviendrait parfaitement pour l'anniversaire de Caprice, dans un mois. Marisol avait déjà déniché un fantastique coffret spa pour son amie ainsi qu'un adorable châle Missoni, mais si elle ajoutait ce sac à ses cadeaux ce serait beaucoup mieux.

Non. Ce n'est qu'un journal, se rappela sévèrement Marisol. *Un journal. Du papier recyclable et sans intérêt.*

—Mesdames, concentrez-vous sur votre sac. En avez-vous envie?

La voix d'Imelda était hypnotique. Les six femmes acquiescèrent.

Marisol s'autorisa à affronter de nouveau son sac.

Mmm! Il s'agissait d'un superbe travail. Le cuir était souple, les finitions parfaites, les boucles fraîches au toucher. Marisol imaginait la légèreté de l'objet, la belle boîte design et la pochette cadeau dans lesquelles elle les glisserait. Dans sa tête, elle voyait déjà ce sac empaqueté et enrubanné. Elle se projetait en train de l'emballer pour l'offrir.

—Ressentez vraiment cette envie, insista Imelda d'une voix rauque. Cédez-y. Laissez-vous aller à vouloir ce sac. Allez-y, souhaitez-le. Sentez-le. Touchez-le. Désirez-le!

Marisol haussa les sourcils. Cette séance virait à de la pornographie sur sac à main, mais cela ne la gênait pas vraiment. Elle avait envie de ce sac. Elle en avait besoin. Les cadeaux qu'elle avait déjà achetés pour l'anniversaire de Caprice ne suffiraient jamais. Elle s'en apercevait désormais.

— Maintenant… (Imelda s'arrêta de nouveau à côté de Marisol qui entendit un bruit de froissement : le sac en papier.) Débarrassez-vous de votre sac.

— Hein ? lâcha Marisol.

Il devait s'agir d'une plaisanterie. Après toutes ces histoires d'envie, de désir…, après les avoir littéralement allumées !

— Débarrassez-vous-en, répéta Imelda en remuant sa pochette. Mettez-le là-dedans.

— Mais je le veux, protesta Marisol en serrant son sac contre elle. Il me le faut !

— Vous ne pouvez pas le garder. Vous vous entraînez à résister à un signal important : l'envie d'un objet dont vous n'avez pas l'utilité. C'est la leçon du jour, mesdames, annonça Imelda en regardant le cercle de femmes. C'est une étape de la guérison.

C'était un coup bas, rien de plus ! Déboussolée par ce piège, Marisol se mordit la lèvre. Elle s'était sentie si bien. Elle avait voulu. Elle avait désiré. Elle avait senti et touché. Elle avait même cru faire des progrès – enfin ! – là où sa conseillère s'y attendait. Cela lui fendait le cœur, mais elle s'apercevait désormais qu'elle s'était fourvoyée.

Les yeux des cinq autres femmes se braquèrent sur elle.

Imelda l'encouragea d'un sourire.

— Vous pouvez le faire. Allez-y.

Marisol voulait y arriver. Vraiment. Peut-être même que cela l'éjecterait plus vite de cet endroit. Peut-être montrerait-elle brillamment l'exemple à ses camarades de désintox.

Toutefois, elle n'avait jamais été altruiste. N'importe qui le dirait. Marisol écarquilla innocemment les yeux et tendit le doigt vers la fenêtre.

— Eh! Mais c'est Jake Gyllenhaal, non?

Tout le monde regarda, y compris Imelda.

Marisol agrippa son sac à main et fila vers la porte.

Jeremy Fordham, le directeur du programme de *Dzeel*, joignit ses doigts devant lui. Il posa les yeux sur Marisol, puis secoua la tête.

— Mademoiselle Winston, cette attitude doit cesser.

Celle-ci s'enfonça dans son fauteuil. Elle avait l'impression d'être une lycéenne désobéissante convoquée dans le bureau du proviseur. Cette expérience était nouvelle pour elle: d'ordinaire, personne ne contredisait les Winston ou ne leur imposait de règles.

— J'ai proposé de payer le sac. Ce n'est pas ma faute si vos agents de sécurité ne m'ont pas rattrapée avant que je passe le portail. J'ai un excellent coach particulier.

— Il n'est pas question de vos performances sportives, soupira Fordham.

— Ne dites pas ça à Bjorn. Ça lui briserait le cœur.

Cela n'amusa pas le directeur. Peut-être avait-il été victime d'un accident de Pilates et en gardait-il rancune aux professeurs? Après tout, ce type était bâti comme une asperge, mais une asperge bio, vu son air sérieux de binoclard.

— Mademoiselle Winston, laissez-moi vous expliquer une chose, reprit-il avec ce même regard grave. En développant le programme de *Dzeel*, nous nous sommes aperçus que certaines personnes ne réagissaient pas aux interventions cliniques. Chez ces gens-là, on obtient souvent de meilleurs résultats pendant le stage, plus interactif, prévu par le programme. Pour votre propre santé, j'espère de tout cœur que vous faites partie de cette catégorie.

Mouais… ça me paraît peu probable. Je suis aussi susceptible d'exceller dans un travail que de me mettre à porter des jupes-culottes en jean discount et de me décolorer les cheveux.

— J'espère aussi, répondit Marisol avec un sourire serein. À vrai dire, je voulais justement vous parler de cette histoire de stage, avoua-t-elle en imitant sa posture dans l'espoir que cela joue en sa faveur. Quand vous choisirez mon entreprise, il me faudra un poste spécial, s'il vous plaît. Un travail pas trop pénible. Je sais qu'on est censés acquérir des compétences pour s'en sortir dans le monde réel, mais… (Elle fit une petite grimace pensive.) Avez-vous des places à Antigua ? Je suis très douée pour la plage.

— Il ne s'agit pas de vacances, mademoiselle Winston. Même pour vous.

« Même pour vous. » Beurk ! Je déteste cette phrase.

— Dans votre cas, ce sera une première. (Fordham ouvrit un dossier – celui de Marisol, sans nul doute – et consulta la fiche qu'il renfermait.) Apparemment, vous êtes en bonne santé mentale et socialement adaptée.

Vous êtes amicale, bavarde et plutôt intelligente, en fait…

—Vous pourriez au moins faire semblant de ne pas être étonné.

—Mais vous refusez le traitement, et vos compétences, si je puis les nommer ainsi, sont maigres, tout au plus.

—Je suis très douée pour trouver les meilleurs escarpins.

—Vos compétences sont loin de ce que requiert un stage dans le monde réel…

—Je sais faire flamber ma Visa Platine mieux que n'importe qui.

—… et pourtant, ici, à *Dzeel*, nous ne renonçons pas.

—Euh… faire la fête jusqu'à l'aube, c'est une compétence. Beaucoup de gens fatiguent vers 2 ou 3 heures du matin. Je pourrais bosser dans l'événementiel !

Fordham regarda par la fenêtre de son bureau, derrière laquelle se déployait un paysage bucolique parsemé de pins. Une veine palpitait sur sa tempe.

—Je crains qu'il n'y ait pas une énorme demande dans ce secteur par ici.

—C'est ce que vous croyez, mais tout le monde aime faire la fête.

—Mademoiselle Winston, je vous conseille de prendre ce traitement plus au sérieux, déclara le directeur en se radoucissant légèrement. Il n'est pas atypique qu'un patient résiste, mais, en l'état actuel des choses…, vous courez à l'échec.

Marisol ne pouvait pas accepter cela.

— Eh! J'ai l'impression que vous souffrez de pessimisme chronique, ironisa-t-elle en lui offrant son sourire le plus charmeur. (Celui qui, habituellement, réussissait à amadouer n'importe qui.) Vous êtes dans un mauvais jour, Monsieur Rabat-Joie? Vous savez, vous devriez vraiment embaucher une masseuse, ici. Une professionnelle. Ça pourrait se révéler utile pour vous et pour d'autres, pour le personnel et les patients… (Le regard de M. Fordham aurait pu geler un triple expresso.) OK. Apparemment, vous êtes plus branché acupuncture. Désolée. Faites comme si je n'avais rien dit.

Marisol leva les mains en signe de reddition avant de sonder le bureau pour y trouver un sujet de diversion. De toute évidence, il était temps de limiter les dégâts.

Son regard tomba sur des cadres photo alignés sur la crédence. L'un d'eux représentait Fordham en compagnie d'un joueur de football solidement charpenté. Les deux hommes souriaient au photographe, mais un charisme particulier émanait du sportif. Ils semblaient se trouver à une cérémonie d'ouverture. En tant que membre de la famille Winston, Marisol avait déjà trop souvent participé à ce genre d'événements.

— Vous êtes amateur de sport, monsieur Fordham? Je devrais pouvoir vous trouver des billets pour assister au match de votre choix cette saison, si…

— Non, merci.

— Ce serait avec plaisir. Vraiment, il n'y a pas de souci.

Le directeur la toisa.

— On ne peut pas en dire autant en ce qui vous concerne.

Piquée au vif, Marisol détourna les yeux. Elle gratta son accoudoir du bout des ongles en regardant le tweed s'effilocher, se laissant juste le temps de reprendre du poil de la bête.

— Vous savez, monsieur Fordham, je serais ravie de redécorer votre bureau. Il faudrait remplacer toute cette camelote Jonathan Adler. Il se trouve que je connais personnellement un certain nombre d'artisans et d'antiquaires. Des amis à moi. Il suffirait d'un coup de fil.

Le directeur tira son téléphone hors de la portée de Marisol.

— Votre père m'a averti que vous risquiez de tenter de me soudoyer comme ça.

Ah non! Elle préférait considérer sa proposition comme un cadeau, mais bon… Son père avait-il tout envisagé pour qu'elle reste ici? Au point de mettre le directeur en garde contre elle? D'avance? Pour quel genre de dégénérée la prenait-il?

Refusant d'admettre sa défaite, Marisol adressa un regard inflexible à Fordham.

— Bon, comment pouvons-nous nous mettre d'accord? Je veux partir d'ici. Vous ne voulez pas de moi. Ça devrait être simple comme bonjour, non? Alors, aidez-moi, Jeremy. Dites-moi comment nous pouvons nous arranger.

En guise de réponse, il sembla la déshabiller du regard. Dans certaines circonstances, cette technique pouvait fonctionner…, mais Marisol n'était pas ce genre de filles. Tout ce qu'elle attendait de lui, c'était un marché. Un pacte honnête qui lui rendrait sa vie d'avant, son existence de bon temps, de fête, de shopping et de perfectionnement de son cadre de vie luxueux peuplé de grands designers.

Fordham soupira.

— Essayez juste de croire à ce traitement.

Marisol grimaça. Vraiment, quel rabat-joie! En une simple phrase, il venait de faire dégringoler à un niveau proche de zéro son taux de réussite en matière de négociations, durement acquis après des heures de marchandage avec toutes sortes de commerçants.

— Essayez juste de vous investir honnêtement dans ce programme, insista Fordham en refermant son dossier avant de se lever. Faites de votre mieux.

Oh là là! Vous n'auriez jamais dû dire ça.

— Dans ce cas, nous sommes dans le pétrin. (Marisol se leva également.) Parce que le meilleur de moi-même n'a jamais été assez bon pour personne. Je n'arrive pas à croire que mon père ne vous ait pas averti.

Sans un mot de plus, elle leva le menton et sortit d'un pas léger.

Chapitre 4

Tout était fin prêt : les rayons immenses et lumineux du tout nouveau magasin *Shoparama* de Phoenix, pleins, propres et nets ; les caissiers, les magasiniers, les chefs de rayon et les boulangers qui avaient même concocté un gâteau spécialement pour l'occasion ; le système de sonorisation, annonçant l'événement imminent toutes les quinze minutes. Tout était prêt, sauf le clou du spectacle. Oh non ! Il n'était pas prêt du tout, et il commençait à croire qu'il ne le serait jamais.

— Sérieux, une cérémonie d'ouverture de supermarché ?

Cash Connelly affrontait du regard son manager et agent sportif, Adam Sullivan. Il se tenait nez à nez avec cet homme qui l'avait suivi lors de tant de coups d'essai, de qualifications, de matchs et d'entraînements. Auxquels s'ajoutaient deux apparitions au Super Bowl.

— Nom de dieu ! Pourquoi j'en suis réduit à des ouvertures de supermarché ?

— Demande à ton ex-femme, répondit Adam en resserrant sa cravate.

— Va te faire foutre, rétorqua Cash en le foudroyant du regard.

—Eh! C'est toi qui as posé la question. Je ne fais que te répondre. Ne t'en prends pas à moi. (Adam lustra sa chaussure contre son pantalon et contrôla sa coiffure.) Je fais de mon mieux, et tu devrais en faire autant.

Cash lui servit un autre regard noir avant de lui tourner le dos. Plein d'une énergie refoulée, il se mit à faire les cent pas dans la réserve froide où on leur avait demandé d'attendre jusqu'à son apparition. Il serra les poings, puis les relâcha et détendit ses épaules avant de se retourner vers Adam.

—Tu fais juste ton boulot.

—Et ton boulot à toi, c'est d'être une star. Je crois qu'on est aussi nuls l'un que l'autre.

—Marre d'attendre, lâcha Cash en consultant sa montre. Je sors d'ici.

Il passa devant une étagère pleine de lots de papier-toilette, mais Adam le stoppa d'une tape sur le torse. Du haut de son mètre quatre-vingt-quinze et avec ses quatre-vingt-dix kilos, le manager disposait d'arguments suffisamment musclés pour l'empêcher d'agir. Il en avait aussi le courage. En général, les hommes évitaient de se frotter à Cash en dehors du terrain.

—J'avais oublié que tu pouvais être aussi con avant un match.

—Ce truc n'a rien à voir avec un match, tête de nœud.

Adam soupira.

—Ça reste une partie à jouer, que ça te plaise ou non.

Cela ne plaisait pas à Cash, mais il n'avait pas besoin de le dire.

—S'il te plaît, ne fais pas tout rater, le pria Adam en lui serrant l'épaule avec un mélange de commisération et d'avertissement. Tu as assez de problèmes comme ça. Rappelle-toi, c'est le premier jour du reste de…

—Ouais, ouais, c'est ça. Fous-moi la paix avec tes trucs de coaching personnel.

D'un coup d'épaule, Cash se libéra de la poigne de son manager. Il n'avait surtout pas envie de longues pleurnicheries sur ce qui l'avait conduit là, au *Shoparama* du coin, pour le plus grand bonheur d'une bande de ménagères.

—Au cas où tu aurais oublié, on est vendredi.

Le regard que lui retourna Adam, chargé d'une pitié que Cash refusa de reconnaître comme telle, lui laissa entendre que son vieil ami n'avait rien oublié. Celui-ci leva la main en l'air.

—Tiens bon. Je vais voir si je peux accélérer le processus.

—Si tu n'y arrives pas, moi oui.

Cash ne tolérait pas le retard – ou la paresse –, ni de sa part ni de celle des autres.

Adam jeta un coup d'œil par la porte et sortit.

Mauviette! Il a peur que le chef de rayon lui balance des melons à la figure, ou quoi?

Seul dans la réserve, Cash se remit à faire les cent pas.

Nom de dieu! Une putain de cérémonie d'ouverture de supermarché!

Quand il avait pris sa retraite de la National Football League, la fédération nationale de football, deux ans plus tôt, ce n'était certainement pas pour aller s'exhiber au milieu des patates et des yaourts. Il envisageait des choses plus grandes et plus belles. Plus importantes. Qui comptaient davantage pour lui.

Et voilà qu'il se retrouvait coincé au fond d'un *Shoparama* comme un pauvre has been.

Pour faire ce job, il fallait vraiment qu'il ait confiance en Adam. Cash s'efforça de puiser dans la discipline qu'il s'était imposée durant sa carrière de footballeur. Il s'obligea à reprendre patience, conscient qu'il devait laisser un peu de temps à son manager. Ils formaient une équipe dans laquelle chacun jouait son propre rôle. Cette fois, Cash n'était pas obligé de tout porter sur ses épaules.

D'un autre côté, il avait plus de mal à lui faire confiance depuis que la période des signatures pour la saison s'était soldée par un échec, en avril. Et toute cette esbroufe lui paraissait beaucoup plus tolérable avant qu'il s'aperçoive que la représentation tombait un vendredi.

Et merde!

Derrière la porte de la réserve, la sono siffla. Le responsable du supermarché entonna un long discours pour la grande cérémonie d'ouverture du magasin, parlant de la chaîne *Shoparama*, puis plus particulièrement de la branche de Phoenix, et enfin de trucs qu'il appelait les « e-coupons ».

Apparemment, Adam avait réussi à faire bouger les choses.

Un soubresaut agita le pied de Cash. Tant pis pour la posture patiente. Il préféra rouler des épaules pour se détendre.

— Et maintenant, en provenance directe de la NFL, scanda la voix d'Adam, j'ai l'honneur de vous présenter notre invité spécial. Il a remporté le trophée Heisman, il a participé cinq fois au Pro Bowler et à deux Super Bowl. Voici l'homme aux mains d'or… (Cash grogna : il détestait ce surnom.) Le planificateur… *(Putain ! Tous les clichés vont y passer.)* Celui qui a mené les Phoenix Scorpions à leur premier championnat NFC depuis la création de l'équipe…

Nom de dieu ! Je vais gerber.

Cash s'était peu à peu habitué à vomir dans le vestiaire avant chaque match depuis l'université, mais il n'aurait jamais cru que ce rituel le suivrait lors d'événements civils.

— Celui qui va vous signer des autographes… (Des cris aigus s'élevèrent de l'assemblée de ménagères enthousiastes.) … et rester discuter avec vous, les invités du *Shoparama*…

Oh ! Va te faire foutre !

Cash ouvrit la porte avant que le responsable leur promette qu'il embrasserait leurs bébés et irait acheter des tampons.

— Il a pris sa retraite, mais on ne l'a pas oublié. Merci d'accueillir…

La présentation cessa dès que Cash s'avança sous un rideau de lumière, de serpentins, de ballons et de hurlements. Des dizaines d'appareils photo cliquetèrent, tandis que des téléphones filmaient ses moindres pas dans l'allée bordée de cordes que la direction du *Shoparama* avait aménagée pour lui.

Cash se força à sourire et salua le public. Les visages lui apparurent de plus en plus nettement à mesure que la foule se pressait vers lui. Les hommes souriaient sur son passage, certains lâchant des « Scooooorpions ! » d'une voix tonitruante. Les femmes s'agrippaient à son maillot – son vieux maillot numéro sept. Certaines lui tirèrent les cheveux, et une lui pelota même les fesses d'une main fouineuse.

— Laisses-en pour les autres, ma belle, lança Cash en lui décochant un clin d'œil qui fit glousser la femme.

Quand quelqu'un lui fit une passe, Cash céda à un automatisme de footballeur et renvoya la balle dans la foule. S'ensuivit une ruée générale visant à rattraper l'objet.

Putain de merde ! Si Tyrell s'était jeté sur mes balles avec autant d'enthousiasme quand il était mon receveur, ça aurait radicalement changé la tournure de ma dernière saison dans l'équipe.

Il monta sur l'estrade faite de cageots et se pencha vers le micro.

— Salut, tout le monde. Ça va ?

Les cris reprirent de plus belle. Au fond de la salle, une femme brandit plus haut sa banderole « *I love you*, Cash Connelly », manquant de faire s'écrouler une pyramide de soupes Campbell. Voyant que Cash regardait dans sa direction, l'amie de la fille à la banderole lui envoya un baiser et saisit l'ourlet de son polo rose.

Nom de dieu!

Cash comprit ce qu'elle s'apprêtait à faire. Ce n'était vraiment pas l'endroit pour signer des autographes sur les seins.

Interceptant le regard d'Adam, il fit un signe de tête vers la femme. Ensuite, confiant à son manager la charge de régler le problème comme d'habitude, il reprit son laïus, se maudissant d'avoir préparé un vrai discours pour une simple cérémonie d'ouverture de supermarché.

Adam se fraya un passage jusqu'à la femme – faisant galamment semblant de ne pas voir le soutien-gorge bleu pâle désormais visible – et lui murmura quelque chose. Rougissant comme une tomate, elle opina du chef.

— Merci à tous d'être venus. Je suis ravi d'être là.

Cash décrocha le micro de son pied et se dirigea vers la foule contenue derrière la barrière. Les deux agents de sécurité le foudroyèrent du regard.

— Le service de sécurité du magasin va sûrement vouloir m'étriper, mais, comme vous êtes si nombreux à avoir fait le déplacement, je veux rencontrer le plus possible d'entre vous avant de commencer.

L'assemblée tout entière se massa immédiatement plus près. Dès qu'il arriva au bord de la foule, Cash se mit à serrer les mains des gens. Les hommes riaient comme des gamins, les femmes rougissaient comme des petites filles. À côté du responsable du supermarché, Adam pinçait les lèvres et gonflait les joues comme un conseiller fiscal constipé.

Comme il arrivait au bout de la rangée, Cash reprit la parole en adressant au public son sourire de champion.

— Vous savez, je vis aussi à Phoenix. Donc je fais aussi mes courses ici. Tout le monde a besoin de se nourrir.

Des cris d'approbation lui répondirent, suivis de propositions de lui faire à manger puis d'éclats de rires.

Cela n'amusa pas le responsable du magasin ni Adam. Ces deux-là lancèrent à Cash des regards assassins. Le manager lui fit signe de continuer à parler en l'encourageant d'un geste du bras et d'un sourire nerveux.

Cash savait exactement ce qu'ils attendaient de lui, mais il essayait de gagner du temps. Il était peut-être trop bon, mais pas trop con. On ne le forcerait pas. Sans tous les événements survenus depuis son divorce, il ne se trouverait même pas là.

Enfin, ce n'étaient que de simples gens, et il aimait les gens. En général, c'était réciproque. Se rappelant cela, il prit le temps de bavarder avec la foule. Pendant quelques minutes, il en oublia même son script.

Finalement, l'expression suppliante d'Adam eut raison de lui.

— Cela dit, je n'aimerais faire mes courses nulle part ailleurs que chez *Shoparama*. (Cash serra les dents en un pseudo-sourire et désigna les rayons qui n'attendaient plus que les clients.) Donc prenez un chariot et remplissez-le comme Cash Connelly le ferait : à ras bord !

Le public applaudit, le responsable du magasin sortit presque son portefeuille devant tout le monde, et Adam leva ses deux pouces pour féliciter Cash.

Ce dernier prit une profonde inspiration et offrit à son audience ce qu'elle attendait : lui. Du moins, celui pour qui elle le prenait.

Il avait fini par vendre son âme. C'était officiel. Et ce n'était même pas pour gagner un match, mais simplement pour survivre.

— Non, mais c'est une blague ? grogna Cash tandis qu'il traversait le parking avec Adam après son animation au *Shoparama*. Des femmes au foyer, des retraités, des collectionneurs de bons de réduction ?

Il jeta son stylo dans la première poubelle, dégoûté d'avoir dû s'en servir, d'avoir cédé, d'avoir craqué, d'avoir renié ses principes.

— Il ne manque plus que je coupe le ruban d'un garage pour l'ouverture des soldes. Sérieux, Adam !

— Écoute, je sais que tu es dans une situation désespérée…

— Tu ne sais rien, le coupa Cash en avançant à grandes enjambées.

Le manager dut trottiner pour réussir à le suivre.

— Je sais que cette femme était plutôt contente de te voir. Pas vrai ? demanda-t-il en lui donnant un coup de coude.

— Celle au soutif bleu ? Dans la réserve ? (Face à l'air de merlan frit d'Adam, Cash ne put retenir une grimace.) Je ne sais pas lequel des deux était le plus excité, entre elle et toi, mon pote.

Le manager sourit.

— Le bon vieux temps me manque. Cette époque où les soutien-gorge bleu pâle défilaient sous nos yeux…

Cash l'interrompit.

— Je n'arrive pas à croire que tu lui aies promis que je « m'occuperais d'elle » dans la réserve. Elle a failli pleurer quand je me suis arrêté derrière la palette et que je lui ai sorti un stylo au lieu d'autre chose.

— Je parlais de lui signer un autographe… là où elle voudrait, corrigea Adam en souriant. Pas de te la taper sur les stocks de PQ. N'importe qui l'aurait compris, mais elle était aveuglée par sa joie de rencontrer un célèbre *quarterback* en chair et en os pour la première fois ; le fameux mannequin pour caleçons…

— Oh, la ferme, sale pervers ! (En cherchant les clés de sa Range Rover, Cash s'aperçut que ses mains tremblaient.) Entre deux autographes, je faisais de la promo pour les Mentos. Pour les Mentos !

Il ouvrit la portière du conducteur, retira son maillot numéro sept et le jeta à l'intérieur comme un vieux chiffon, puis il reporta son attention sur son manager.

— Il faut que tu trouves mieux que ça.

— Ces gens ont adoré te voir, insista Adam. Tu as bien dû t'en rendre compte. Tout le monde en redemandait : les hommes, les femmes et les enfants. Tu assures encore, Cash !

Celui-ci secoua la tête.

— Ne me dis pas ça.

— Et je suis sûr qu'une nouvelle équipe te contactera bientôt. Ils te voudront, toi. J'ai des pistes jusqu'à Seattle, San Diego et Baltimore. Si tu avais accepté l'offre des Eagles…

— Tu sais que je ne peux pas aller à Philadelphie.

— … tu ne te retrouverais pas là aujourd'hui. Allez, fais-moi confiance.

Refusant d'admettre qu'il n'y arrivait plus, Cash se glissa dans sa voiture dans un silence obstiné.

— Tout arrive un jour, le rassura Adam. Il faut laisser faire le temps.

Le temps. Comme s'il avait toute la vie devant lui ! Avec une mine renfrognée, Cash crispa les mains sur le volant. Quand il sentit un fourmillement dans ses doigts quelques instants plus tard, il relâcha ses poings.

Il faut prendre soin de ces « mains d'or », pas vrai ?

— Et pour Ed ? demanda-t-il, le regard rivé droit devant lui.

À la mention de l'entraîneur des Scorpions, Adam eut un moment d'hésitation. Pendant dix bonnes secondes, on n'entendit plus que le bruit de la circulation, les conversations des clients et le soupir des cuirs intérieurs de la Range Rover luttant contre la chaleur caniculaire de juin.

— J'attends toujours de ses nouvelles. Les Scorpions ont recruté Johnson – tu sais, ce bizut de l'État de Miami –, et il leur reste des joueurs de réserve. Vu comment s'est passé ton départ… (Adam poussa un puissant soupir.) Les choses changent.

— Arrange-toi pour que ça arrive, et vite. Tu sais ce qui est en jeu, lui rappela Cash. Allez, je me tire.

— Je ferai de mon mieux. Tu le sais.

Cash hocha la tête en serrant les mâchoires, mais, tandis qu'il sortait du parking, s'éloignant de ce fiasco, il ne parvenait pas à se débarrasser de l'image qui restait gravée dans son esprit ; l'image de son manager et ami, planté au milieu des places fraîchement dessinées sur l'asphalte. Seul. Un grand type, face à une tâche énorme.

Prêt à courir à la catastrophe.

Encore. Tout comme Cash.

Chapitre 5

Putain d'heure de pointe! Ça prend des siècles pour traverser la ville, avec tous ces bouchons.

Lorsque Cash atteignit enfin la proche banlieue en dépassant la vitesse autorisée dans les élégantes rues bordées de maisons à plusieurs millions de dollars, une ombre bleu nuit couvrait la vallée tout entière.

Alors qu'il se garait et fourrait ses clés dans sa poche, la seule lumière restante provenait d'un rayon orangé passant au-dessus des montagnes. Entre elles, dans la grande cuvette, les lampadaires et les éclairages des maisons faisaient scintiller les grains de poussière comme autant d'étoiles.

Cash emprunta l'allée à grandes enjambées, l'estomac de plus en plus noué à chaque pas. Il avait une sensation bizarre à la tête et dans les mains. Il ne croyait pas aux symptômes psychosomatiques ou à ce genre de conneries de hippies, mais le fait de se rendre dans son ancienne maison lui faisait le même effet que si un défenseur de cent cinquante kilos particulièrement rancunier et vicieux le plaquait au sol. Cela tenait peut-être au fait qu'il ne vivait plus dans cette maison.

Son ex-femme y habitait, elle. Avec son nouveau gigolo.

Stephanie ouvrit la porte avant qu'il ait eu le temps de lever la main pour toquer. Vêtue d'une robe de soirée et maquillée de gloss, elle n'avait plus le pouvoir d'exciter Cash. En revanche, elle avait réellement le don de le rabaisser plus bas que terre. Cela ne changeait pas.

— Tu es en retard, lui reprocha-t-elle en restant sur le seuil.

— Ils sont prêts ? demanda Cash après l'avoir saluée d'un signe de tête.

— Depuis une demi-heure.

Stephanie se tourna légèrement pour regarder à l'intérieur, offrant à Cash un bref aperçu de son ancien salon. Au centre de la pièce, un lustre sur mesure projetait des points de lumière sur le carrelage d'importation qu'elle avait tellement voulu. Lorsque Cash le lui avait trouvé, des années auparavant, il avait eu l'impression d'être un héros.

Une ombre passa dans le salon. Son nouveau mec.

Cash tourna délibérément les yeux vers le jardin. L'aménagement de leur terrain lui avait coûté un paquet de fric et plus d'un de ses week-ends hors saison. Il inhala une bouffée d'air à l'odeur piquante de goudron.

— Tu veux bien leur dire que je suis là ? Je vais les attendre.

— Tu ne veux pas entrer ? s'étonna-t-elle avant de marquer une pause. OK. Fais comme tu veux. Comme d'habitude. (Stephanie recula, puis elle revint vers Cash, et leurs doigts se frôlèrent.) Dis-moi, est-ce que tu as reçu une proposition ? On était à Orlando au moment des recrutements, et j'ai oublié de t'en reparler depuis. C'est la folie en ce moment. Tu vois ce que je veux dire.

Malgré lui, l'expression attendrie de son ex-femme le toucha. Elle lui remémora les jours meilleurs et dénoua sa langue alors que, d'ordinaire, il se serait contenté de la fermer.

— Pas encore.

Elle soupira, gonfla les joues et le regarda avec un air compatissant qui rappela à Cash qu'il aurait dû protéger ses arrières.

— Bon, si on te fait une offre, tiens-moi au courant, d'accord ? (Stephanie regarda par-dessus son épaule avant de se pencher vers lui.) Comme Tyrell a été choisi pour être le joueur emblématique du club cette année, on pensait partir à Venise après les stages d'entraînement. Je crois qu'il a toujours voulu se promener en gondole. Tu ne trouves pas ça mignon ? De toute façon, on va se payer un voyage, donc on s'est dit que tu pourrais dégager un peu plus de ton temps pour…

— Papa ! Papa ! Tu es arrivé !

Les cris interrompirent son ex-femme. Trois paires de pieds tambourinèrent sur le plancher du salon. La porte s'ouvrit d'un coup, à la surprise de Stephanie qui perdit l'équilibre. Baissant les yeux et voyant d'où venait ce grabuge, elle renonça face à l'inévitable.

— Amusez-vous bien, les enfants, leur souhaitat-elle lorsqu'elle eut repris appui sur ses talons aiguilles. À dimanche.

Les bisous fusèrent de toutes parts. On rassembla les sacs à dos, les jouets, les goûters et les valises. On chercha en catastrophe les peluches. On chahuta gentiment quand Cash s'agenouilla pour faire un câlin géant aux trois petits en même temps. Chacun à son tour, ceux-ci gigotèrent dans ses bras pour lui rendre ses embrassades en poussant des cris aigus et des rires chantants que seuls les enfants de six ans pouvaient produire.

—Papa! Papa! Tu as vu? Je me suis dessiné une fleur sur la joue.

—Papa, regarde! J'arrive à faire les prises de karaté comme Spiderman!

—Pourquoi tu es en retard, papa? On t'a attendu pendant des siècles!

Emily, Jacob et Hannah. Tous nés le même jour, mais tous radicalement uniques. Ils étaient l'amour en demi-portions, une triple explosion dans son cœur sans défense.

Ainsi entre leurs bras, toujours à genoux, Cash sentit le souffle lui manquer. Il attendait ce moment depuis une semaine. Chaque fois, il s'attendait à ce que tout ait disparu, à ce qu'ils aient disparu de sa vie.

—Alors, pour le mois prochain…, reprit Stephanie.

—Comme tu veux, répondit Cash en la regardant par-dessus la tête des enfants. C'est d'accord. Tu n'as qu'à demander.

Son ex-femme eut l'air surprise, mais il ignorait pourquoi.

Cela dit, il n'était pas non plus du genre à y réfléchir pendant des heures.

Il la salua en évitant de s'attarder sur la vague silhouette qu'il distinguait à l'intérieur, puis il fit monter les enfants dans sa Range Rover. Il allait lui falloir des heures pour les installer, avec tout leur barda, mais il s'en fichait. Le meilleur moment de la journée était enfin arrivé. Il aurait signé des milliers d'autographes et fait la promotion de millions de paquets de Mentos rien que pour ça.

Il prit une poignée de rouleaux de bonbons dans son vide-poches et les jeta vers la banquette arrière. Aussitôt, Jacob, Hannah et Emily les saisirent au vol en gloussant.

— Une seconde, les arrêta Cash. Ne les ouvrez pas avant le dîner.

— On a déjà mangé ! répondirent-ils en chœur.

— Des hot-dogs ! développa Jacob. Avec de la gelée de raisin !

Cash en frémit. Son fils était le roi des mélanges culinaires bizarres.

— Et des quartiers de pommes, ajouta Hannah, sa petite voix empreinte d'un dégoût évident. Beurk ! C'est Tyrell qui nous oblige à manger ça. Parce que Tyrell, il dit toujours que si…

— Bon, ne mangez pas tous les Mentos d'un coup, l'interrompit Cash d'une voix chaleureuse en démarrant la voiture. Parce qu'on a de la route. J'ai une surprise pour vous, ce week-end.

Deux heures plus tard, juste après Flagstaff, dans le nord de l'Arizona, Cash emprunta un sentier goudronné cahoteux. Il serpenta dans l'obscurité d'une épaisse forêt de pins, puis ralentit en entrant sur une propriété privée. Une maisonnette construite sur deux niveaux se dressait au milieu du terrain, son large porche semblable à un sourire fendant sa façade. Les lumières des alentours révélaient un jardin clôturé et un chêne noueux, et la lampe du perron diffusait une lueur accueillante.

Cash regarda au-dessus de son épaule. Les enfants s'étaient écroulés soixante kilomètres plus tôt après avoir chanté un million de fois *Il était un petit navire* et réclamé à peu près quatre-vingt-quinze fois des Mentos, des pauses-pipi et des briques de jus de fruits – sans oublier leurs fréquentes chamailleries. Retenus par leur ceinture de sécurité, ils étaient maintenant effondrés sur un tas de coussins, de doudous et de peluches, penchés sur la gauche comme des dominos près de tomber. Comme ils étaient mignons! De vrais petits anges.

Posant sa joue contre son siège, Cash les contempla dans leur sommeil. *Rien qu'une seconde*, songea-t-il. Cela pouvait paraître ridicule, mais les regarder dormir lui procurait une certaine satisfaction. Leurs joues roses, leurs cheveux en bataille, leurs petites mains refermées sur leurs peluches miteuses. Ils possédaient tous les trois la même loutre brune, souvenir d'une visite à l'aquarium. Dieu seul savait comment ils les distinguaient les unes des autres, mais ils y arrivaient.

Jacob marmonna dans son sommeil. Cash s'activa avant que quiconque le surprenne, lui, l'ancien footballeur, si grand et si fort, en flagrant délit d'attendrissement devant ses enfants. D'un geste furtif, il ouvrit sa portière et sortit dans la nuit. La terre bruissa sous ses pieds. L'air de la montagne sur ses bras nus le fit frissonner. Le parfum des résineux emplit ses narines. Sans quitter des yeux Hannah, Emily et Jacob, Cash ouvrit la portière arrière.

Personne ne bougea, même lorsqu'il se cogna accidentellement la jambe contre la portière et qu'il ne put réprimer une série de jurons étouffés. Ouf!

Il prit Emily dans ses bras, puis il attrapa son sac à dos, qu'il laissa pendre à son coude. La fillette, avec ses vingt kilos et son parfum de bonbons, se blottit contre lui et continua de dormir. Cash aurait certainement pu la lancer en l'air comme une voltigeuse sans la réveiller. C'est ça qui est génial, avec les enfants : ils ont une confiance aveugle en leurs parents, même dans leur sommeil.

Cash ne se rappelait pas s'être jamais autant fié à quelqu'un.

La maison, spacieuse et confortable, correspondait exactement à son souvenir. Le lieu idéal pour se mettre les doigts de pied en éventail et boire une bière devant la télé. Des couvertures aux motifs indiens habillaient le canapé et les fauteuils en cuir. Les murs étaient décorés de quelques tableaux typiques de la région. Près de la cuisine, un seau contenait des cannes à pêche qui se disputaient la place avec des clubs de golf et un balai. À pas de loup, Cash fit l'aller et retour entre la chambre et la voiture jusqu'à ce que les triplés soient bien installés.

Ensuite, il s'attarda sur le seuil, adossé au montant de la porte, pour contempler ses enfants terrassés par le sommeil. Il courait un risque en les amenant là. On pouvait même dire qu'il jouait avec le feu. Cash ignorait s'il avait réellement besoin de se trouver près du camp d'entraînement des Scorpions cet été, mais, si les petits ne se plaisaient pas ici, rien d'autre ne compterait.

Il espérait qu'ils s'y plairaient. Il le souhaitait avec une force terrifiante, car, si tout se passait comme il le voulait, cet endroit pourrait devenir la clé de son avenir, et du leur.

Si tout allait de travers… Il refusait d'y penser.

En bâillant, Cash redescendit l'escalier. Il lui restait beaucoup de choses à faire avant le coup d'envoi officiel du week-end. Même en tant que père célibataire à temps partiel, il savait qu'il valait mieux prévoir les choses. Il prépara tous les jouets et les goûters pour le lendemain, il s'assura que ce trou paumé recevait toujours la chaîne de dessins animés, il alluma la télévision sur SportCenter et posa son portable sur le plan de travail de la cuisine.

La lumière de son répondeur clignotait.

Le cœur dans les chaussettes, il appuya dessus.

« Cash, où est-ce que tu es, putain ? vociférait Adam aussi clairement que s'il se trouvait devant lui. Ed a appelé. Johnson s'est déchiré le biceps aujourd'hui au camp des jeunes. »

Aïe ! Pauvre vieux !

Cash ne connaissait pas ce foutu Johnson – un débutant de seconde zone ramassé dans l'État de Miami –, mais il éprouvait de la compassion pour ce type. Une telle blessure représentait un revers non négligeable pour n'importe quel joueur.

« Sa saison est remise en question, continuait le manager. Les Scorps ont toujours McNamara – l'ancien remplaçant de Cash –, mais le deuxième maillot de *quarterback* est à toi si tu acceptes de te battre pour le gagner au camp d'entraînement. Ed m'envoie le contrat par mail, annonça-t-il avant de marquer une pause lourde de sens. Je te l'avais bien dit, petit con. »

Cash sourit. « … à toi si tu acceptes de te battre… » À qui Adam croyait-il parler ? Cash Connelly était fait pour la compétition. Rien au monde ne pourrait l'empêcher de gagner cette fois.

Parce que, cette fois, tout ce qu'il possédait en ce bas monde en dépendait.

Chapitre 6

Le 4 juillet, à trois semaines du début du camp d'entraînement, Cash entra dans une période critique. Il lui fallait une nourrice, et vite. Quatre candidates valables avaient déjà pris la fuite, et il ne savait pas où en dénicher une cinquième. Tout en se passant les doigts dans les cheveux, il observa le chaos qui régnait dans sa maison – les beuglements de la télé, les emballages des goûters, les ballons de basket et les baguettes magiques –, puis il prit son téléphone.

Hannah tira sur sa manche d'un air grave.

— Papa, on a fait une bêtise, Emily, Jacob et moi ?

Cash s'accroupit et examina le visage inquiet de sa fille, ses joues barbouillées de chocolat et le vieux tutu rose qu'elle avait enfilé par-dessus son pyjama. Il secoua la tête.

— Non. Vous n'avez pas fait de bêtise.

— Parce qu'on a fait peur à Melissa et elle a démissionné.

Melissa. La quatrième nounou. En rentrant d'un entraînement et d'un jogging de dix kilomètres, Cash l'avait trouvée les yeux écarquillés, couverte de mousse et d'une matière visqueuse : les triplés avaient

71

décidé de laver en machine leurs pastels pour « qu'ils colorient mieux ».

— Elle nous a traités de vandales, déclara Jacob en détachant son regard de son goûter.

Celui-ci se composait de crackers, de compote de pommes et de cornichons, mélangés dans un bol en plastique. Le garçon fronça les sourcils en faisant avancer ses soldats sur le plan de travail.

— C'est quoi, des vandales ?

— Les nounous grincheuses disent ça quand elles n'arrivent pas à faire leur travail, expliqua Cash en ébouriffant les cheveux de son fils avant de sourire à Hannah. Ne vous inquiétez pas. On en trouvera une encore mieux que Melissa.

Dès que… Dès maintenant. Bon sang !

Déboussolé, Cash serra son téléphone dans sa main. Il avait été franchement ravi de garder les enfants tout l'été, permettant ainsi à Stephanie d'aller se promener à Venise avec Tyrell, mais s'offrant surtout plus de temps avec Jacob, Hannah et Emily. Et son ex-femme l'avait rendu encore plus heureux en lui annonçant qu'elle modifierait leur accord de façon permanente si ces deux mois se passaient bien.

Cependant, à l'approche du camp d'entraînement, et avec son programme qui se remplissait à vue d'œil…

Non. Tout ça n'a aucune importance. Il faut que ça marche. Je vais tout faire pour. Je ne suis pas du genre à attendre que les choses arrivent toutes seules. Cette occasion ne se représentera pas deux fois. Les Scorpions ne me donneront pas une autre chance, et Stephanie non plus.

Prenant son courage à deux mains, Cash composa le numéro de la halte-garderie.

Dix minutes plus tard, il raccrochait violemment.

Devant la télévision, Emily sursauta. Elle le regarda par-dessus son épaule en écarquillant les yeux sous sa frange châtaine. Il remarqua qu'elle était toujours en chemise de nuit et qu'elle portait, allez savoir pourquoi, des mitaines roses ainsi que ses baskets à lui. Sur ses pieds minuscules, elles ressemblaient à des chaussures de clown.

Nom d'un chien! Ça fait à peine quarante minutes que la dernière nourrice a foutu le camp, et c'est déjà le souk. Il faut que je reprenne les choses en main.

Il commença par tendre le doigt vers la mezzanine à la façon d'un chef militaire.

— Allez tous vous habiller! Il est onze heures et demie.

Hannah se leva sur le champ.

— Prem's!

Les voiles de son tutu disparurent en haut de l'escalier. Non seulement Hannah était la plus obéissante des trois, mais elle possédait le plus fort esprit de compétition. Il l'entendit courir à l'étage. Une porte claqua. Satisfait, Cash fusilla du regard ses deux autres enfants.

— C'est pas juste! s'écria Emily. T'as triché!

Sur ce, elle partit vers l'escalier en courant. Enfin, presque. Les baskets de son père la ralentissaient considérablement. En deux enjambées, Cash la rattrapa et la stoppa en rivant sa main sur la petite tête aux cheveux emmêlés.

— Enlève mes chaussures.

— Mais je les aime bien! protesta-t-elle en faisant la moue. Elles me font faire de grands pas.

— Et moi je me retrouve pieds nus.

— Et alors? Tu as les pieds trop costauds pour te faire mal. C'est un pouvoir magique, ou un truc comme ça, déclara-t-elle en joignant ses mains.

Cash la dévisagea, bouche bée.

— Est-ce que tu viens de battre des cils?

— Peut-être. Si oui, est-ce que je peux garder tes baskets?

Mon dieu! pensa-t-il avant de tendre la main.

— Pas question. Donne.

À côté, Jacob projeta deux petits soldats dans sa bouillie de compote-crackers-cornichons. Trop occupé à crier «Geronimo!» de sa voix aiguë, il restait insensible à l'ordre de son père.

Celui-ci s'occuperait de lui plus tard. Pour l'instant...

— Les baskets, répéta-t-il en claquant des doigts. Enlève-les.

Emily entortilla une mèche de ses cheveux. Au lieu de se pencher pour retirer les chaussures, elle remua les pieds à l'intérieur en dévisageant Cash avec une sincérité à la limite de la décence.

— Tu sais quoi? Ce tee-shirt te va très bien, papa.

Oh, c'est vrai? Mais attends une minute...

Il baissa les yeux.

Un tee-shirt trempé de sueur. Un short de sport. Des jambes poilues. Des pieds nus.

Hein? Mais qu'est-ce qui se passe, là?

Il ne savait comment interpréter le sourire de chérubin de sa fille et cette nouvelle douceur dans son langage. Il examina la petite, réfléchit un instant et préféra reporter son attention sur son fils.

— Monte, Jacob. Va te changer. Et que ça saute ! ordonna-t-il avec un geste sévère.

Le garçon grommela avant de taper sa cuillère contre son bol où surnageaient deux petits soldats.

— On cooouuule ! hurla-t-il. On cooouuule ! (Il adressa à Cash une moue consternée.) Super, papa ! Maintenant, ils sont tous en train de se noyer.

— Envoie-leur un cracker et file. Et brosse-toi les dents aussi.

— OK, mais je lave seulement celles avec lesquelles j'ai mâché.

D'un air las, avec une extrême lenteur – une lenteur mortelle –, Jacob grimpa les marches en mettant à l'épreuve l'autorité de son père à chaque pas.

— J'ai dit : et que ça saute ! cria Cash.

Le petit accéléra, sa loutre en peluche rebondissant sur son dos. À l'étage, une autre porte claqua.

Et de deux. Plus qu'une.

Cash croisa les bras.

— Toi aussi…, commença-t-il.

À cet instant, il entendit des bruits de baisers à hauteur de sa hanche.

Emily.

— Maman fait ça quand elle veut que Tyrell fasse quelque chose. (Les lèvres avancées, des yeux de merlan frit… Quelle minaudière !) Ça marche chaque fois. Tyrell, il fait une tête bizarre, un peu comme Pépé le Putois quand il voit une femelle. Et après…

Ce fut la goutte d'eau qui fit déborder le vase. Cash souleva la gamine et la sortit de ses chaussures sans plus attendre.

—Dis au revoir aux baskets, princesse.

—Au revoir, baskets! Hop là!

Emily gigota en gloussant. Abandonnant ses chaussures qui semblaient le regarder d'un air insistant sur le sol de la cuisine, Cash hissa sa fille sur son épaule et gravit bruyamment l'escalier.

—Papa! C'est exactement ce que Tyrell fait à maman!

Sans blague? Pff! Quand est-ce que j'ai demandé des nouvelles de la vie amoureuse de mon ex-femme?

Peu importait comment il en était arrivé là. Il voulait simplement que cela cesse immédiatement. Il voulait que cela cesse, il voulait une nourrice et il voulait que sa vie reprenne son cours. Dans cet ordre ou pas, d'ailleurs.

C'est le «ou pas» qui gagna quand la sonnette retentit.

Sans se laisser démonter par les coups et des braillements provenant de la mezzanine – sans parler de l'eau qui semblait couler à flots – Cash déposa Emily en haut des marches et se précipita vers la porte d'entrée. Contre tout sens commun, il espérait que la halte-garderie s'était ravisée et qu'elle lui envoyait une nourrice de rechange. Une nounou de choc, qui ne prendrait pas ses jambes à son cou à la simple vue d'un peu de mixture visqueuse.

Il ouvrit la porte.

— Zut! J'attendais Mary Poppins.

— Donc on est quittes, répondit Leslie, son ex-belle-mère, en posant une main sur sa hanche. J'espérais voir Tom Selleck.

— Tom Selleck?

— Le plus beau moustachu de tous les temps. Mmm! J'adooore cet homme. Sérieusement! affirmat-elle dans un éclat de rire.

— Mon Dieu! Mamie a perdu la boule, lâcha Cash en se couvrant les yeux.

— C'est le titre d'une émission où les filles enlèvent leur haut, non? Parce que, pour ce cher Tom, je pourrais faire une excep…

— Stop! l'interrompit Cash en levant la main devant lui. (Osant à peine la regarder furtivement du coin de l'œil, il fut rassuré de constater qu'elle n'avait rien ôté du tout.) Merci d'être venue.

— Pas de problème. (Derrière ses courts cheveux argentés, elle sonda sérieusement son regard.) Alors comme ça, les Scorpions t'ont repris à l'essai? Ça ne va pas être facile. Comment tu te sens?

Désespéré.

Un instant, Cash faillit le confesser à voix haute.

Heureusement, il fut sauvé du ridicule par l'apparition de son plus vieil ami. À quatorze ans, Pato mesurait soixante centimètres au garrot et pesait trente kilos. Hirsute et affublé d'une haleine atroce, il avait la fâcheuse habitude de se frotter aux jambes d'une façon peu recommandable. Malgré ses deux pattes boiteuses, ce berger allemand était parfait.

Libéré de sa laisse par Leslie, Pato galopa vers Cash. Enfin, presque.

—Salut, petit père! Comment ça va?

Cash s'accroupit pour l'accueillir en roucoulant d'une voix tristement suraiguë. Le chien étant pratiquement sourd, lui parler nécessitait soit un mégaphone, soit l'envie de passer pour un débile profond.

—Je t'ai manqué, hein! Oui! (Grattage d'oreilles. Frottage de museau. Gratouilles.) Et moi, je t'ai manqué? (Pato frétillait tellement qu'il faillit basculer tout seul.) Oh oui, je t'ai manqué! s'exclama Cash. Oh, que oui!

Leslie éclata de rire.

—Un peu plus fort. Je ne suis pas sûre que les voisins t'aient bien entendu… à deux hectares à la ronde, précisa-t-elle en inclinant la tête.

Cash la foudroya du regard. En général, ces yeux-là intimidaient même les hommes majeurs et vaccinés, mais sa belle-mère rit de plus belle.

À sa décharge, elle faisait partie des rares personnes qui, en dehors d'Adam, savaient presque tout de lui et ne le fuyaient pas. De plus, elle avait pris soin de son chien pendant qu'il préparait son séjour ici pour l'été. Cela comptait pour beaucoup, donc il lui passa cette dernière remarque.

—Pato, entre, ordonna-t-il avant de réfléchir. Vous aussi, Leslie.

Trois minutes plus tard, elle était installée dans le canapé pour sa visite hebdomadaire habituelle, croulant sous les petits-enfants, les livres et les bavardages.

— Alors, où est la dernière nounou? (Elle leva un visage interrogateur en sortant des bonbons à la cerise de son sac.) Melissa, c'est ça?

Cash s'efforça de paraître aussi sourd que Pato.

— Bon, je crois que tout est prêt. (Battant des paupières innocemment, il épousseta son vieux maillot des Scorpions.) Je vais me doucher. Je reviens tout de suite.

Sa tactique fonctionna presque. Il traversa le salon, vit la cuisine, s'approcha de la grande chambre du rez-de-chaussée…

— Minute, jeune homme! Je t'ai posé une question.

Cash s'arrêta net.

Merde! Si Stephanie apprend que je n'arrive même pas à garder une nourrice plus de trois jours…

— Melissa a démissionné, répondit Hannah d'une voix sentencieuse.

— Ouais. Elle a dit qu'on était des vandales, ajouta Jacob avec enthousiasme.

— Ouais. Quand papa l'a surprise en train de faire ses bagages, en rentrant, il a dit un gros mot, renchérit Emily sans scrupule. Très fort, insista-t-elle avec des yeux pétillants. Il a dit…

— Tu as encore laissé échapper un gros mot? s'étrangla Leslie. Comment tu as fait ton compte? Ça fait quatre!

—Euh…, hésita Cash en faisant les gros yeux à ses enfants.

—Toi, mamie, tu dirais jamais ça. (Emily se pelotonna davantage et leva les yeux de son livre avec une expression angélique.) Tu es trop jolie et trop gentille pour dire un mot comme…

—Je m'en occupe, l'interrompit son père avant que la fillette de six ans puisse exposer haut et fort le vilain mot. *(Toi qui voulais gagner du temps, c'est foutu.)* J'ai déjà appelé la halte-garderie.

—Oui. Et…?

—Et ils n'ont personne d'autre à m'envoyer pour l'instant.

Concrètement, son interlocutrice l'avait sermonné sur le comportement de ses enfants, puis elle l'avait enjoint de ne plus jamais lui téléphoner.

—C'est une petite ville, reprit-il. Il n'y a pas une grosse demande de nourrices dans le coin. J'imagine que la plupart des gens embauchent des ados comme baby-sitters.

—Eh bien, ce n'est peut-être pas si mal, commenta Leslie.

Cash la dévisagea avec incrédulité. Il désigna Jacob qui sortait méthodiquement tous les livres des étagères sans aucune raison Hannah, qui tentait d'attacher un diadème plein de strass sur la tête de Pato et Emily qui essayait des rouges à lèvres fauchés dans le sac de sa grand-mère.

—Ce sont des triplés. Ça demande beaucoup de travail, même pour un adulte.

— Dans ce cas, prends trois baby-sitters. Je suis à la retraite ici depuis neuf ans, abstraction faite de mes quelques années de service pour ta fondation. Même moi, je sais qu'on trouve des ados à la pelle à Flagstaff.

Agacé par le ton enjoué de sa belle-mère, Cash croisa les bras. Ne voyait-elle pas qu'il était acculé ? Apparemment, ses enfants agissaient sur les nourrices comme de la kryptonite. Les quatre dernières l'avaient prouvé. Quant à lui, il ne ressemblait pas suffisamment à Superman pour s'en sortir seul.

— Et, ils ne sont pas aussi fatigants que ça, dit Leslie en louchant vers Emily tandis qu'elle l'aidait à mettre du rouge à lèvres « Aurore rosée ».

— Ah non ? Allez dire ça à celle qui essaie sûrement encore d'effacer les tatouages au marqueur indélébile que ces trois-là lui ont dessinés. On aurait dit une Maori multicolore.

— Mais elle sentait trop bon quand elle est partie ! intervint Emily.

Exact. Les feutres étaient parfumés, se souvint Cash.

— Ou bien allez expliquer ça à la nounou numéro deux, reprit-il. Elle n'est sans doute toujours pas remise de sa foulure à la cheville.

— Elle était géniale, cette course de haies ! s'exclama Jacob, le visage rayonnant. Même si c'était épuisant de traîner toutes les bûches à l'intérieur.

— Il aurait fallu que le serpent reste dehors, par contre, souligna Hannah.

— Et la mouffette, aussi, renchérit Emily en se parfumant.

Cash regarda Leslie d'un air de dire : « Vous voyez ? »

—Ils débordent d'énergie. Et alors ? Ils sont trop adorables pour que ça pose vraiment un problème.

À ces mots, les trois mômes lui grimpèrent dessus pour un câlin collectif. En secouant la tête, Cash les regarda se blottir contre elle et réclamer davantage de bonbons. C'est alors que le spectacle de ses enfants en train de grignoter, de se parfumer, de se maquiller et de lire lui donna une idée. Une idée de génie.

Cash s'assit sur le dossier du canapé.

—Dans ce cas… Et si vous les gardiez, vous ? C'est bien connu : les grands-mères font les meilleures nourrices.

Leslie étouffa un petit rire et ouvrit un nouveau livre.

Avec la même patience que lorsqu'il surveillait la ligne défensive de l'équipe adverse, il ne la quitta pas des yeux.

Sa belle-mère finit par reporter son attention sur lui.

—Bon, bon, d'accord ! Apparemment, tu es sérieux. Maintenant, je sais de qui Emily tient ça, lança-t-elle en levant les yeux au plafond.

—De qui elle tient quoi ? s'enquit Cash en feignant l'ignorance.

—Son côté charmeur, répondit Leslie en plaquant ses paumes contre les oreilles de la fillette. Cette petite peut obtenir le beurre, l'argent du beurre et même le sourire de la crémière ; nous en sommes tous conscients. Quand elle apprendra la subtilité… Malheur ! Rien ne l'arrêtera plus !

Comme elle retirait ses mains, Emily sourit, et Cash secoua la tête.

— C'est une bonne idée. Les enfants vous adorent, insista-t-il. (Plus rien d'autre ne comptait, surtout maintenant qu'il avait un plan.) Ils seraient ravis de passer plus de temps avec vous. Vous vous êtes toujours très bien occupée d'eux depuis leur naissance.

— Dieu sait combien Stephanie avait besoin d'aide à cette époque, se justifia Leslie d'un air grave. Une femme seule face à trois petits bébés…

Elle tentait clairement de l'amadouer avec son sourire las, mais il refusa de mordre à l'hameçon. C'était du passé. Toutes ses tentatives d'excuses, bien que pleines de bonnes intentions, avaient lamentablement échoué.

— D'accord, vous ne voulez pas. Je comprends. Vous êtes trop occupée pour m'aider. (Il fila dans la cuisine pour récupérer son téléphone.) Pas de problème. Je viens de me souvenir de deux pom-pom girls des Scorpions qui vivent en colocation dans le coin, près de Lake Mary. Elles feront sûrement très bien l'affaire. Deux baby-sitters, c'est toujours mieux qu'une seule : deux fois plus d'enthousiasme et d'énergie.

— Et de nibards, ajouta sa belle-mère à voix basse en lui arrachant le téléphone des mains. N'oublie pas ce détail.

Cash la gratifia d'un sourire coquin.

— Comment le pourrais-je ?

— Tu n'es pas sérieux ? protesta-t-elle en secouant la tête.

—Au fait, comment avez-vous fait pour arriver aussi vite ? demanda Cash en jetant un coup d'œil derrière elle. Euh… vous leur avez laissé votre sac.

—Peu importe. (Elle n'accorda pas un regard à ses affaires en désordre.) Tu n'es qu'un homme de Cro-Magnon. Je ne peux pas te laisser engager des bimbos pour garder mes petits trésors.

—Bien sûr que si, vous le pouvez. C'est facile, regardez. Vous n'avez qu'à me rendre le téléphone.

—N'y pense même pas, mon vieux. Surtout pas pour appeler tes poupées gonflables.

—Eh ! Bambi et Brandi sont des professionnelles.

Les joues de sa belle-mère virèrent à l'écarlate.

—Et voilà ! Je t'ai laissé une chance, mais tu as tout gâché, s'exclama-t-elle en ponctuant chacun de ses mots par un coup de combiné sur le torse de Cash. Je reprends les rênes.

Enfin ! Bon sang, ce qu'elle est coriace !

Cash adopta une mine renfrognée.

—Personne ne prend les rênes quand c'est moi qui les tiens.

—Ah bon ? Regarde un peu ça.

Il dut s'efforcer de ne pas laisser transparaître sa joie.

D'un pas fier, Leslie partit vers le canapé et ramassa ses affaires.

—Pour l'instant, c'est moi qui les garde, annonça-t-elle. Et je vais te trouver une nounou selon mes propres critères. Crois-moi, tu m'en diras des nouvelles !

—Je me demande comment vous allez faire, lança Cash en ouvrant les bras dans un geste d'impuissance.

La halte-garderie refuse d'envoyer qui que ce soit, c'est trop de boulot pour des ados et je ne peux pas me permettre de faire venir une professionnelle de la ville, après tout ce qui s'est passé. (Avec Leslie, inutile de préciser à quels événements il faisait allusion.) Je suis à court de solutions et je refuse de dire à Stephanie que j'ai échoué. Cet été représente ma dernière chance… dans tous les domaines.

Leslie se figea en plein mouvement. Elle le dévisagea, et, tout d'un coup, son expression se radoucit. Cash eut la désagréable impression de l'avoir mésestimée et d'être tombé dans un piège.

Il désigna la salle de bains du pouce.

— Je dois encore me doucher. Vous voulez bien attendre que j'aie terminé ? Il faut faire déjeuner les enfants…

Leslie s'approcha de lui. Regardant derrière elle, Cash s'aperçut alors qu'elle avait occupé les enfants avec d'autres jouets.

Waouh ! Ça veut dire qu'elle va rester.

— Écoute…, commença-t-elle en croisant les bras et en levant un regard profond vers lui. Et note bien ce que je vais te dire. Fais-moi confiance, tu n'as rien à prouver cet été. Ni à moi ni à personne d'autre.

— Oui, je sais, lui accorda Cash. On m'a dit ça toute ma vie, depuis l'équipe des poussins jusque chez les pros. (Il la regarda droit dans les yeux, aussi sérieusement qu'elle.) C'était faux à l'époque, et ça l'est toujours aujourd'hui. J'ai tout à prouver.

Leslie sembla le sonder, probablement pour évaluer sa sincérité.

—Je comprends pourquoi tu n'arrives pas à garder une nourrice, si tu es aussi têtu.

—Ne vous inquiétez pas pour ça. (Il sourit et leva les mains.) Il suffit de trouver quelqu'un d'aussi têtu que moi.

—Ça te ferait du bien, gros malin.

Certainement. Comme si c'était possible. Ça m'étonnerait qu'elle se donne la peine de chercher une nounou de rechange alors qu'elle-même ferait mieux l'affaire.

Content que la situation soit réglée, Cash se pencha sur le côté et siffla pour attirer l'attention des enfants.

—Je file sous la douche. On ne se chamaille pas, on ne saute pas dans tous les sens, (Jacob rougit d'un air coupable.) et on ne ligote pas mamie. Elle ne veut pas jouer à *Pirates des Caraïbes* avec vous.

—Oh! gémirent-ils tous en chœur.

—Nounou numéro trois n'en avait pas envie non plus. Soyez sages, leur recommanda Cash. Et que quelqu'un nourrisse Pato.

Sur ce, il tourna les talons, confiant. Il venait à peine d'entrer dans la cuisine quand une petite voix s'éleva.

—Euh… papa? On dirait que Pato a déjà mangé.

—Mon kit à bulles! s'écria Hannah. Il est tout mâchonné!

—Beurk! lança Emily en tendant le doigt. Pato a vomi sur le tapis.

—Sur mes petits soldats! hurla Jacob. Trop bien! Je vais avoir besoin d'un gros camion pour les sortir de là.

Le garçon courut chercher ses engins miniatures.

Cash et Leslie se regardèrent. Il espérait qu'elle savait dans quoi elle s'embarquait. Il repartit vers la cuisine pour nettoyer les dégâts.

—Non, va te doucher, le chassa Leslie. Je vais le faire.

—Non. Pato, c'est pour moi, insista-t-il.

Au bout du compte, Cash s'occupa de toutes les saletés – à la grande déception de Jacob qui revint les bras chargés de petits véhicules, dont une remorqueuse, un camion de pompiers et un tombereau, alors que l'opération de sauvetage était déjà terminée.

Cash examina son chien avant de le faire sortir pour qu'il aille se faire les crocs sur l'herbe, puis il observa l'appareil à bulles de Hannah.

—Regarde, si tu le tournes dans ce sens, ça fait des bulles encore plus belles, lui montra-t-il. Pato l'a simplement redécoré.

La fillette arrêta de bouder.

—Cool! Merci papa!

Cash lui fit un câlin avant de s'échapper. Mission accomplie. Les enfants allaient bien, Pato aussi, et Leslie se chargerait du baby-sitting – ou trouverait une nouvelle nourrice. Quoi qu'il en soit, il avait du pain sur la planche s'il devait être prêt à reprendre le football dans trois semaines.

Le sourire aux lèvres, Cash entra dans sa chambre et retira son tee-shirt. Tout d'un coup, l'été se profilait sous de meilleurs auspices, et ce, grâce à sa vivacité d'esprit et à un peu de subtilité.

Comme d'habitude, la discipline et la stratégie étaient les clés de tout ce qui avait de la valeur.

Cash pouvait s'estimer heureux : sa belle-mère comprenait l'importance de ces deux notions pour un homme comme lui. Surtout en ce moment.

Chapitre 7

Encore une saleté de nid-de-poule ! Marisol fronça les sourcils en jetant un regard au-dessus de son petit miroir de poche, son gloss en main. En arrivant sur le lieu de son stage, elle ressemblerait à une ambassadrice Avon complètement excentrique. Toutefois, ce serait toujours mieux que d'avoir l'air d'une accro au shopping tout droit sortie d'une cure de désintox sans coiffeur ni visagiste. Elle essaya de s'appliquer.

L'estafette de *Dzeel* fit une embardée. Le trou sur lequel elle venait de passer devait être aussi gros qu'une boule à facettes. Marisol tendit le cou pour regarder à travers la vitre. Ce qu'elle vit lui fit oublier toute idée de se faire belle pour la deuxième phase de son traitement. En revanche, elle se mit à craindre de servir de hors-d'œuvre aux coyotes. Ou pire.

— Excusez-moi, appela-t-elle en se penchant vers le chauffeur grisonnant. (Il lui jeta un regard stoïque dans le rétroviseur.) Vous avez dû vous perdre. Est-ce que vous avez une carte ?

— Pas besoin.

— Mais on ne peut pas être au bon endroit, protesta Marisol en montrant l'extérieur avec son tube de brillant à lèvres grenat. On est au milieu de nulle part. Il n'y a que des pins et de la poussière, ici.

—Je sais, répéta le chauffeur sans bouger.

Marisol secoua la tête. Elle se retrouvait dans une situation totalement nouvelle, et cette deuxième phase – le stage – ne l'enchantait pas vraiment, mais…

—Il est impossible que mon stage ait lieu ici. Le directeur du programme et moi en avons discuté. Nous avions un accord.

« Il ne s'agit pas de vacances, mademoiselle Winston. Même pour vous. »

Bon, d'accord. Peut-être que Jeremy Fordham et elle avaient davantage mis fin aux négociations que trouvé un compromis, songea-t-elle en se souvenant de leur entretien dans son bureau. À *Dzeel*, pour la première fois de sa vie, elle s'était retrouvée dans une situation dont elle n'avait pas su se sortir par le charme, et les choses n'allaient pas en s'arrangeant. Elle le sentait.

Nerveuse, Marisol regarda de nouveau à l'extérieur.

Encore des pins, presque assez proches pour fouetter les flancs du van. Au loin, une montagne se dessinait. Cette route solitaire, sans marquage au sol, ne pouvait pas conduire à un lieu de stage. Marisol n'était pas faite pour les travaux en extérieur. Elle n'aimait déjà pas dîner en terrasse… De toute évidence, il était temps de sortir l'artillerie lourde.

—Euh… (Elle tendit le cou pour lire le badge du conducteur.) Tom ? Vous n'avez peut-être pas bien compris que mon stage a été organisé par un membre de la direction de *Dzeel* en personne : Leslie Neil. Vous la connaissez certainement.

Impassible, Tom évita une branche tombée sur la route.

— Bon. Très bien. Je les appellerai moi-même. De toute façon, Leslie est censée me retrouver là-bas. Elle doit être en retard. Je suis sûre qu'elle éclaircira la situation.

Marisol poussa son cartable et son fourre-tout d'un coup de coude, puis chercha la carte de Leslie dans son sac à main. Elle prit également son téléphone portable.

— Regardez ! dit-elle en l'agitant à côté du chauffeur avec un sourire joyeux. (Elle perdait peut-être la main, mais elle n'était pas encore au tapis.) Tout sera réglé en moins de deux.

— Ne vous fatiguez pas, répondit Tom en pointant son menton poivre et sel vers la route pour lui montrer… d'autres arbres, et encore de la poussière. On est bientôt arrivés.

Le téléphone collé à la joue, dans l'attente que Leslie Neil, vraisemblablement indisponible, lui réponde, Marisol se rapprocha de la fenêtre. Juste au cas où elle raterait quelque chose. Elle plissa les yeux, chaussa ses lunettes de soleil et plissa encore les yeux.

— Je ne vois rien.

Tom ricana.

— Attendez. Ça va venir.

Bon sang ! Soudain, il parlait d'une voix tout à fait sinistre.

Marisol abandonna son appel.

—Euh… Tom ? Est-ce que vous travaillez pour le *US Weekly* ?

Ce ne serait pas la première fois que la presse à scandale tendrait un piège à un membre de la famille Winston. Les paparazzis rêvaient certainement de révéler le séjour de Marisol à *Dzeel*, avec tous les détails croustillants, comme les groupes de parole et les exercices de résistance aux sacs à main. Le pathétique journal de ses achats vaudrait un bon paquet de fric à lui tout seul. D'ailleurs, on en ferait probablement un livre, avec une couverture sordide et une préface de Paris Hilton.

—Parce que, si vous êtes payé pour rapporter des photos, je vous offre le double pour échapper à ça.

Marisol se dit que son père, en plus d'avoir mis en garde Jeremy Fordham et toute l'équipe du centre contre ses éventuelles tentatives de corruption et son incompétence globale, avait aussi dû faire en sorte de tenir les médias à distance. Peut-être s'était-elle trompée. Elle avait sous-estimé son père.

Tom ne mordit pas à l'hameçon.

Zut ! Les employés de Dzeel *suivent un entraînement obligatoire de résistance à la corruption, ou quoi ?*

De chaque côté de la route, les pins défilaient toujours. Certains n'étaient ni verts ni feuillus, mais noirs et cassés.

Beurk ! Ça craint, ici !

Et dire qu'elle s'était plainte de son séjour forcé dans un centre de désintox calme et perdu au milieu de nulle part ! Cet endroit était mille fois pire, et ce ne serait rien comparé au fait de retrouver sur les vitrines de boutiques de luxe des photos d'elle trimant dans un trou paumé et poussiéreux.

Avec encore plus de précipitation, Marisol renouvela son appel. Il était impossible que son stage ait lieu ici. Elle était censée assurer le rôle de nourrice et de femme de ménage à temps partiel pour trois adorables enfants et leur père footballeur célibataire. Il s'agissait de l'une des rares tâches pour lesquelles Fordham et l'équipe de *Dzeel* l'avaient jugée apte, vu la quantité de petits Winston qui l'entouraient. Sans oublier sa longue expérience du service, même si c'était surtout elle qui s'était fait servir jusque-là. Cette combinaison nounou / bonne à tout faire ne l'enchantait guère, mais soit. Une prétendue accro au shopping n'avait pas son mot à dire.

Son stage valait mieux que ceux de certaines de ses camarades de thérapie, et elle n'avait pas beaucoup d'autres compétences – surtout sachant que Fordham avait rejeté en bloc son idée fantastique de devenir organisatrice de soirées. Ainsi, dos au mur, Marisol avait dû accepter ce stage. Elle se disait qu'elle s'amuserait peut-être, avec trois charmantes petites têtes blondes. À seulement six ans, ces chérubins devaient souvent faire la sieste. C'était du moins ce que Leslie Neil avait laissé entendre quand elle était intervenue pour lui faire cette proposition, comme une bonne fée de la désintox.

Brusquement, Tom freina. La camionnette fit une embardée, projetant par terre la valise, le fourre-tout et le sac à main de Marisol.

—On y est, annonça le chauffeur d'un ton bourru.

Marisol jeta un coup d'œil dehors. Aucune trace de paparazzis, aucun signe de vans de télévision, aucun reporter de la presse à scandale brandissant ses micros devant les fenêtres. D'ailleurs, il n'y avait rien d'autre non plus, à part de la poussière. Sur des kilomètres à la ronde et tournoyant autour du van en nuages suffocants.

Impossible ! Impossible, impossible, impossible…

Dans le rétroviseur, Tom accrocha son regard.

— J'ai dit : on y est. Vous feriez mieux de descendre. Je reviens dans deux semaines pour vous ramener au centre pour la troisième partie de votre thérapie.

Deux semaines ? C'était une éternité ! Elle mourrait étouffée par la poussière bien avant cela. Ou alors un grizzly la mangerait toute crue. Rien de vraiment encourageant. Marisol hésita. Elle ressentait soudain le besoin de rajuster sa jupe et son débardeur assorti, super basique, avec de larges bretelles.

Elle prévoyait de réussir brillamment ce stage, de sorte qu'elle pourrait retourner à sa vraie vie de Los Angeles, et ce, avant que ces antimondains finissent par la changer complètement. Pour l'instant, les choses semblaient cruellement suivre leur cours sans elle à la maison.

Elle n'avait pu appeler Caprice et Tenley qu'à deux occasions et, la seule fois où elle avait parlé à son père, elle n'avait récolté que des nouvelles des stocks de son magasin et une froide description de la météo. Seule Jamie avait entretenu une correspondance régulière avec elle durant son séjour à *Dzeel*.

Tom soupira.

— Je ne vais pas porter vos bagages, si c'est ce que vous attendez. Allez-y, insista-t-il en joignant le geste à la parole.

En vain. Elle n'y arrivait pas.

— Je ne peux pas ! C'est sale, ici ! se plaignit-elle avec des yeux tristes. Je porte du blanc. C'est ma couleur.

— Écoutez, rétorqua Tom sans une once de compassion. J'ai autre chose à faire.

Marisol tenta de nouveau sa chance.

— Est-ce que vous savez ce que représente cette jupe ? Il a fallu des heures de travail pour que des couturières parisiennes assemblent ses pièces de cuir découpées au laser. Je ne voudrais pas manquer de respect envers leur travail.

Bornée, elle ne bougea pas du siège arrière. Tom n'avait qu'à la flanquer dehors s'il tenait tellement à se débarrasser d'elle. Les nuages de poussière étaient un peu retombés, mais cet endroit était toujours excessivement rustique : plein d'arbres sur une étendue aussi grande qu'une dizaine ou une vingtaine de centres commerciaux… et une maisonnette en bois d'un style vieillot, entourée d'une barrière traditionnelle. Seul un énorme chêne lui tenait compagnie au bord de la route, à peine visible.

La civilisation ! Enfin, presque. Il devait s'agir de son lieu de stage, puisqu'il n'y avait rien d'autre à des kilomètres à la ronde. Cela dit, après une inspection plus attentive, cette maison et ce jardin paraissaient tellement… nus. Tellement rudimentaires. Tellement sauvages.

Des gens vivant dans de telles conditions ne pouvaient pas s'entendre avec une riche héritière comme elle. Et s'ils lui demandaient de couper du bois ? De moudre du grain ? De préparer du café elle-même ?

— Je crois qu'il va falloir me trouver un autre stage, laissa-t-elle échapper.

Pour la première fois, Tom se tourna vraiment vers elle pour lui adresser un regard compatissant.

— N'ayez pas peur. Vous pouvez y arriver.

— Je n'ai pas peur.

Marisol agrippa son sac à main.

Mon dieu ! Je suis terrifiée ! comprit-elle.

Elle déglutit et risqua un nouveau coup d'œil vers la maison.

— Vous croyez vraiment que j'en suis capable ?

— Bien sûr. Vous n'avez pas arrêté de me donner des ordres, lui rappela-t-il avec un sourire dévoilant des dents étonnamment blanches pour un vieux rabougri comme lui. Vous arriverez certainement à gérer une poignée de gosses.

« Une poignée de gosses. » Ainsi, Tom était dans la confidence pour son stage.

Elle ne comprenait pas pourquoi il ne l'avait pas prévenue. Il aurait pu lui dire de prévoir des rangers et un casque au moins.

— Eh bien… c'est vrai que j'aime bien les enfants, admit Marisol. C'est mignon. Et c'est facile de parler avec eux.

Elle examina la maison en se mordant la lèvre pour essayer de s'imaginer sur ce perron en bois, mais elle n'y parvint pas. Dans ses vêtements blancs, elle aurait l'air d'une tache de Javel sur un couvre-lit de la collection Western de Ralph Lauren.

—Alors, vous voyez, répondit Tom avec un plus grand sourire. Si vous aimez les mômes, vous avez déjà fait la moitié du chemin pour devenir une bonne nounou.

—Vous le pensez vraiment ?

—Ouais. Pourquoi pas ? Je veux dire, je ne voudrais pas que vous gardiez mes enfants, mais d'après ce que j'ai entendu dire ce type est dans une situation désespérée. Donc…

—Dans une situation désespérée ?

—Euh… il a juste besoin d'aide avec ses enfants, c'est tout.

Marisol se les représenta : d'adorables polissons aux jouets artisanaux et au sourire de couverture de magazine. Cette image se figea, puis elle se développa en un photomontage de publicité. Oui ! Marisol pouvait ressembler à l'égérie de Calvin Klein, gambadant sur la plage avec des enfants parfaits et leur père top model.

Sincèrement, elle aimait batifoler, comme tout le monde. Ici, ce serait au milieu des arbres plutôt que sur le sable, évidemment, mais cette idée commençait à lui plaire. S'il n'y avait que cela…

Elle pouvait y arriver. Elle le devait, pour le bien des enfants. Ils devaient compter sur elle pour leur apporter un peu de modernité, un aperçu du vingt et unième siècle. Même à six ans et dans un bled paumé on avait besoin de ça. Redressant le menton, elle rassembla ses affaires.

Voilà. Elle était prête. Quasiment.

—C'est parti ? demanda Tom.

—Je crois. (Elle tira sur la poignée de la portière arrière. Cela aurait-il tué le chauffeur de l'aider à porter ses bagages ?) Allez. À dans deux semaines.

—Comptez sur moi. Je serai là à 7 heures du matin.

C'est une blague ?

—Est-ce que je peux vous convaincre de venir à midi ?

Tom éclata de rire.

—Vous marchandez toujours, hein ?

Oui, et d'habitude ça fonctionne.

—Alors ?

—Je pourrai peut-être m'arranger pour arriver plus tard ; 8 heures, ça marche ?

—Super.

Marisol lui sourit. Excepté son manque de conversation et son refus de l'aider à porter ses valises, il était plutôt gentil. Et puis, à *Dzeel*, le règlement, c'était le règlement ; un principe que Marisol détestait. À son avis, la discipline et l'organisation étaient des notions fort surfaites.

—Merci, Tom. Merci pour tout.

Il la salua sans se départir de son sourire.

—Bonne chance.

La portière de la camionnette grinça quand Marisol l'ouvrit. Elle posa les pieds dans la terre, salissant immédiatement ses sandales. Sa pédicure maison – la première fois qu'elle se pomponnait toute seule depuis des années – était probablement déjà anéantie aussi.

Toutefois, cela ne lui importait guère à côté de la tâche qui l'attendait.

Elle devait faire bonne impression dès son arrivée.

S'armant de toute sa bravoure, elle ramassa sa valise, puis son sac à main et ses deux fourre-tout. Ensuite, balayant du regard la vieille maison de campagne, elle se fendit d'un sourire et prit la direction du portail.

Merde ! Je vais être en retard !

Cash composa le numéro de Leslie sur son portable en arpentant la cuisine de long en large. Il tomba sur le répondeur de sa belle-mère.

— Où est-ce que vous êtes ? aboya-t-il. J'ai rendez-vous avec Ed et les dirigeants des Scorpions dans quarante-cinq minutes. C'est important. Ne me rappelez pas. Venez, c'est tout.

Sur ce, il referma violemment le clapet de son téléphone, jeta un coup d'œil impatient vers la pendule et fit tinter les clés de la Range Rover. De l'autre côté du salon, Hannah, Jacob et Emily bâtissaient une construction très élaborée en Lego. Les deux tiers de ce chef-d'œuvre étaient roses, et l'autre tiers, bleu. Le résultat d'une coopération paisible, malgré les hurlements de la télévision, les loutres en peluche éparpillées et les soixante-dix-neuf bouteilles d'eau abandonnées par terre.

S'il mettait à part son retard, cette scène représentait la perfection, comme sortie d'un magazine familial.

Cash se dit que toutes les nounous qu'il avait embauchées depuis le début devaient être nulles. C'était la seule explication possible. Ses enfants n'avaient rien de petits diables. C'étaient d'adorables garnements, souriants et solidaires. Même si leur triple charge semblait parfois dépasser Stephanie, Cash n'avait jamais eu de problème avec eux. Point final. Pour lui, ils étaient de vrais petits anges.

Cela tenait sûrement au fait qu'il ne se laissait pas faire, lui, conclut-il en surveillant de nouveau le salon, toujours dans l'attente de Leslie. Jusque-là, il n'avait embauché que des filles indécises, trop indisciplinées ou trop douces. Il allait de soi que, la prochaine fois, si Leslie ramenait vraiment une cinquième nounou un jour, Cash devrait s'assurer qu'elle serait différente.

Néanmoins, il appréciait l'aide de sa belle-mère, surtout à si court terme. Bien que le camp d'entraînement n'ait pas encore officiellement débuté, Cash devait assister aux réunions et aux séances de préparation, et il fallait qu'il élabore des stratégies avec ses receveurs, dont certains se trouvaient déjà à Flagstaff. Il devait se remettre en forme. Il n'avait plus vingt-deux ans ni l'arrogance et le génie de l'époque, pas plus que la capacité à attaquer une saison en un clin d'œil. À trente-quatre ans, cela nécessitait beaucoup plus de travail.

Surtout quand il s'agissait d'une deuxième chance.

Et de l'avenir de ses enfants.

Réintégrer la NFL leur offrirait un nouveau départ à tous les quatre. Sans son ex-femme dans les pattes pour lui pomper tous ses revenus, Cash serait en mesure de donner à Hannah, à Emily et à Jacob la vie qu'ils méritaient. Et il en avait la ferme intention.

Énervé par l'attente, il fusilla du regard son sac de sport. Celui-ci symbolisait chaque entraînement éreintant, chaque vieille blessure persistante, chaque année qui séparait un vétéran comme lui d'un jeunot comme Johnson… et Tyrell. Cependant, il représentait également sa chance de revenir dans la partie, sa chance d'encaisser assez d'argent pour subvenir aux besoins des triplés, quoi qu'il arrive.

Il fallait qu'il fasse ses preuves, et en un temps record.

Jetant un autre regard impatient à la pendule, Cash rappela Leslie. Tandis que la tonalité retentissait, il couvrit le micro de son téléphone avec sa paume.

— Hé! Baissez le son de la télé. Je n'entends rien.

Obéissant, Jacob appuya sur la télécommande. Toutefois, le bruit ne cessa pas totalement. Des aboiements résonnaient dehors. Pato avait dû trouver un chat à chasser. Ce nouvel environnement – contrairement à la modeste piaule de célibataire où Cash avait emménagé à Phoenix après son divorce – rendait le chien complètement euphorique. Il renouait certainement avec ses vieilles racines sauvages.

— Si vous n'êtes pas là quand je raccrocherai ce téléphone, grogna Cash dans celui-ci, j'emmène les enfants avec moi. Vous nous retrouverez là-bas.

Il lui indiqua le trajet pour se rendre sur le campus de la Northern Arizona University, où les Scorpions s'installaient tous les étés pour leur camp d'entraînement. Les joueurs s'exerçaient sur les terrains de football, ils rangeaient leur équipement dans les vestiaires et ils vivaient pendant huit semaines dans l'hôtel du coin avec tout le personnel et la direction du club. Les bleus en voyaient de dures, avec les pavés qu'ils devaient apprendre, les gentils bizutages occasionnels et le couvre-feu imposé à la fin des entraînements quotidiens. Les règles étaient moins strictes pour les vétérans, dont beaucoup élisaient domicile dans leur propre maison près de Flagstaff pour l'été.

Sans cesser d'expliquer le chemin à Leslie, Cash fonça regarder par la fenêtre. Il tira le rideau. Dans le jardin, Pato aboyait et sautait au pied de l'énorme chêne avec la frénésie d'un mâle dominant.

Son maître raccrocha.

— Est-ce que l'un de vous a encore donné à Pato une canette de Red Bull ? Il est en train de péter un plomb dehors.

Les triplés nièrent tout bas tout en continuant leur assemblage de Lego.

— Ce matin, je lui ai donné un peu de mes céréales, confessa Jacob.

Il tira la langue dans un geste de concentration pendant qu'il tentait d'enfoncer des roues dans la tête de M. Patate. Dernièrement, il avait transformé ce dernier en véhicule.

— Il a aimé ça, reprit Jacob. J'avais rajouté du sucre.

Génial ! Mon chien fait une overdose de sucre.

Cash laissa retomber le rideau et se rendit à la porte d'entrée.

— Prenez vos affaires, dit-il à ses enfants en sortant. Vous venez avec moi.

Leurs gémissements de déception le suivirent sur le perron. Il ne pouvait pas se dégonfler. Pour se faire respecter, il fallait se montrer ferme, même si cela ne l'amusait pas. Il fallait assumer ses responsabilités.

Pour l'instant, il devait découvrir ce que ce satané chien avait coincé dans cet arbre.

Le pauvre Pato commençait à s'essouffler, et sa vieille rupture des ligaments croisés ne supporterait pas qu'il continue à bondir de la sorte.

— Pato ! appela Cash en faisant signe au berger allemand. Au pied !

Le chien consentit à lui jeter un coup d'œil, puis il se remit à aboyer avec une intensité renouvelée, comme si la présence d'un public lui plaisait. Son corps se raidit, et il tendit le museau vers les branches les plus hautes de l'arbre. Cash le rejoignit à grands pas et le saisit par le collier.

— Mon bonhomme, dit-il en le tirant. Je dois reconnaître que tu as beau être vieux, tu es toujours sur le qui-vive. Voyons ce qui t'a mis en boule.

Alors, Cash regarda à travers les branches. Derrière lui, il entendit vaguement Hannah, Emily et Jacob sortir sur le perron en traînant leurs sacs à dos.

Tu vois ! songea-t-il. *Tu as dit aux petits ce que tu voulais, et tu l'as obtenu, même si tu attendais beaucoup d'eux. C'est simple comme bonjour.*

Sans lâcher Pato, qui s'agitait toujours, il plissa les yeux.

Sidéré, il battit des paupières et regarda de nouveau.

Une femme se cachait dans l'arbre. Une belle brune aux cheveux longs, court vêtue et tout en blanc.

Quelles jambes! fut la première pensée de Cash.

Qu'est-ce qu'elle fout là? fut la suivante.

—Éloignez-le! s'exclama l'inconnue en désignant Pato d'une main tremblante tandis qu'elle s'agrippait à une branche avec son autre bras. Et arrêtez de mater sous ma jupe!

—Je ne regarde pas sous votre jupe. (Cash s'aperçut que si. *Merde! N'empêche qu'elle est mignonne.*) Regardez, je tiens le chien. Vous voyez? Vous pouvez redescendre. Vous ne risquez rien.

Les yeux écarquillés, elle secoua la tête.

—Je vais vous aider, proposa-t-il en tendant les bras vers elle.

Qui était-ce? Une nouvelle voisine? Dans le coin, il y avait surtout des retraités et des femmes de footballeurs, mais Cash n'avait jamais rencontré cette dame – et aucun de ses coéquipiers ne s'était marié depuis la saison dernière.

—Venez. Allez-y doucement.

—Pas question, refusa-t-elle en grimpant plus haut. Éloignez d'abord votre chien.

—Qui? Lui? (Cash regarda Pato qui s'était assis et attendait, la langue pendante, en observant la scène.) Il ne ferait pas de mal à une mouche.

—Allez dire ça à mon sac à main. (Elle tendit l'objet avec une expression de pure obstination pour lui exposer les dégâts.) C'est tout ce que j'avais pour me défendre, et c'est un authentique Birkin.

Si Stephanie avait été là, elle aurait compris de quoi parlait cette inconnue, mais Cash s'intéressait à peu de choses en dehors de sa famille et du football.

104

Il examina le sac.

— Ce n'est qu'un peu de bave. Il n'y a rien de déchiré.

La femme prit un air dégoûté.

— Faites-le rentrer, d'accord ? J'ai vraiment très peur des chiens. Surtout des gros comme celui-ci.

C'est alors que Hannah apparut à côté de lui.

— C'est qui, papa ?

— Je ne sais pas. Tu veux bien emmener Pato dans la maison, s'il te plaît ? Je vais me renseigner.

— OK, accepta la petite en haussant les épaules.

Les mômes conduisirent Pato à l'intérieur sous les yeux de la visiteuse perchée, qui se mordit la lèvre sans détourner le regard. Quand la porte se referma, elle reporta son attention sur Cash.

— C'est bon, je ne risque plus rien ?

— Vous ne risquiez déjà rien avant, souligna-t-il en tendant les bras. Descendez.

— Je ne plaisante pas. (Elle loucha avec méfiance vers la maison, ses yeux bleus empreints de prudence.) Est-ce que vous avez une chatière pour chien ? Il pourrait ressortir.

— Non. Pato ne peut pas sortir. En plus, il n'est pas si dangereux.

Cash garda les bras en l'air – précaution inutile, car la femme se mit à descendre seule de branche en branche, exposant ses longues jambes nues.

— Il a deux genoux blessés ; il s'est rompu les ligaments croisés il y a plusieurs années.

L'inconnue s'arrêta sur la branche la plus basse. Elle lui tendit d'abord son sac, puis prit une profonde inspiration. La vue de son soutien-gorge qui dépassait légèrement de son simple débardeur blanc le troubla, mais Cash refoula immédiatement cette sensation. Il n'était pas là pour reluquer une pauvre commerciale égarée ou une représentante Tupperware effarouchée et échevelée, ou qui qu'elle soit.

Tandis qu'elle sautait à terre, Cash essuya la bave du chien sur le sac à main avec l'ourlet de son tee-shirt. C'était la moindre des choses pour paraître aimable. Même si cette femme s'était introduite ici sans invitation.

— Voilà, dit-il en lui rendant l'objet. Il est comme neuf.

— Merci. (Elle l'examina minutieusement, puis désigna l'arbre.) Heureusement que Bjorn m'a fait faire plein d'exercices d'escalade à la salle de gym. Ça m'a sûrement sauvé la vie aujourd'hui.

Ah! C'était donc une femme de footballeur. Cash connaissait bien le genre : elles avaient toujours un coach personnel, un styliste personnel, et plein de temps à perdre. Leur seul but dans la vie : échanger des potins, se faire manucurer et dépenser, dépenser, dépenser. Stephanie en fréquentait plus d'une depuis des années. Certes, toutes les épouses de Scorpions n'étaient pas des cruches décolorées et siliconées…, mais celle-ci semblait coller parfaitement au personnage.

Elle le dévisageait. Sans doute attendait-elle qu'il l'applaudisse.

— Euh… je vous ai trouvée bien, là-haut, déclara-t-il en montrant l'arbre. (Cette remarque lui valut une grimace lui rappelant le « arrêtez de mater sous ma jupe ! ») Forte, je veux dire, se reprit-il.

Le visage de l'inconnue se radoucit. Elle paraissait contente et légèrement troublée.

— Merci encore, dit-elle.

Un bref instant, électrique et étrange, elle soutint son regard. Puis elle inspira profondément, comme si elle était soudain nerveuse.

— Je…

Ne regarde pas son soutien-gorge, se rabroua intérieurement Cash quand sa poitrine se souleva. *Ni ce qu'il y a en dessous.*

Pour la première fois depuis longtemps, son légendaire contrôle de soi l'abandonna. Il s'empressa donc de lever les yeux.

À ce moment précis, un moteur ronfla sur la route. Regardant en direction du bruit, Cash vit Leslie derrière le volant et il se souvint de ce qu'il était censé faire. Son rendez-vous.

— Désolé pour le chien, s'excusa-t-il en souriant à la femme pour préparer son départ. Vous allez bien, hein ?

Elle acquiesça en regardant également Leslie.

La belle-mère freina dans un nuage de poussière, avant de bondir hors de sa Toyota Prius et de foncer vers le portail.

— Salut, vous deux ! Pardon pour le retard. Je n'ai pas pu faire plus vite : j'étais coincée derrière un camping-car qui remorquait un bateau de pêche vers le lac.

107

Leslie pénétra vite dans le jardin. Elle s'arrêta devant Cash et sa visiteuse inattendue en leur souriant.

— Je vois que vous avez fait connaissance ! Parfait !

La vérité frappa Cash de plein fouet. Son escaladeuse d'arbres n'était pas du tout une femme de footballeur, mais l'une des candidates au poste de nounou retenues par Leslie pour un entretien. Eh bien ! Si elle avait peur de ce bon vieux Pato, elle n'avait aucune chance de tenir la distance face aux trois petits monstres.

— Oui, nous avons fait connaissance, confirma Cash, mais je dois filer. Je suis déjà en retard.

Désolé de ne pas pouvoir assister à l'entretien, il regarda une dernière fois la jolie brune. Elle était exactement son genre : longues jambes, cheveux noirs, poitrine menue. Souriante aussi, maintenant que le danger du vieux chien était écarté. Cash était persuadé qu'il aurait pu se passer quelque chose entre eux – au moins un rendez-vous autour d'un verre pour la consoler de ne pas avoir été embauchée.

— Bonne chance, mesdames.

— Merci, répondit la future ex-nouvelle-nounou d'un air surpris. Mais nous n'avons même pas…

— Attends juste une minute, insista Leslie. Je voudrais t'expliquer…

— Pas possible. Je dois y aller. (Cash fila vers la maison pour se changer – surtout se débarrasser de son tee-shirt couvert de bave de chien – et pour récupérer son sac de sport.) Ne vous inquiétez pas. J'enferme Pato tant que je suis là.

C'était le moins qu'il puisse faire. Après tout, ce n'était pas tous les jours qu'un retard à un rendez-vous se révélait aussi amusant.

Ou qu'il pouvait admirer un soutien-gorge en dentelle.

Chapitre 8

Les mains tremblantes, Marisol se recoiffa dans la salle de bains, avant de remettre du brillant à lèvres. Elle avait l'estomac noué, comme lorsqu'elle trouvait un cadeau trop parfait pour rester en magasin, et dans le miroir ses yeux reflétait une noirceur inhabituelle. Son corps tout entier vibrait sous les effets résiduels de l'adrénaline.

Comment faire une excellente première impression. Ou pas.

Perchée dans son arbre comme un singe. Impossible de faire pire.

À sa décharge, elle ne s'était pas attendue à ce qu'un énorme chien lui saute dessus au moment où elle passerait le portail. Elle n'avait pas prévu d'éprouver le besoin de grimper à un arbre avec ses charmantes petites sandales Moschino. Et, surtout, elle n'avait pas imaginé que l'homme de la maison volerait galamment – bien qu'à contrecœur – à son secours.

Marisol ne parvenait toujours pas à oublier l'image de celui-ci s'éloignant nonchalamment après l'arrivée de Leslie. L'air de rien, le beau brun s'était mis torse nu, dévoilant des muscles impressionnants avant d'entrer dans la maison. Quelle vision de beauté ! Elle était certainement encore bouche bée quand Leslie lui avait proposé de se rafraîchir, ce qu'elle faisait en ce moment même, salivant encore comme un chien.

Marisol regarda autour d'elle dans l'espoir de rassembler ses esprits. Avant d'arriver là, elle ne savait pas à quoi s'attendre, mais elle n'avait certainement pas prévu cela. Les murs de la salle de bains étaient constitués de rondins, comme dans une cabane de bûcheron.

Sérieux ? Des rondins ?

Elle avisa deux nœuds dans le bois verni, et quelques endroits apparemment rongés par des termites. Évidemment, le lavabo et le mobilier étaient luxueux, la baignoire délicieusement profonde, et l'armoire à pharmacie en acajou – d'après son œil averti – semblait être un authentique meuble Stickley reconverti. Il n'y avait rien à redire sur le confort de cet endroit…, mais rien n'avait préparé Marisol à cet aspect « retour à la nature ».

D'ailleurs, rien ne l'avait préparée à quoi que ce soit.

Et elle improvisait plutôt pas mal.

Des murmures derrière la porte lui firent tendre l'oreille. Elle reconnut immédiatement la voix douce et joviale de Leslie, de même que le timbre profond de l'homme de la maison. Puis des pas résonnèrent.

Marisol devait faire vite si elle voulait sauver la face. S'il s'agissait là du meilleur stage que Fordham et *Dzeel* lui avaient trouvé, elle préférait ne pas connaître leur solution de rechange.

Elle prit son sac à main et ouvrit la porte. Elle traversa rapidement le couloir et émergea dans la pièce qui regroupait la cuisine et le salon, juste à temps pour voir son sauveur enfiler un tee-shirt propre sur ses cheveux ébouriffés, couvrant ses épaules et son torse parfaitement musclé. Ses tablettes de chocolat disparurent beaucoup trop vite.

Marisol retint de justesse un soupir de déception, ou d'envie, ou d'un stupide mélange des deux.

Bon sang! Reprends-toi! Tu n'es restée enfermée à Dzeel *que quelques malheureuses semaines, et tu crèves déjà d'envie de sauter sur le premier venu?*

Bon, techniquement, Tom, le chauffeur, était le premier homme qu'elle voyait en dehors du complexe de sa cure. Cela dit, Tom n'avait pas tout à fait la même étincelle dans les yeux… ni la même énergie brute. Ni la même musculature. C'était absolument époustouflant. Plus bizarre encore, ce père célibataire – détail non négligeable – se comportait comme s'il n'y avait rien d'exceptionnel à être monté comme une armoire à glace.

Il la surprit en train de le détailler. Sans arrêter de parler à Leslie, il lissa son tee-shirt – comme si Marisol appartenait à la brigade des plis et s'apprêtait à l'interpeller pour excès de froissement – et continua à donner toutes sortes d'instructions à propos des enfants. Cet homme ignorait réellement à quel point il était beau.

Le temps filait. Avisant ses fourre-tout et sa valise appuyés contre un fauteuil, Marisol ramassa le sac du dessus.

—Leslie, merci d'avoir tout organisé. J'apprécie votre aide, dit-elle en serrant la main de sa bienfaitrice et sans s'étonner de se sentir soudain proche d'elle, maintenant qu'elles se rencontraient enfin. Avant de commencer, j'ai un petit cadeau pour vous. Je suis désolée, il n'est pas emballé.

Marisol fouilla dans son sac et en tira un paquet de trois savons, habillé d'un ruban. Elle n'avait rien pu trouver de mieux, étant limitée à la boutique de souvenirs de *Dzeel*. Elle avait dû se priver de Doritos pendant trois jours afin d'économiser assez pour cela.

Leslie sourit.

—Oh! Merci. Quelle charmante attention!

—De rien. Et pour vous, poursuivit-elle en se tournant vers le roi de ce château de campagne, quelque chose de particulier. J'espère que ça vous plaira.

Il accepta le présent et le déballa.

—Oh! De la mousse à raser. Tous les hommes ont besoin de ça, hein! Merci, euh…

—Marisol. (Après un temps d'hésitation, elle décida de jouer le tout pour le tout. Autant qu'il sache toute la vérité.) Marisol Winston.

Si célèbre soit-il, son nom ne sembla pas faire tiquer le footballeur.

Eh bien quoi? Les joueurs bourrés de testostérone ne lisent pas Closer *? Ou* Public *? Aucun magazine people?*

—Marisol, répéta-t-il. D'accord. Bon, je dois filer.

Il fit demi-tour, mais Leslie le retint par l'épaule.

—Attends! Tu n'oublies rien?

—Quoi? s'enquit-il en lui décochant un regard noir.

—Présente-toi, voyons, espèce de gros nigaud.

Chaque cellule de son corps semblait impatiente de partir. Marisol le comprit et s'avança vers lui.

—Pas de problème. Nous apprendrons à nous connaître plus tard. N'est-ce pas ?

Son sourire rayonnant le fit ciller. Brusquement, comme s'il se rappelait quelque chose, il posa sa crème de rasage.

Celle-ci resta sur le plan de travail. Seule. Abandonnée. Oubliée.

—Cash Connelly, dit-il en lui serrant la main. Bonne chance, Marisol.

Elle s'efforça d'arracher son regard de son semblant de cadeau. Deux après-midi sans ses Curly, envolés.

—Bien. Merci. Ravie de vous rencontrer. Et merci encore pour le sauvetage.

—À votre service. Maintenant, il faut vraiment que j'y aille. (Cash la salua brièvement de la main, puis il ramassa son sac de sport et ses clés, avant de siffler.) Salut, les enfants !

Trois secondes plus tard, les petits le couvraient de bisous, de cris et de gros câlins. Marisol n'avait jamais assisté à un au revoir aussi tumultueux. Au milieu des trois enfants, Cash Connelly ressemblait à un autre. À un homme plus doux. À un homme qui n'abandonnerait pas un cadeau, aussi ridicule soit-il.

Toujours encerclé par ses enfants, Cash se releva. Il tendit le doigt vers l'un d'eux, un petit garçon châtain aux yeux espiègles.

—Jacob, je te confie la responsabilité de Pato. Tu peux le laisser sortir de ma chambre, mais garde un œil sur lui. Compris ? Ne lâche pas son collier s'il le faut, ou emmène-le jouer dehors. Tu es chargé de faire en sorte qu'il n'embête pas Marisol.

Le garçonnet – Jacob – la dévisagea, visiblement perplexe.

— Pourquoi ?

— Elle a peur des chiens, répondit l'une des fillettes.

— Même de ce bon vieux Pato, renchérit la seconde en levant les yeux au ciel. C'est pour ça qu'elle est montée dans l'arbre. Pour se cacher. J'ai tout entendu. Papa, toi, t'aurais jamais été obligé de grimper à un arbre pour échapper à un chien. Toi, t'as jamais peur de rien : t'es trop courageux et trop fort.

— Euh… doucement, Emily, d'accord ?

— Mais c'est vrai, non ? T'es fort et intelligent. Même que tu l'as sauvée, insista la petite en montrant du doigt Marisol.

Cash échangea un regard lourd de sens avec Leslie, mais Marisol ne put le déchiffrer. Cependant, il semblait content qu'on le considère courageux, fort et intelligent. C'était ridiculement attendrissant qu'il soit tellement touché par l'opinion d'une enfant.

— Non, elle n'a pas eu besoin de moi, contredit-il en tendant ses bras, auxquels pendaient son sac et ses clés. Alors, qui s'occupe de Pato ? Jacob ?

— Oui, accepta Jacob en gonflant fièrement son frêle petit torse. C'est moi l'homme de la maison en ton absence, papa.

— Bien. Maintenant, tous les trois… soyez sages.

— Promis ! répondirent-ils tous en chœur.

Un instant plus tard, Cash disparaissait, emportant avec lui une grande part de l'énergie qui régnait dans la pièce. Quand Marisol détourna son attention de l'entrée, qu'il emplissait de toute sa stature l'instant d'avant, elle s'aperçut que Leslie l'observait.

Avec une lueur de compréhension dans les yeux.

À moins que Marisol ne se fasse des illusions.

— Il a un sacré charisme, hein ? commenta l'aînée des deux femmes.

— Hum.

Oui, et j'ai bien envie de me frotter à lui. Peut-être aussi de le lécher un peu.

Non. Si elle avouait cela, elle ne donnerait peut-être pas une très bonne impression d'un point de vue professionnel. Même s'il s'agissait de la pure vérité. Marisol se décida pour une autre évidence.

— Apparemment, il aime beaucoup ses enfants. C'est adorable.

— Oui, c'est vrai. Mon gendre a un peu tardé à endosser son costume de père, mais, maintenant, il veut à tout prix rattraper le temps perdu. (Leslie désigna la cuisine.) Je vous ferai visiter la maison dans une minute et je vous expliquerai vos responsabilités. Ensuite, vous pourrez faire connaissance avec les petits. Mais d'abord… que diriez-vous d'une tasse de café ?

Oh non ! C'est donc ça !

— Est-ce que je dois ramasser les graines ?

Leslie la regarda d'un air curieux.

— Non, Jacques Vabre s'en est chargé.

— Oh ! Dans ce cas, oui, j'en serais ravie.

Soulagée, Marisol suivit Leslie jusqu'à un îlot central en Durat noir, au milieu de la cuisine qui n'était qu'un mélange de vieux et de neuf. Des placards de style classique américain, des étagères Viking dernier cri, des antiquités marquetées, une lampe ultramoderne, un bronze Remington et d'autres objets d'art, un écran plasma géant, des murs en rondins… et Marisol aurait juré qu'il s'agissait d'une chaise Philippe Starck, là, dans le coin.

Chose plus surprenante, cet endroit ressemblait énormément à une maison de Sundance où elle avait séjourné quelques années plus tôt, alors qu'elle sortait avec un acteur. Néanmoins, contrairement à Park City, il n'y avait ici ni boutique, ni restaurant, ni boîte de nuit, et les voisins n'étaient pas des célébrités.

Son regard tomba sur la mousse à raser. Son pincement au cœur revint.

—Cash n'aime pas trop les cadeaux, n'est-ce pas ?

Leslie haussa les épaules en s'affairant autour de la machine à café.

—Il n'a pas voulu être impoli. Il était en retard pour une réunion avec les dirigeants des Scorpions. Beaucoup de choses sont en jeu, ce qui explique également pourquoi vous êtes si importante, ma chère. (Un sourire mystérieux se dessina sur ses lèvres tandis qu'elle glissait la cafetière en verre dans la machine.) J'espère que vous êtes prête.

—Oui, confirma Marisol en hochant franchement la tête. (Perchée sur un tabouret, elle hissa son fourre-tout sur le comptoir.) Et merci pour votre offre. Je suis tellement contente de sortir de *Dzeel*. En fait… (Elle ne pouvait pas s'arrêter là. Il fallait qu'elle s'explique.) je sais que mes cadeaux sont atroces, mais je ne supporte pas d'arriver quelque part les mains vides.

Sereinement, Leslie sortit deux tasses qui semblaient fabriquées à la main.

— Vous êtes venue, vous. Ça suffit amplement.

— On dirait que Jeremy Fordham ne vous a pas mise au courant ! pouffa Marisol.

— J'ai lu votre dossier en entier, insista Leslie soulignant ses mots d'un geste de la main. Votre profil psychologique, vos tests d'intelligence, votre parcours personnel, les résumés de vos séances…, la totale. C'est le privilège des membres dirigeants, vous savez. Il fallait que je sois sûre de vous.

Soudain, Marisol se sentit complètement mise à nu, de son QI à sa pointure. Leslie connaissait tout ? Sa rébellion avec les sacs à main, ses tentatives d'évasions, et la fois où elle avait organisé une soirée clandestine d'échange de vêtements avec les autres patientes ?

— Je voulais quand même vous rencontrer en personne, bien sûr, poursuivit Leslie. Mais, maintenant que c'est fait, je n'ai plus aucun doute. Tant que Hannah, Emily et Jacob vous aiment bien…

Il fallait maintenant qu'elle affronte le jugement des enfants ?

Oh non ! Ils me prennent déjà pour une poule mouillée parce que j'ai peur de leur chien.

Et son petit doigt lui disait que leur réaction face à leur cadeau serait la même que celle de leur père : ils ne seraient pas le moins du monde impressionnés.

118

Cette famille n'était pas une mince affaire, pour une étrangère.

— ... vous êtes engagée. J'ai le sentiment d'avoir fait le bon choix et je fais toujours confiance à mon intuition.

Leslie s'affaira autour du plan de travail, puis elle éleva la voix pour se faire entendre au-dessus des aboiements du chien, enfermé dans une pièce éloignée.

— Les enfants, laissez Pato tranquille pour l'instant. Venez dire bonjour à votre nouvelle nounou !

Chapitre 9

Rajustant la poche de glace fixée à son épaule, Cash sortit de sa Range Rover. La maison et le jardin étaient calmes quand il prit son sac de sport et s'engagea sur le sentier en plissant les yeux face au soleil couchant. Sa réunion avec les dirigeants des Scorpions s'était plutôt bien passée – bien que peu concluante en ce qui concernait son avenir, car ils avaient voulu savoir comment il « interagirait » avec Tyrell pendant la saison à venir. Cash avait dû serrer les dents et insister sur le fait qu'il saurait coopérer avec le nouveau jouet de son ex-femme.

Peu importait que son esprit de compétition soit attisé par ce branleur qui tournait autour de sa femme depuis des années, depuis le jour où Cash et lui avaient joué ensemble pour la première fois. Peu importait sa colère à l'idée que la direction du club se focalise sur cette vieille histoire. Peu importait qu'il se soit bêtement fait mal en se défoulant avec des exercices difficiles.

Désormais, il n'aspirait qu'à serrer ses enfants dans ses bras, à avaler une assiette du plat reconstituant que Leslie aurait préparé, et à se vautrer dans son fauteuil sous le porche en attendant que sa douleur disparaisse. D'un geste las, il ouvrit la porte d'entrée.

La succulente odeur de viande à laquelle il s'était habitué ne l'accueillit pas. Pato non plus. Pas plus que Hannah, Emily et Jacob.

— Ohé! Papa est rentré! lança-t-il.

Immobile sur le perron, Cash tendit l'oreille.

Nada. Où étaient-ils donc tous passés? Il regarda par-dessus son épaule. La voiture de Leslie était toujours garée devant la maison. Sa belle-mère devait être là. À moins qu'elle n'ait accompagné les enfants chez des voisins, ce qui ne serait pas exceptionnel. Toutefois, elle lui en aurait certainement parlé avant. Il extirpa son portable de son sac de sport, avant de lâcher celui-ci sur le plancher.

Pas de message vocal. Pas de texto. Pas d'appel manqué.

Confus, il resta une minute sans bouger. D'habitude, tout le monde attendait son arrivée pour se lancer dans l'allée: Leslie, parce qu'elle avait rendez-vous au club de danse; Pato, parce qu'il aimait le bacon qu'il lui donnait à mastiquer; les enfants, parce que… eh bien! juste parce qu'ils aimaient retrouver leur père à la fin de la journée, tout comme il aimait les revoir.

Par ailleurs, tout était trop calme. Cash tourna la tête… La télévision n'était même pas allumée. Il eut alors la certitude qu'ils ne se trouvaient pas à la maison. Maussade, il entra d'un pas lourd. Il marqua un premier arrêt au réfrigérateur pour avaler une grande gorgée de Gatorade – directement à la bouteille, comme un homme. Il fit ensuite une escale au congélateur pour une rapide vérification des provisions. Puis il se rendit à la salle de bains, pour appliquer une nouvelle bande sur sa poche de glace en attendant que celle-ci fonde. Il devait ménager le bras avec lequel il lançait, surtout maintenant.

Torse nu, mis à part son bandage, Cash traversa le couloir. Il s'arrêta dans la cuisine en pesant le pour et le contre : devait-il se faire cuire un morceau de poulet et réchauffer au micro-ondes des brocolis surgelés – menu normal en période de préparation – ou simplement appeler Leslie pour déterminer si elle préparait le dîner. Elle cuisinait mieux que lui.

Le regard de Cash tomba sur la mousse à raser posée sur le plan de travail. Il ne put s'empêcher de sourire en la prenant. Il fallait vraiment être dingue pour offrir de la mousse à raser ! Surtout lors d'une première rencontre !

Dommage que Marisol n'ait pas obtenu le poste de nounou numéro cinq, songea Cash. *Cadeau bizarre ou pas. Ça aurait pu être très drôle. Et puis, elle était agréable à l'œil.*

Il se souvenait qu'elle avait des jambes magnifiques. Longues, fuselées, douces, avec des formes extrêmement féminines. Cash n'aimait pas les jambes maigres – cela lui rappelait trop celles des adolescentes. Il n'aimait pas les jambes au bronzage artificiel des pom-pom girls – cela lui rappelait trop celles des Oompa Loompas. En fait, il aimait les jambes comme celles de l'ex-future-nounou Marisol :

du genre assez fortes pour escalader un arbre… mais assez sexy pour rester splendides en même temps.

Vraiment splendides.

Il ne doutait pas que Marisol savait aussi les utiliser à son avantage. Tandis que le sang affluait dans son entrejambe, il l'imagina grimpant sur lui au lieu d'un arbre. Il imagina ses cheveux noirs détachés et décoiffés, comme aujourd'hui…, mais tombant sur son dos nu. Il se visualisa en train de lui arracher ce débardeur blanc pour dévoiler ce soutien-gorge en dentelle. Le souvenir du sous-vêtement – et de l'aperçu qu'il en avait eu – l'avait torturé toute la journée.

Sans ses rêveries idiotes à propos de ce que cachait la lingerie de Marisol, il n'aurait jamais reçu un coup lors de ses exercices. Il aurait vu Tank arriver et se serait décalé en comprenant que le bizut qui partageait le terrain avec son remplaçant et lui ne respectait pas son plan d'entraînement. Loin de là. Au lieu de cela, en imbécile qu'il était, Cash n'avait pas bougé, langue pendante, en rêvant de glisser ses mains dans le soutien-gorge de Marisol, et il s'était pris un coup accidentel.

Pourtant, Cash se dit que cela en valait la peine.

Il repensa au regard de Marisol quand il l'avait félicitée sur sa force ; il revit son sourire empreint d'une expression particulière. Les femmes criaient et chaviraient en permanence sur son passage – pendant les matchs, les conférences de presse, même à cette stupide cérémonie d'ouverture du *Shoparama* organisée par Adam – mais aucune ne l'avait jamais regardé de la même façon que son ex-future-nounou.

C'était l'expression d'une femme dangereuse. Heureusement pour lui, Marisol avait semblé trop effarouchée par son chien pour s'apercevoir de l'effet qu'elle lui faisait. Et Cash avait fui avant que son état s'aggrave. Cela dit…

Merde! On dirait qu'elle m'a jeté un sort!

Quand elle lui avait donné la mousse à raser, quand ses doigts avaient touché les siens, quand elle s'était approchée assez pour qu'il sente son parfum sucré et épicé, quelque chose d'inattendu avait flanché en lui.

Probablement le résultat de plusieurs années de désir refoulé. Il n'avait pas vraiment exploité son récent célibat en draguant dans tous les sens. Par ailleurs, même si ce n'était rien, il ne pouvait pas croire qu'un entraînement et un mauvais coup ne lui avaient pas suffi pour se changer les idées. Il n'en revenait pas d'en être encore à se demander ce que Marisol portait sous cette jupe blanche outrageusement fine.

Portait-elle au moins quelque chose? Une culotte blanche? Un string? Assorti à son soutien-gorge en dentelle? Quelle tête ferait-elle s'il glissait les mains le long de ses jambes, s'il touchait cette dentelle, s'il baissait cette culotte jusqu'à ses chevilles?

Il voulait le découvrir.

Le sortant de ses rêveries, un rire éclata sous le porche, à l'arrière de la maison.

Qu'est-ce que…?

Toujours distrait, toujours obsédé par sa curiosité et son désir impossibles à satisfaire, Cash se dirigea vers la source du bruit. Il découvrit des guirlandes de Noël multicolores et lumineuses enroulées autour de la rambarde qui se dessinait devant la forêt obscure, et quatre personnes assises sur le plancher.

Nom d'un chien ! Marisol et les gosses. Qu'est-ce qu'elle fiche encore là ? Et où est Leslie ?

Alors il ouvrit, et tous levèrent la tête du morceau de tissu blanc sur lequel ils étaient assis. Jacob, Hannah et Emily affichaient la même expression ravie, mais personne ne bougea.

— Salut, papa !

— Regarde, papa ! J'ai peint un papillon avec mes doigts !

— Papa ! Tu es rentré ! (Jacob agita ses mains barbouillées de bleu et de jaune, le visage éclairé par les lumières colorées.) On fabrique un nouveau rideau de douche ! C'est Marisol qui nous a appris.

La jeune femme hocha la tête en examinant le tissu.

— C'est de l'expressionnisme abstrait, expliqua-t-elle. Avec une touche d'avant-garde pour la fraîcheur.

Mouais… si elle le dit.

Cash avait surtout l'impression que Pato avait encore eu un accident, mais en Technicolor, cette fois.

Avec un sourire, Marisol se leva. Elle tira sa jupe, ruinant une vue extraordinaire – et certainement illicite – sur ses cuisses.

— Les enfants se débrouillent très bien. Ils manient la peinture comme de vrais décorateurs. (Elle décocha un sourire aux triplés par-dessus son épaule.) Continuez comme ça, les copains !

— Ouais. Beau travail, les enfants ! les félicita Cash d'un ton bourru.

Mais qu'est-ce qu'il faut faire pour obtenir un câlin dans cette maison ?

Toujours perplexe, il saisit Marisol par le bras et la conduisit au bord du perron pour discuter en aparté.

—Où est Leslie ?

—Elle a dû… (Marisol s'interrompit en fronçant les sourcils d'un air inquiet.) Euh… vous allez bien ? On dirait que vous avez de la fièvre. Vous êtes tout rouge et tout nu.

Elle se plaqua une main sur la bouche en lançant un regard gêné vers les enfants. Ceux-ci semblaient trop absorbés par leur peinture à la main pour écouter les adultes.

—Enfin, je veux dire… vous n'êtes pas tout nu tout nu. Vous avez toujours votre short.

Comme pour confirmer cette remarque, elle baissa le regard. Cash la vit écarquiller les yeux. Un sourire littéralement radieux fendit son visage, et un tic agita sa main. Sa façon d'étudier avec autant d'insistance son short d'entraînement ôta au *quarterback* toute sensation de fièvre et de rougeur.

Marisol releva brusquement la tête.

—Enfin, j'imagine que vous ne pouvez pas mettre votre tee-shirt par-dessus cette poche de glace, c'est évident. Ceci explique cela… Euh, comment vous vous êtes blessé, au fait ? (Elle examina le bandage, tout sourires.) On dirait qu'il y a au moins deux kilos de glace. Vous êtes fou !

—C'est efficace, réussit-il à répondre.

Nom d'un chien! Est-ce qu'elle a compris que je la passais virtuellement aux rayons X il y a deux minutes? C'est pour ça qu'elle sourit comme ça?

—J'imagine, rétorqua Marisol. (Elle vérifia que les enfants allaient bien, comme si elle avait ce réflexe dans le sang.) Au moins, ça l'est pour les margaritas. Vous ressemblez à un bar sur pattes. Il ne vous reste plus qu'à fourrer un pic à glace dans votre short, et vous êtes prêt.

Cash avait déjà l'impression d'avoir un pic à glace dans le caleçon. Et il sentait aussi qu'il serait bientôt près… Il fallait qu'elle arrête de le jauger de cette façon à la fois innocente et passionnée ; cela le rendait dingue. Cela lui retournait le cerveau. Il voulait lui poser une question à laquelle elle n'avait pas encore répondu, mais…

—Euh…

Cash chercha ses mots, mais ce fut laborieux. Que lui arrivait-il? Il devait découvrir où se cachait Leslie, pourquoi Marisol était toujours là et pourquoi personne ne semblait se soucier qu'il soit de retour.

Lui. L'homme de la maison, quoi!

Avec une admiration évidente, Marisol reluquait son torse et ses bras. Même ses mains. Ou était-ce sa poche de glace? Il devait s'agir de sa poche de glace. Après tout, son torse n'était rien que… un torse. Et ses bras, juste des bras normaux de footballeur.

—Je constate que vous avez gardé votre mousse à raser.

Marisol sourit de plus belle, et son visage tout entier s'éclaira quand elle désigna la bombe.

Cash regarda l'objet. Il avait oublié qu'il le tenait encore. À en juger par l'expression de la nourrice, ce truc valait de l'or.

—Ah oui ! La mousse à raser, répéta-t-il comme un crétin.

En effet, une autre vision occupait maintenant son esprit : Marisol étalant le produit sur lui. Lentement. Intégralement. Où elle voulait. Dans une salle de bains privée emplie de buée, de bulles et de miroirs où ils seraient seuls. Vraiment seuls. Seuls, nus et heureux.

Elle s'approcha et lui adressa un clin d'œil.

—Je ne dirai à personne que ça vous a plu, promis. Je serai muette comme une tombe.

—Euh…

Cela lui avait plu, oui, mais son cerveau se trouvait complètement court-circuité. Il ne savait plus exactement de quoi ils parlaient.

—En général, les grands gaillards comme vous refusent d'admettre qu'ils aiment qu'on les bichonne un peu. (Marisol se dressa sur la pointe des pieds et faillit éclater de satisfaction.) Mais tout le monde aime qu'on lui fasse plaisir.

—J'adore qu'on me fasse plaisir.

Et merde ! Je suis perdu !

—Vous voyez ! Je l'ai su dès que Leslie m'a expliqué que vous étiez préoccupé, ce matin. Oh, oh ! s'exclama-t-elle en touchant la glace. Vous commencez à fondre.

Oh, que oui ! Cash n'avait jamais autant fondu pour quelqu'un. Cependant, il essaya de rester concentré.

—Je m'attendais à trouver Leslie ici.

— Oh ! Elle était là tout à l'heure, mais elle a dû…

— Marisol ! l'interrompit Hannah. Regarde ce que j'ai peint !

— Désolée, je reviens. (Après un simple regard d'excuse, Marisol se rendit à l'autre bout du perron.) Waouh ! Quelle ravissante fée ! (Elle se pencha pour admirer le rideau de douche.) Elle a une baguette magique, une couronne et une jolie robe. Tu as le sens du détail.

Hannah, la plus calme des triplés, rougit carrément. Cash ne put s'empêcher d'en rester bouche bée. Emily tira ensuite le poignet de Marisol pour l'emmener de l'autre côté du tissu. Avec son autorité bien particulière, elle installa la nounou de sorte que celle-ci profite d'une vue parfaite sur son œuvre.

— Reste là, ordonna-t-elle sous son diadème scintillant. Et regarde le mien ! J'ai mis des étoiles partout ! Là, là et là.

— Bon choix, la peinture jaune, la félicita Marisol en souriant. On dirait de vraies étoiles. Tu as un petit côté extravagant très précieux pour une artiste.

Et voilà qu'Emily rougissait aussi. Tandis que Jacob s'empressait de montrer à Marisol ce qu'il venait de réaliser, Cash assistait à la scène avec une stupéfaction croissante. Il n'avait jamais vu ses enfants aussi habités, aussi enthousiastes, aussi… comblés. Vraisemblablement, Marisol leur avait jeté un sort. Cela expliquait peut-être pourquoi Leslie lui avait permis de les garder ce soir. Il était impossible que sa belle-mère ait embauché cette femme comme nounou numéro cinq. Après tout, elle ne ressemblait en rien à une nourrice.

Principalement parce que Cash ne pouvait s'empêcher de l'imaginer dans des postures dignes de *Playboy*. Même pendant qu'elle trempait un doigt dans de la peinture verte et ajoutait sa touche au rideau de douche pour apprendre une technique à Jacob en s'extasiant sur le chef-d'œuvre du petit, Cash ne put se retenir de contempler l'arrondi de ses fesses, la ligne de son débardeur moulant et son sourire rayonnant.

Il ne survivrait jamais au camp d'entraînement et à cette période d'essai XXL pour la garde des triplés si venait s'y ajouter une nounou aussi tentante. C'était bien simple, il finirait par craquer. Un jour, Marisol se pencherait pour attraper une boîte de macaronis au fromage dans le placard et, n'y tenant plus, Cash la prendrait en levrette sur la table de la cuisine.

Il commençait déjà à se représenter la scène – allégrement et de façon très réaliste – quand Marisol agita la main juste sous son nez.

— Vous devriez vraiment vous occuper de votre rougeur au visage. Venez, allons chercher une nouvelle poche de glace à l'intérieur.

Sur ce, elle le précéda dans la cuisine de sa démarche hypnotique – absolument pas caractéristique d'une nourrice – et ouvrit le congélateur.

— Enfin, reprit-elle d'une voix étouffée par les bruits des surgelés parmi lesquels elle fouillait. Comme je vous le disais, Leslie a dû partir prendre son avion pour Puerto Vallarta. Mais ne vous en faites pas : elle a pris une navette de l'aéroport et m'a laissé sa voiture en son absence pour que je sois véhiculée. Elle m'a fait un récapitulatif des emplois du temps de tout le monde, y compris du vôtre, avant de partir, et m'a donné une liste de tâches ménagères à effectuer, ainsi qu'une très longue liste de ce qu'il faut faire et ne pas faire. Conclusion : je suis parée pour tout gérer. (Il y eut un cliquetis.) Ah, voilà !

Elle émergea joyeusement du congélateur, un bac à glaçons dans la main.

— Leslie est partie ? (Cash était abasourdi.) Combien de temps ?

— Pour trois semaines, je crois.

Trois semaines ? Trois semaines !

— C'est pour ça qu'elle était tellement pressée de me placer ici pour mon stage.

Marisol examina la bande qui maintenait la poche de glace sur son épaule. Concentrée, elle tira doucement dessus en fronçant les sourcils.

— Donc, à partir de maintenant, je suis toute à vous. Cet été, ça se passe entre vous et moi…

— Et les enfants, lâcha-t-il.

Merde, merde, merde, merde ! Comment Leslie a pu me faire ça ? Et sans prévenir ! Sans combinaison de sécurité ni œillères ! Ou au moins un uniforme intégral à l'ancienne pour Marisol !

Soudain, une vision d'elle en tenue de soubrette surgit dans l'esprit de Cash.

Sexy baby !

Non. Ce genre d'uniforme ne ferait pas l'affaire.

Cash se renfrogna.

131

— Les enfants aussi seront là tout le temps.

— Bien sûr. C'est ce que j'allais dire, affirma Marisol en le regardant étrangement. D'ailleurs, ils sont géniaux. On s'est tout de suite très bien entendus. Comme si on se connaissait depuis toujours. Emily, Hannah et Jacob ont été sages comme des images.

Une grande première.

— Dans ce cas, vous êtes miraculeuse.

— Peut-être, répondit-elle avec un sourire éblouissant. Je pense que je suis juste une grande enfant et que ça explique pourquoi on se comprend bien, eux et moi. Ah! Et ils ont adoré leurs cadeaux aussi. Ça m'a vraiment fait plaisir!

Encore des cadeaux?

— Vous n'étiez pas obligée.

— Je sais. C'est juste que… je n'ai jamais vu trois enfants aussi contents de recevoir une nouvelle brosse à dents! C'était adorable.

C'est une blague?

— Des brosses à dents?

Elle acquiesça. Cash en resta ébahi. Ses enfants avaient aimé qu'on leur offre une brosse à dents? Ils avaient aimé rester assis tranquillement, sans télé, à peindre?

Soit Marisol était une sorte de génie du baby-sitting, soit Cash était en train de se faire rouler. Il n'arrivait pas à se décider. Sa seule certitude était que Hannah, Emily et Jacob adoraient cette femme. Il ne les avait pas vus aussi enthousiastes depuis longtemps.

Il ne savait pas exactement à quoi cela tenait. Ni pourquoi cela se produisait. Pendant qu'il y réfléchissait, toujours ébahi, Marisol défaisait son bandage. Elle se mordit la lèvre, attirant l'attention de Cash sur sa bouche pulpeuse, aussi somptueuse que le reste de son corps.

Bon sang! Je suis fichu.

Condamné à croupir devant le sex-appeal insouciant de sa nourrice. Condamné à être privé de l'attention de ses enfants avant même que son camp d'entraînement débute. Comment allait-il survivre à cet été? À cet été long, chaud, étouffant et placé sous le signe de la nounou?

Il devait rester concentré. Rien de plus.

Pour le bien des triplés.

Il se fit violence pour se rappeler leur sujet de conversation.

Ah oui! Les brosses à dents.

— D'habitude, je suis presque obligé de les plaquer au sol et de leur laver les dents moi-même, confia Cash.

— Ils les ont déjà brossées deux fois, déclara Marisol en haussant les épaules. Hannah voulait y retourner une troisième fois – à mon avis, juste pour prendre de l'avance sur Emily et Jacob –, mais je lui ai dit qu'elle devait attendre. Cette petite a la compétition dans le sang, non?

Oui, comme moi. Il n'y a pas de mal à ça… Hé, mais attends!

Cash la dévisagea de nouveau. Comment faisait-elle cela? Elle comprenait ses enfants alors que la plupart des gens n'essayaient même pas de s'intéresser à eux. En général, les étrangers supposaient que les triplés

133

étaient identiques en tout point et ne soupçonnaient pas qu'ils puissent avoir des personnalités distinctes.

— Bon, je voulais vraiment vous aider, mais je n'arrive pas à détacher ça. (Marisol leva une main en secouant la tête avec exaspération face au bandage entortillé autour de la poche de glace.) Il va falloir essayer autrement. Si je vous massais avec de la lotion ou quelque chose dans le genre ? Ça vous dénouerait peut-être.

Instantanément, Cash imagina la lotion froide, les mains chaudes… et ses muscles se détendant totalement grâce aux soins de Marisol.

— Non ! Ça va aller. Je peux me débrouiller tout seul.

Elle lui lança un regard grivois ; il l'aurait juré.

— Je n'en doute pas, mais, tant que je suis là, vous n'êtes pas obligé.

Pour l'amour de Dieu ! Je ne vais même pas survivre à cette nuit !

Soudain, des cris éclatèrent sur le perron. Une diversion ! Sauvé par le gong !

— Marisol, Marisol ! Viens voir ! hurlaient les enfants.

— Une seconde ! lança-t-elle. J'aide votre papa.

Clairement décidée à ignorer les instructions de Cash – et à trouver une solution créative pour retirer sa poche de glace par la même occasion – Marisol fouilla dans le placard. Elle ouvrit le tiroir du haut, se pencha pour examiner le tiroir du bas, et Cash fut cloué sur place par la courbe tentante de ses fesses. S'il posait ses mains juste là, elle…

—Ah! Cool! Des macaronis au fromage. (Elle posa la boîte sur le plan de travail.) Je n'ai qu'à faire ça pour le déjeuner, demain.

C'est foutu, je suis baisé, se dit Cash. *Obsédé par une nounou sexy et privé de l'affection de mes enfants. Et mon corps, putain! On dirait qu'il a décidé de s'amuser avec mon principe de ne pas toucher aux nourrices. Qu'est-ce que je vais faire, maintenant?*

Eh bien, il avait une bonne idée pour commencer.

—Je vais prendre une douche, annonça-t-il en filant avec sa mousse à raser.

—Mais… votre poche de glace! protesta Marisol dans son dos, d'une voix confuse. Attendez! Vous ne voulez pas que je vous l'enlève?

Cash grommela.

Laisse tomber. Elle parle de la glace, pas de ton short.

—Je vais l'enlever tout seul, lança-t-il par-dessus son épaule.

Hourra! s'écria une part de lui.

Douche froide, douche froide, douche froide, se répétait-il sévèrement.

Quand il arriva dans la salle de bains, le rideau de douche avait disparu. Cash en déduisit qu'il en aurait bientôt un nouveau, peint à la main dans un style « expressionniste abstrait ». Ou « avant-gardiste ». En attendant, il devrait se contenter d'un sac plastique. C'était ça ou un bain glacé.

Il retira son short, défit son bandage et entra dans la douche. Il ouvrit le robinet, déchira la poche de glace et laissa les glaçons partiellement fondus et l'eau glaciale couler sur lui. Brrr!

Mieux valait prévenir que guérir… surtout face à ce genre de tentation. En fait, une machine à glaçons géante pourrait se révéler un excellent investissement cette année.

Chapitre 10

Après une nuit agitée passée à se retourner dans tous les sens et à rêver d'un certain *quarterback* à la voix rauque, dans sa « chambre d'invité » du rez-de-chaussée – à savoir, la chambre de la bonne, l'ironie du sort n'échappant pas à la riche héritière –, Marisol se réveilla au son de petits pieds sur le plancher. Elle sourit faiblement. Manifestement, les enfants venaient la réveiller, ces petits anges.

Eh bien, elle ne gâcherait pas la surprise. Elle garda donc les yeux fermés et ne bougea pas, feignant d'être toujours endormie.

Elle était douée pour cela. Très convaincante. Marisol ne comptait plus le nombre de fois où elle avait utilisé cette stratégie sur son père dès qu'il essayait de la sermonner à propos de ses dépenses, de ses sorties ou de sa « frivolité » en général. Gary Winston, qui avait réussi à la sueur de son front et qui avait élevé la chaîne de magasins familiale au rang de conglomérat international de supermarchés spécialisés en décoration et en bricolage, ne manifestait aucune patience pour quiconque ignorait le sens même de l'expression « à la sueur de son front ».

Sa fille, par exemple.

Impassible, Marisol prit soin de garder un souffle régulier. Elle perçut du mouvement dans la pièce, puis quelqu'un qui s'approchait de son lit. Elle entendit une respiration — forte, comme le souffle conjugué de trois enfants excités et marchant sur la pointe des pieds. Puis quelqu'un se cogna au lit et atterrit sur le matelas.

Alors, Marisol abandonna son masque de sommeil.

Le chien ! Le chien était sur son lit !

Prise de panique, elle agrippa sa couverture et hurla :

— Au secours ! Au secours ! Jacob !

Il était responsable du chien, non ?

Tous ses muscles se crispèrent. Elle ne pouvait se résoudre à bouger. D'ailleurs, fallait-il bouger face à un chien ? Fallait-il le regarder dans les yeux ou détourner le regard ? Devait-elle parler doucement en feignant l'indifférence ? Le flatter ?

— Euh… gentil chien ? essaya-t-elle.

Pato ne parut pas impressionné. Il souffla sur elle son haleine de croquettes et s'approcha encore. Le matelas s'enfonça sous son poids. Ses pieds… enfin, ses pattes… en fait, ses griffes étaient énormes. Et ses crocs aussi.

Et maintenant ? Les bribes de conseils qu'elle avait récoltées auprès de son entourage au sujet de sa phobie des chiens se mirent à tournoyer dans sa tête. Peut-être devait-elle simplement rester immobile et y réfléchir. Oui, elle devait assurément éviter de bouger pour ne pas montrer au chien qu'elle avait peur. Comme si c'était facile.

Crier encore, aussi.

— Au secours ! À l'aide !

Pato eut le culot de paraître vexé. Avec ses grands yeux marron de chien la jaugeant comme un petit déjeuner, il lui décocha un regard plaintif et sauta du lit. Lentement. Il semblait vaguement souffrir d'arthrose. Tout en traînant son corps hirsute de berger allemand à travers la chambre, il aboya sur un ton mécontent.

Boiteux ou pas, il avait quand même de grandes dents.

Marisol ne bougeait pas. Elle garda les couvertures tirées pour se protéger en essayant d'établir une stratégie de fuite. Peut-être que, si elle se glissait de l'autre côté du lit, en restant sous les draps, le chien ne s'apercevrait pas de son évasion.

Avant qu'elle puisse esquisser le moindre mouvement, des pas résonnèrent dans le couloir. Puis des cris. La porte de la chambre s'ouvrit si fort qu'elle rebondit bruyamment sur le mur, et Cash apparut. Trempé jusqu'aux os. Sexy. Vêtu d'une simple serviette de bain mollement attachée autour de sa taille, et armé d'un club de golf.

— Qu'est-ce qui se passe ? demanda-t-il en balayant la chambre du regard.

— Le chien.

Marisol tendit le doigt vers l'animal. Elle claquait littéralement des dents.

Cash se détendit aussitôt et jeta un regard exaspéré vers le berger allemand.

— Pato, dehors.

Clairement à contrecœur, mais avec une obéissance infaillible, le chien sortit d'un pas nonchalant. Marisol aurait juré que Pato lui jetait encore un coup d'œil agacé.

— Il faut vous calmer. (Cash posa son putter contre le meuble de la télévision en secouant la tête.) Pato ne vous fera aucun mal.

— Il a sauté sur le lit !

Il lui était difficile d'expliquer combien cela avait été terrifiant pour elle. Surtout si elle ne pouvait s'empêcher de reluquer le corps splendide de Cash. Arrivait-il à ce type de s'habiller complètement ? Ce n'était pas vraiment gênant, mais… Bref.

— Il a sauté sur le lit alors que j'étais dedans !

— À mon avis, Pato a dormi ici depuis qu'on est arrivés, répondit-il en haussant les épaules.

— Sur ce lit-là ?

Épouvantée, Marisol en descendit maladroitement.

Cash écarquilla les yeux, et elle se rappela un peu tard dans quelle tenue elle dormait : un petit shorty et un débardeur assorti. Cela ne laissait pas beaucoup de place à l'imagination, mais c'était ce qu'elle avait de plus modeste, grâce à la participation de Jamie dans la préparation hâtive de ses bagages.

Marisol décida de laisser tomber, comme le jour où des paparazzis l'avaient surprise à la sortie d'une soirée à Los Angeles, durant laquelle la bretelle de sa robe avait cassé. Une semaine après, elle avait involontairement fait rougir tous les lecteurs du magazine *Star*, bien sûr, mais peu importait. Elle n'était pas du genre à se laisser abattre. Alors qu'est-ce que ça pouvait bien faire que Cash et elle soient à moitié nus ? Ils étaient majeurs et vaccinés. Deux adultes capables d'assumer une semi-nudité sans en faire tout un plat. Les Européens faisaient cela tout le temps.

Par ailleurs, elle avait peur d'aller chercher une robe de chambre. Le chien pouvait revenir à tout instant. Ainsi, Marisol leva le menton et fit comme si elle portait des vêtements. Une tenue magnifique.

— Bon, merci d'être venu à mon secours encore une fois, déclara-t-elle.

— Bon, vous avez l'air d'aller bien, dit-il en même temps.

Ils échangèrent un sourire gêné. Regardant Marisol bien droit dans les yeux, Cash tendit la main vers la porte ouverte.

— Vous n'avez pas de mal, donc je vais…

— Attendez.

Sans réfléchir, elle saisit son bras mouillé.

Il se raidit. Son regard glissa de la main de Marisol jusqu'à son visage. Ses yeux s'assombrirent dangereusement.

Waouh !

Marisol ne put penser à autre chose qu'à l'énormité de ses biceps – en dehors du fait que retenir son patron par le bras était certainement déplacé, mais elle n'avait jamais vraiment eu de chef avant cela. Elle ne réussissait même pas à enrouler ses doigts autour de son bras tellement il était musclé.

Vu l'expression de Cash, elle commença à douter que s'accrocher à lui ainsi soit judicieux. Après une pression amicale – juste pour prouver qu'elle ne se laisserait pas impressionner par de simples muscles, par son autorité ou par son réel statut de patron –, elle le lâcha.

— Euh… vous ferez attention que le chien reste dehors ?

Pendant un long moment, Cash la dévisagea en silence. Il était beau, presque sculptural, avec un nez agressif et des yeux noisette littéralement envoûtants. Qu'attendait-il ? Devait-elle s'excuser pour son geste ? Ou le remercier d'être venu à son aide ? Ou quoi ?

Tout en réfléchissant, Marisol baissa les yeux. Grave erreur. Elle aurait juré que la serviette – ces soixante centimètres carrés de tissu éponge blanc qui le couvraient – avait glissé un peu.

Nom d'un chien ! Ça va être dur de me concentrer sur le baby-sitting si Cash traîne dans les parages. Surtout s'il continue à se promener à moitié nu. Je ne suis qu'un être humain, après tout.

La porte de la chambre claqua, faisant sursauter Marisol.

Celle-ci releva les yeux juste à temps pour comprendre que Cash venait de la pousser du pied. Il affichait une mine plus sombre que jamais. Soit il prévoyait de la séduire – ce qui semblait peu probable, vu son regard volontairement hautain –, soit il s'apprêtait à la renvoyer, en privé, pour l'avoir saisi par le bras.

La seconde éventualité s'annonçait plus plausible. Il avait dû lire le dossier de *Dzeel* que Leslie lui avait laissé, et la phobie de Marisol pour les chiens était la goutte d'eau qui faisait déborder le vase. Pourquoi ne réussissait-elle jamais rien en dehors du shopping ?

Elle s'était donné tellement de mal. La veille au soir, il lui avait fallu toute sa détermination pour ne pas se frotter à lui pendant qu'elle essayait de détacher cette satanée poche de glace géante du corps incroyablement fort et musclé de Cash.

Dévastée, Marisol planta son regard dans le sien.

Et merde ! Pas question de m'être sacrifiée pour rien. Je peux peut-être encore le faire changer d'avis, même si j'ai lamentablement échoué avec Jeremy Fordham l'autre jour.

— Pourquoi vous avez fait ça ?

— Les enfants. (Comme Marisol restait pantoise, Cash leva le pouce vers le couloir.) Ils vont débarquer. Le cri que vous avez poussé il y a trente secondes aurait pu abattre un arbre.

— Et alors ? Vous êtes bûcheron ?

— Non, juste père.

Il toisa de nouveau sa tenue de nuit et verrouilla la porte. Alors, un sourire sincère – et éblouissant – illumina son visage.

— Un père qui préfère que ceci… (Il indiqua sa serviette et le pyjama de Marisol.) … reste entre nous.

Marisol en était encore à « entre nous » quand des pas bruissèrent dans le couloir, donnant raison à Cash. L'un des enfants se heurta à la porte fermée à clé. La poignée tourna dans un sens, puis dans l'autre. On entendit des chamailleries étouffées tandis que les petits tentaient de déterminer lequel devait ouvrir la porte et comment.

143

Puis… on frappa timidement.

—Oui, Hannah ? répondit Cash en croisant les bras et en tendant l'oreille.

—Marisol va bien ? demanda sa fille.

—Oui, confirma-t-il en adressant un clin d'œil à Marisol.

—Est-ce qu'elle va sortir bientôt ? insista Hannah.

—On a une surprise pour elle ! ajouta Emily d'un ton impatient.

—Une grosse surprise ! précisa Jacob. C'est le petit dé…

—Non, Jacob ! Tais-toi ! cria une des fillettes.

Il y eut de nouveaux bruits de coups et de bousculade.

La porte trembla quand quelqu'un se cogna dedans pour la deuxième fois.

—Ils vont bien ? s'enquit Marisol qui commençait à s'inquiéter.

—Ouais, la rassura Cash d'un air amusé. Je parie qu'elles sont en train de bâillonner Jacob pour qu'il ne puisse pas vendre la mèche. Mais il doit se débattre. Arrêtez de vous disputer, ordonna-t-il plus fort. Allez finir votre surprise. Marisol arrive dans un petit moment.

—Mais papa…

—Filez, insista-t-il sur un ton qui ne laissait place à aucune protestation.

Bien entendu, les enfants le comprirent tout de suite.

—Bon, d'accord, bredouillèrent-ils à contrecœur. On y va. Dépêche-toi, Marisol.

Le tohu-bohu cessa. La jeune femme regarda son réveil qui tiquait joyeusement à côté de ses draps froissés suite à «l'attaque» du chien.

—Oh non! grommela-t-elle. Il n'est que 6 heures!

—Ouais!

Apparemment pas sur le point de la renvoyer, Cash leva les yeux du shorty de Marisol, en prenant bien son temps pour remonter jusqu'à son visage, juste sous ses cheveux indubitablement décoiffés par la nuit.

—C'est à cette heure-là qu'ils se lèvent.

—À 6 heures? Pff! s'exclama-t-elle, légèrement plus à l'aise maintenant qu'elle savait ne pas être licenciée dès son deuxième jour. Arrêtez de plaisanter!

—Je suis sérieux.

—Hum…

Elle le dévisagea d'un air sceptique. Il était sérieux. Il était également mouillé, magnifique et cent pour cent mâle. Ils se retrouvaient seuls, tous les deux, dans la chambre de Marisol, presque nus…

Bien qu'elle se soit réveillée plus tôt que l'heure à laquelle elle se couchait habituellement, son sens de l'observation l'épatait, ce matin. Par exemple, elle remarqua que Cash ne montrait aucune hâte à partir. Elle remarqua aussi les gouttes d'eau tombées de ses cheveux fraîchement lavés sur ses larges épaules.

Elle se demanda si elle aimerait les lui enlever du bout de la langue.

Une à la fois. Lentement.

Une goutte rebelle se fraya un chemin le long de son torse, contourna son téton plat et brun, parcourut ses abdos… et s'insinua sous sa serviette. Tout comme la curiosité de Marisol. Elle entrevit son bassin, le dessin intrigant de ses muscles pelviens, la forme de ses mains appuyées avec décontraction sur ses hanches. Elle ignorait ce qu'elle avait fait pour mériter ce stage, mais elle renonçait à se battre.

Alléluia! Merci, Dzeel!

Le travail n'était peut-être pas génial, mais le cadre lui convenait.

Même si elle décidait de garder une relation platonique et professionnelle, à la Mary Poppins. Jusqu'au bout. Malgré la tentation que constituait cet homme si sexy et à demi nu. Elle ne le toucherait qu'avec les yeux.

Mmm!…

Lorsque Marisol réussit enfin à détacher son regard de la serviette de Cash, elle le surprit en train de contempler son débardeur d'un air extrêmement absorbé. Il affichait de nouveau une expression qui semblait insinuer des choses qu'une employée ne pouvait espérer de la part d'un patron sérieux. Néanmoins…

Allez! C'est la fête! cria le corps de Marisol.

Ses tétons décidèrent d'envoyer un signe ostentatoire d'invitation.

Non, ça ne va pas le faire du tout.

Elle croisa les bras et essaya de se reprendre. Il fallait qu'elle se concentre.

Les enfants t'attendent, se remémora-t-elle sévèrement. *Tu ne vas pas les abandonner et gâcher ton stage.*

Pour l'instant, seul le succès de sa cure se dressait entre elle et une vie de galère sans le sou. Pour ne pas mentionner le respect de soi durement entamé et le denim au rabais. *Beurk!* Toutefois, pour y arriver, elle devait arrêter de reluquer son patron.

Dès maintenant.

—OK. Bon. Merci encore de m'avoir sauvée du chien, déclara-t-elle. C'était très courageux de votre part.

—À votre service.

—Je le pense vraiment. J'étais complètement épouvantée.

—Pas de problème.

Marisol le regarda plus attentivement. Impossible de savoir s'il l'écoutait vraiment. On aurait dit que, depuis le passage des enfants, il avait totalement oublié son intention de quitter sa chambre.

—N'empêche, insista Marisol, de plus en plus déterminée, vous ne saviez pas ce qui se passait. Il aurait pu y avoir un fou dangereux ici ou un truc dans le genre. Vous avez foncé à la rescousse, prêt à en découdre.

Cette fois, il se contenta de hocher la tête. Il promena son regard du buste de Marisol à ses jambes nues. Une lueur charnelle brillait dans ses yeux.

—Euh… donc merci. Vous surveillerez le chien, hein?

—Bien sûr. (Sans prévenir, Cash toucha sa bretelle et glissa son doigt sur le tissu soyeux en fronçant les sourcils.) Vous portez toujours ça pour dormir?

Il me critique, là? Il sous-entend que je ne cadre pas avec l'image d'une nourrice? Même malgré mes efforts

147

pour ne plus le dévorer des yeux ? Pour ne plus imaginer que je lui arrache sa serviette avec les dents ?

— Si je porte toujours ça ? répéta Marisol. (Sa nature rebelle resurgit.) Non. S'il fait chaud, je dors nue, s'entendit-elle rétorquer.

Oups !

À ces mots, une véritable onde de chaleur jaillit entre eux.

Cash haussa les sourcils d'un air intrigué. Ou agacé. Elle ne le connaissait pas encore assez bien pour le savoir.

— Dans ce cas, vous feriez mieux de fermer votre porte à clé.

— D'accord, accepta-t-elle en se mordant la lèvre pour empêcher une autre remarque imprudente de lui échapper. C'est promis.

— Bonne idée.

— Oui.

Ils se dévisagèrent un long moment d'un air gêné. Un parfum de pain grillé flottait dans l'air, et la télévision s'alluma dans le salon, rappelant à Marisol l'existence des enfants et sa mission.

Cependant, elle ne pouvait pas faire comme si cet homme n'existait pas.

Indépendamment de sa volonté, elle baissa de nouveau le regard sur sa serviette. Celle-ci semblait légèrement défaite et prête à tomber. Marisol se prit à souhaiter que la gravité opère.

Bravo pour le professionnalisme ! Après tout, je n'ai peut-être pas ça dans le sang.

L'été s'annonçait long, chaud et plein de tentations.

— Désolée de vous avoir dérangé en plein milieu de votre douche, s'excusa-t-elle d'un ton guindé en espérant ainsi compenser son manque de bienséance. Vous n'avez même pas eu le temps de… de vous sécher, ajouta-t-elle en le désignant.

— C'est bon. Je n'ai pas eu beaucoup de chemin à faire. Ma chambre est juste au bout du couloir, expliqua-t-il en tournant la tête dans cette direction.

Juste au bout du couloir. Mmm!

— Enfin, ça me touche vraiment que vous soyez venu m'aider.

— Pas de problème.

— C'était très courageux.

— Vous l'avez déjà dit.

— Je sais, mais vous avez été super.

Et elle voulait prolonger cet instant, quitte à passer pour une imbécile.

Pour tâter le terrain, Marisol s'approcha de lui. Comme Cash ne bougeait pas, elle jeta un coup d'œil vers la porte fermée. Tant pis! De toute façon, elle n'avait jamais été très douée pour la discipline. Elle ferait peut-être mieux de passer à autre chose.

— Surtout mouillé et tout, murmura-t-elle.

Totalement incapable de résister, elle essuya une goutte avec son pouce.

Qu'elle porta ensuite à ses lèvres.

Elle aurait juré que les genoux de Cash flanchèrent.

— Bon. Je ferais mieux d'y aller, décida-t-il d'une voix étranglée. (Il resta où il était, mais tendit le bras pour se retenir au meuble télé, sans détacher son regard de Marisol.) Il faut encore que je… euh… que je m'essuie. Et que je me rase.

Bien sûr. Il devait mourir d'envie d'utiliser sa nouvelle mousse à raser.

Cela dit, Marisol était fascinée par son début de barbe. Cela lui donnait un air dur et légèrement dangereux. Ses cheveux aussi étaient attirants, trempés et en bataille.

— Je vous trouve bien comme ça.

Avec son flegme habituel, Cash encaissa le coup, puis il hocha la tête comme s'il prenait une importante décision.

— Marisol…

À peine attentive, elle observa une autre goutte d'eau savoureuse.

Il lui leva le menton pour l'obliger à le regarder dans les yeux.

— Nous allons passer beaucoup de temps ensemble cet été, mais vous êtes là pour les enfants. Donc si nous voulons que ça marche…

— Je sais. Je suis désolée, dit-elle en levant les mains. J'ai juste…

— Pas pu vous en empêcher ?

Son sourire entendu la laissa bouche bée.

— Vous aussi ?

— Ouais, acquiesça Cash. Mais je dois me concentrer sur Hannah, Jacob et Emily. Et sur le camp d'entraînement. Ce n'est pas…

Sa voix rauque parvint à peine aux oreilles de Marisol. Si lui aussi percevait cette alchimie entre eux, s'il crevait d'envie de la toucher autant qu'elle voulait le toucher, qu'attendaient-ils ? Un lit se trouvait à deux pas de là. De plus, elle avait envie de lui et, en général, quand Marisol Winston voulait quelque chose, elle l'obtenait. Cela avait fonctionné ainsi durant presque toute sa vie.

— … donc ne le prenez pas pour vous, poursuivit Cash sur un ton sérieux et décidé. Mais il ne se passera rien entre nous.

— Ça ressemble à un défi, répondit-elle après avoir retourné cette déclaration dans sa tête.

— Seulement parce que vous avez décidé de le prendre comme ça, rétorqua-t-il.

Malgré tout, le regard de Cash s'éclaira. Il semblait aimer sa façon de voir les choses. Pourtant, avant de méditer davantage sur ce point – avant de la jouer complètement franche et honnête et d'avouer que, maintenant qu'elle l'avait vraiment touché, elle ne pourrait plus s'arrêter là –, Marisol huma l'air.

— Ça sent la fumée, non ?

Un cri coupa la parole à Cash.

L'alarme à incendie se mit à hurler.

— Restez là, commanda-t-il d'un air dur.

Oubliant tout le reste, il déverrouilla la porte et fonça dans le couloir. Marisol enfila vite des vêtements et le suivit.

Chapitre 11

—Pardon, papa! s'écria Hannah lorsque Cash entra en courant dans la cuisine. On n'a pas fait exprès. C'est un accident!

—Je voulais du pain grillé vraiment grillé pour le petit déjeuner-surprise de Marisol, expliqua Emily d'une voix pleine d'entrain en suivant du regard son père qui pistait la fumée de l'autre côté du plan de travail. Je voulais faire des tartines comme toi, papa. Tu sais, quand tu fais du pain grillé, c'est trop bon, c'est juste comme il faut, bien croustillant…

—Chut, grogna-t-il avec un mélange d'inquiétude et de contrariété tandis qu'il examinait les lieux.

Un, deux, trois enfants sains et saufs. Un chien survolté trottant dans tous les sens. Pas de flammes. Cash comprit immédiatement ce qui s'était passé : un morceau de pain s'était coincé dans le grille-pain et avait pris feu. À côté de lui, blême, Hannah tendit la main vers l'appareil.

—N'y touche pas! lui interdit-il.

Il passa devant elle et débrancha le toaster. Des volutes de fumée s'élevaient du pain noirci coincé à l'intérieur et montaient tranquillement vers les poutres du plafond. L'alarme à incendie sonnait toujours, et, maintenant, des coups retentissaient également.

Cash se retourna.

—Jacob, arrête ça.

Sans l'écouter – ou peut-être sans l'entendre –, son fils frappait d'un air déterminé sur le détecteur de fumée et le mur du salon avec son épée de ninja en plastique.

—T'inquiète pas, papa, lança Jacob en sautant avec des grognements. Je m'en occupe. Tyrell, il fait comme ça quand maman, elle fait brûler le bacon le dimanche. Il dit que…

—Stop! rugit Cash. Ça suffit.

Le corps vibrant d'adrénaline, il fit volte-face et aperçut Hannah approchant encore sa main de ce maudit grille-pain. Elle essayait de mettre les tranches carbonisées dans une assiette qu'Emily, dans sa chemise de nuit tachée de chocolat, lui tendait gentiment. On aurait dit que la cuisine avait subi l'assaut d'une horde d'étudiants alcoolisés, pas celui de trois misérables bambins.

—Vous avez l'intention de détruire toute la maison? demanda-t-il. Merde alors! Ce n'est même pas chez nous, alors ne faites pas tout brûler. On n'est que locataires, ici.

Ils le dévisagèrent, apparemment perplexes.

—Il faudra qu'on rende la maison? s'enquit Jacob.

—Pas tout à fait.

Bon sang! Il n'arrivait pas à croire qu'il venait de l'avouer, même à eux. Cependant, vu l'état de ses comptes, il avait déjà eu de la chance de trouver cet endroit – grâce à un ami racheté par les Chargers et qui n'avait toujours pas vendu ce logement – et il n'était pas du genre à demander des faveurs à la légère. Ni à les accepter aussi facilement.

— Ne faites pas brûler cette maison, c'est tout ! hurla-t-il.

Ils restèrent tous les trois muets devant lui. Le menton de Hannah se mit à trembler, Emily leva le sien avec défiance, et Jacob serra son épée dans ses mains. L'odeur du pain calciné, du café bouilli et… du Tang ? monta aux narines de Cash. Le détecteur de fumée beuglait toujours, faisant siffler ses oreilles.

Le corps de Cash était parcouru de tremblements à cause de…

À cause de la colère, décida-t-il.

— Allez dans votre chambre, ordonna-t-il en joignant furieusement le geste à la parole. Tout de suite.

Les enfants restèrent immobiles et pantois, clignant des yeux sous l'effet de la fumée. Comme pour ponctuer son ordre, Marisol fit irruption dans la cuisine, vêtue de blanc, faisant éclater les Miel Pops répandus au sol sous ses talons inadaptés à ce type de terrain. Cash surprit son expression hésitante, et, un instant plus tard, la sirène se tut.

Qu'est-ce que… ?

Ébahi, il vit que Marisol avait doucement poussé Jacob pour retirer les piles du capteur de fumée. Elle les posa et prit le téléphone sans fil tout en regroupant les enfants devant elle.

— Venez, on va dehors. C'est parti.

154

—Non, protesta Cash. Ils vont dans leur chambre.

Au mépris de ses ordres, elle accompagna calmement les enfants à la porte d'entrée.

—Vous aussi, lui lança-t-elle par-dessus son épaule. Venez. J'ai appelé les pompiers.

Les pompiers ? Il fallut à Cash quelques secondes pour assimiler ce qu'elle venait de dire. Quand il comprit enfin, il dut traverser la pelouse mouillée par la rosée pour rattraper la nounou et les triplés, serrés les uns contre les autres, Pato inclus, à côté de la boîte aux lettres.

Comment diable avaient-ils réussi à évacuer son chien sans que Cash s'en aperçoive ? L'esprit embrouillé, retenant sa serviette de bain dans son poing, il partit vers eux d'un pas lourd.

—C'est une vraie aventure, hein, les copains ? dit Marisol aux petits avec un sourire rassurant. (Voyant Cash, elle hocha la tête et prit un regard sérieux.) Je gère. Les pompiers sont sur la route.

—Il n'y a pas le feu, répondit Cash. C'est juste du pain qui a trop grillé.

Il décocha un regard paternel à ses enfants. Ils savaient tous les trois qu'ils n'avaient pas le droit de jouer avec le four, le micro-ondes ou le grille-pain quand aucun adulte ne les surveillait. Ils devaient vraiment tenir à ce petit déjeuner-surprise. La présence de Marisol semait déjà la pagaille dans les règles qu'il avait instaurées.

—Je sais, mais il vaut mieux tout vérifier, au cas où. (Marisol sourit à Jacob.) En attendant, on a fait notre premier exercice d'évacuation ! On s'est bien débrouillés, non ? Vous avez été super. Eh ! Vous voulez voir un vrai camion de pompiers ?

— Ouais ! s'écrièrent Hannah, Emily et Jacob.

S'ils avaient subi un choc en déclenchant le détecteur de fumée, c'était déjà oublié.

Tout comme la punition de Cash. Ils venaient tous de le défier, sans doute pour la première fois de leur vie.

— Est-ce qu'on pourra monter dans le camion, dis ? demanda Emily en sautillant. Et on pourra parler aux pompiers ?

— Oui, on doit pouvoir faire ça, promit Marisol. Je leur demanderai quand ils arriveront. J'ai le chic pour obtenir ce que je veux. (À ces mots, elle leva les yeux vers Cash d'un air étonnamment mutin en dépit de la situation.) Vous allez bien ? Vous êtes aussi blanc que mes vêtements.

Je ne suis pas un enfant. Qu'elle arrête de me demander comment je vais !

— Ça va, aboya-t-il.

En réalité, il ne se sentait pas bien. Il avait l'impression qu'un défenseur lui avait flanqué un coup de genou dans le ventre, comme s'il se retrouvait au cœur d'une mêlée de dix adversaires et qu'on lui demandait de jouer une balle de match. Dans quel état serait-il si les enfants avaient vraiment mis le feu ? Les aurait-il envoyés dans leur chambre ?

Qu'est-ce qui ne va pas chez moi ?

Il regarda au bout de l'allée.

— Voilà le camion de pompiers.

Le véhicule sembla frôler le rail de sécurité en passant devant la rangée d'arbres, sa sirène sonnant à tue-tête.

—Terrible! souffla Jacob.

—Regarde, papa! C'est génial, hein? s'exclama Emily. Il est super gros, ce camion!

Hannah serra simplement la main de Marisol en la regardant avec admiration.

—Tu nous as sauvés, Marisol. Tu es la meilleure nounou du monde!

—Oh! Merci, Hannah, répondit Marisol en souriant. Mais j'ai seulement fait ce que n'importe qui aurait fait pour votre sécurité.

N'importe qui, sauf moi, pensa Cash.

Cette fois, il n'avait pas besoin que Stephanie lui explique comment il avait tout fichu par terre avec les enfants.

Tandis que les pompiers s'arrêtaient et sautaient du camion en courant pour évaluer l'ampleur des dégâts, Cash prit conscience que Marisol, quant à elle, avait réagi comme une vraie sauveteuse. Cette femme qui avait grimpé dans l'arbre pour échapper à Pato, qui avait transformé son rideau de douche en une œuvre d'art maison, qui l'avait tellement chauffé que même deux kilos de glace ne l'avaient pas refroidi et qui avait envoûté ses enfants en moins de vingt-quatre heures venait de prouver que Cash pouvait compter sur elle… même s'il ne la comprenait pas.

Qui était-elle donc?

Le chien gémit pour qu'on le relâche, certainement pour défendre la maison contre ces pompiers aux casques bizarres.

Jacob le pointa du doigt.

—Eh, Marisol ! Regarde ! T'as sauvé Pato aussi ! T'as plus peur de lui !

Cash, Emily et Hannah en restèrent muets. Marisol regarda ses mains et fut visiblement étonnée de constater qu'elle tenait le collier du berger allemand.

—Je pense que j'ai voulu le mettre à l'abri aussi, supposa-t-elle.

Incrédule, elle regarda le chien et le caressa d'un geste mal assuré. Elle attendit une seconde, puis renouvela son geste.

—Peut-être qu'il m'aime bien, maintenant. Hein, Pato ? roucoula-t-elle.

Ce traître de chien – celui qui n'était qu'un chiot abandonné se dandinant sur ses grosses pattes quand Cash l'avait recueilli – remua la queue en laissant pendre sa langue en un sourire typiquement canin.

—On t'aime tous, Marisol ! chantonna Emily.

—On veut que tu restes pour toujours, ajouta Hannah avec adoration.

—Je vais te donner mon épée de ninja, annonça Jacob.

Là, c'en est trop. Cette épée se classait à la deuxième place des jouets préférés du garçon, juste derrière sa loutre en peluche. Marisol avait dû hypnotiser ces gosses. Si ça continuait comme ça, ils finiraient par apprendre à ramasser leurs chaussettes et à ne pas abuser de leur Game Boy.

Avant que les choses aillent plus loin, Cash devait en apprendre plus sur sa nouvelle nourrice. À commencer par le dossier laissé par Leslie, et pour terminer… : un interrogatoire en tête à tête. À l'horizontale. Sans vêtements, sans contrainte de temps, et avec une sérieuse envie de tout connaître de Marisol Winston.

Ouais. De mieux en mieux…

L'un des pompiers revint vers eux. Il retira son casque et ouvrit son manteau ignifugé.

— Bon, on a tout vérifié, monsieur Connelly. (Il baissa les yeux et éclata de rire.) Vous voulez peut-être enfiler quelques vêtements avant que la presse arrive. J'ai entendu dire qu'ils nous suivaient de près.

Cash grommela. Il avait complètement oublié sa tenue. S'il apparaissait à moitié nu dans les journaux, cela n'enchanterait pas Adam, ni les dirigeants des Scorpions. Vu leurs inquiétudes concernant la réaction de Cash s'il partageait le terrain avec Tyrell, il ne pouvait pas se permettre de s'attirer encore des ennuis.

— Je vais m'en occuper, dit-il. Merci.

— La presse ? s'étonna Marisol en écarquillant les yeux.

— Juste le journal du coin, sans doute, répondit Cash. Ce n'est rien.

Pourtant, la nouvelle nounou attrapa les enfants d'un air paniqué.

— Venez, les copains. Allons voir si on peut faire un tour de camion, d'accord ?

Elle fonça vers les pompiers de sa démarche dansante, perchée sur ses talons, avec sa minijupe et son haut à dos nu. Les pompiers se retournèrent tous sur son passage en se donnant des coups de coude. Les enfants trottinaient à sa suite comme des canetons derrière leur mère. Dix minutes plus tard, Marisol, Hannah, Jacob et Emily grimpaient à bord du camion et lui faisaient signe en souriant.

— Au revoir, papa ! À plus tard ! cria Hannah.

Cash agita la main. Ce fut le geste de trop pour sa serviette, qui commença à glisser. Au même instant, un 4x4 tourna au bout de la route. Le véhicule affichait fièrement le logo du quotidien local sur sa carrosserie.

Merde ! La presse est déjà là.

Cash resserra sa serviette et courut vers la maison tout en sifflant Pato.

Chapitre 12

Une heure et demie plus tard, Cash retrouvait Adam dans un restaurant de Flagstaff, un vieux « diner » de la Route 66 qui n'avait pas encore cédé à l'homogénéisation du style *Starbucks*. En entrant, il aperçut son agent devenu manager attablé près d'une fenêtre. Il partit donc dans cette direction, bien décidé à faire fi des têtes qui se tournaient sur son passage – comme d'habitude.

Des murmures le suivaient. Il n'y prêta pas attention non plus.

— D'abord, la mauvaise nouvelle : je suis dans l'édition de ce soir de l'*Arizona Daily Sun*, annonça Cash en arrivant à la table d'Adam. Et la bonne nouvelle : cette fois, je n'étais pas nu.

Adam leva les yeux vers lui. Cela devait lui rappeler toutes les fois où Cash – accompagné de starlettes diverses et variées – avait fait la une durant ses années d'université.

— Merci pour cette petite attention.

— Ouais. (Cash lâcha sur la table sa découverte du matin, prêt à se mettre au travail.) Ça doit venir du fait que je suis plus vieux et plus sage. Beaucoup plus sage, d'ailleurs.

— Qu'est-ce que c'est?

Adam retourna la grande enveloppe en papier kraft que Cash venait de poser et regarda négligemment l'adresse écrite à la main. En revanche, il reconnut l'en-tête de l'expéditeur.

— *Dzeel*? Cash, garde ça pour tes comptables, pas pour moi. Mon boulot consiste à tenir les rênes et à faire la pub de ton organisation caritative – et de toi. Je ne suis pas censé te tenir la main parce que tu flippes de décortiquer des relevés bancaires.

— Sans blague? ironisa Cash en faisant un doigt d'honneur avant de s'asseoir en face d'Adam. Je t'ai déjà dit que je n'avais pas besoin de soutien en maths à la fac. J'avais choisi de m'y inscrire. Tu as déjà oublié Bethany?

— Ah! Bethany, se rappela Adam avec une étincelle dans les yeux. J'aurais fait semblant de ne pas connaître l'alphabet si elle avait pu m'aider.

— Exactement.

— Bon, alors, qu'est-ce que c'est?

— Le dossier de ma nourrice.

Adam s'étrangla avec ses œufs brouillés.

— Ta nourrice a un dossier? D'où elle vient? De l'ONU? Je sais que tu aimes faire les choses en grand, mais…

— Elle vient de *Dzeel*.

Cash commanda un thé glacé, discuta pendant deux minutes avec la serveuse – et lui signa une facture vierge en guise d'autographe – puis il avala une gorgée de sa boisson avant de reprendre la conversation.

—Leslie m'a piégé. Elle m'a trouvé une nourrice de *Dzeel*…

—Une nourrice de *Dzeel* ? Une cliente en stage ?

Cash hocha la tête.

—Ensuite, elle a fui la ville pour se payer des vacances à Puerto Vallarta. Au revoir, baby-sitter de secours !

En effet, il avait espéré pouvoir compter sur sa belle-mère. Surtout après quatre échecs consécutifs avec les nounous de l'agence. Pourtant, Adam ne semblait pas aussi choqué qu'il s'y attendait. Il garda le silence pendant quelques instants, apparemment pensif. Puis il haussa les épaules.

—C'est toi qui as fait entrer Leslie à l'administration de *Dzeel*, lui rappela-t-il. Tu ne devrais pas t'étonner qu'elle en profite. En plus, tu savais qu'elle ne garderait pas les enfants tout l'été.

Cash se renfrogna.

—Arrête, reprit Adam en levant la main. Ne me dis pas que tu y croyais ! Bon sang, Cash !

—Pourquoi pas ? Ce sont ses petits-enfants. Elle les aime. (Il s'adossa à sa chaise et croisa les bras.) J'aurais été souvent à la maison, aussi. C'était clair, putain.

—Clair pour toi, peut-être. À mon avis, Leslie n'avait pas la même vision des choses. (Adam se laissa servir un autre café, remercia la serveuse et toisa Cash d'un air entendu.) Allez, arrête de te lamenter. Leslie t'a bien eu, mais ça ne veut pas dire que…

—Elle ne m'a pas eu.

163

— … ce n'est pas un bon plan. Et pas seulement parce que ça te fait sortir de tes gonds. Ça, c'est juste un bonus, dit-il avec un sourire moqueur.

— Fait chier ! (Cash se leva en jetant à son manager un regard consterné.) Je m'en vais. Je ne sais pas ce que je suis venu faire ici.

— Tu es là parce que même le « planificateur » n'est pas sans faille…

— Je déteste ce surnom.

— … et peut-être que même le puissant Cash Connelly a parfois besoin de conseils. (Adam vit alors l'expression féroce de Cash et leva les mains en signe de reddition.) Ça reste entre nous, bien sûr.

— J'espère bien, oui.

Cash se rassit à contrecœur. Il avait beau être soulagé de constater l'intérêt d'Adam pour cette situation, il aurait préféré manger de la pelouse plutôt que de l'admettre.

— Alors, qu'est-ce que tu en dis ? s'enquit-il en tapotant le dossier de sa nourrice.

— Sérieusement ? demanda son manager en joignant ses doigts devant lui. Je trouve qu'embaucher quelqu'un de *Dzeel* joue en faveur de ton image publique et résout ton problème de baby-sitting.

— Tu es malade ? lâcha Cash. J'ai besoin de tout sauf d'une stagiaire qui n'a certainement pas la moindre expérience *(à part pour envoûter mes gosses, pour garder son sang-froid en cas d'incendie de grille-pain et pour m'allumer bien comme il faut)* et qui est liée à ma fondation. Maintenant, si je la vire, je suis foutu. Ce serait reconnaître que le programme de désintoxication ne fonctionne pas. Leslie devait s'en douter.

Elle devait compter là-dessus pour se ménager une porte de sortie, râla-t-il intérieurement. *Elle sait que Dzeel est très important pour moi.*

La fondation résidait sur ce programme en deux parties, mis au point par un groupe de spécialistes en qui Cash avait placé sa confiance dès ses premières années au sein de la NFL.

Au départ, *Dzeel* devait traiter les addictions à la drogue, comme celles que développaient parfois les sportifs professionnels à cause des antidouleurs. Depuis, le centre avait développé d'autres branches, et cela incluait une nounou possédant les moyens de ruiner son été.

— Tu vois tout de travers, argumenta Adam. Il te faut une nourrice, même inexpérimentée, non ? Eh bien, en voilà une. Il te faut de la pub, surtout maintenant que tu as une deuxième chance avec les Scorpions. Il pourrait s'agir de la bonne solution.

— Et si ça vire au désastre ?

— Mais non. Tu es juste énervé que ça te tombe dessus d'un coup. Vois les choses du bon côté.

Facile à dire, pour Adam. Ce n'était pas lui qui se retrouvait avec des incendies de grille-pain, une nounou sexy, un problème de droit de visite et huit semaines de camp d'entraînement à honorer.

— Écoute, si cette nourrice valide son stage avec succès, ta fondation en ressortira avec une super image, et ça encouragera les commerces locaux à embaucher les patients en cure à *Dzeel*. C'est donnant

donnant. (Adam sortit le dossier de l'enveloppe et l'ouvrit.) Traitement contre l'oniomanie ? Sujette aux achats compulsifs. Mieux vaut garder un œil sur ton chéquier.

—C'est vrai, acquiesça Cash en levant les yeux au ciel. Marisol pourrait vider les 500 dollars qui restent sur mon compte.

—Cinq cents dollars ? Où est passé le bonus que tu as touché à la signature ?

—Investi.

Cash fixa son attention sur son thé glacé en passant son pouce sur la condensation de son verre. Sans relever les yeux, il reprit la parole.

—On sait tous les deux que je ne percevrai rien de plus si je ne suis pas retenu ; si je ne fais pas partie des cinquante-trois derniers Scorpions après le camp d'entraînement.

Adam garda le silence un instant – sûrement pour réfléchir au tableau de l'équipe… et à l'état pathétique des finances de Cash. Dix pour cent de rien, ça ne permettait pas de vivre. Même des amis de longue date devaient pouvoir se payer des cacahouètes et de la bière.

—Tu en feras partie, et ta saison sera pleine de victoires, déclara Adam. Toute cette histoire de nounou n'est qu'une étape sur la route du succès.

Réfléchissant visiblement à une stratégie, il regarda par la fenêtre, vers la rue et l'entrepôt des chemins de fer transformé en musée d'histoire.

— Est-ce que tu crois que ta nourrice accepterait de donner des interviews ? Tu sais, pour expliquer à quel point tu es un père génial…

— Laisse mes enfants en dehors de tes stratégies de com, le prévint Cash.

— … ou pour raconter combien tu es charitable à travers *Dzeel*, ou ce genre de choses ? (Le manager loucha sur le dossier.) Même si elle refuse, je suis sûr qu'on peut saisir cette chance. Bien joué, Leslie, dit-il en mimant un salut.

— Du calme. Ne fais pas n'importe quoi pour redorer mon blason, l'avertit Cash. D'abord, laisse-moi le temps de reprendre les choses en main.

Toujours maussade, il avala une gorgée de thé glacé. Il lui fallait un peu de temps pour reprendre pied. Pour réfléchir, pour réagir, pour… bon sang ! pour redevenir le « planificateur ». Depuis l'apparition de Marisol, il avait perdu l'avantage. Manifestement, la barque qu'il menait jusque-là commençait à prendre l'eau depuis l'arrivée de la nourrice.

Lorsque Cash avait pris ce dossier – seulement quelques minutes après avoir enfilé des habits, géré le départ des pompiers, fourni des explications peu enthousiastes à la presse et ouvert toutes les fenêtres de la cuisine pour aérer la maison –, il ne s'attendait certainement pas à découvrir qu'il avait accidentellement engagé une nounou sans expérience vérifiable, obsédée par le shopping et liée à son organisation caritative, pour couronner le tout.

Cela dit, elle est mignonne, se rappela Cash en se détendant un peu. Elle était douce et généreuse.

Elle avait même avalé la mixture à base de Miel Pops, de faux jus d'orange et de pain brûlé quand les enfants et elle étaient revenus de leur promenade en camion, et avec le sourire, en plus. Et elle était plutôt douée pour choisir la mousse à raser.

D'un air absent, Cash se caressa la joue. Douce comme des fesses de bébé. Pas mal !

— Marisol Winston…, dit Adam d'un air songeur en regardant gravement une note. Pourquoi ce nom me dit quelque chose ?

Il tourna les pages en réfléchissant.

— Je n'ai pas encore tout lu, reconnut Cash.

Le dossier était épais et truffé de détails rébarbatifs tels que le profil psychologique de la patiente, ses tests de QI, son histoire personnelle et les résumés de ses séances avec les conseillers. Or Cash ne s'intéressait qu'à la conclusion.

— Au bout du compte, je suis coincé avec elle et je dois me débrouiller, dit-il en grimaçant. Et j'ai aussi des formulaires d'évaluation à remplir.

Afin de cesser de se focaliser sur ces états d'âme de gratte-papier, il se remémora l'entrain de Jacob, Hannah et Emily lors de leur balade en camion ce matin-là. Il se souvint de leur bonheur de peindre avec les doigts, et même de se brosser les dents. Il se rappela comment ils avaient conspiré – malgré le désastre – pour préparer un petit déjeuner-surprise à Marisol. Même Pato aimait assez la nouvelle nourrice pour vouloir dormir avec elle.

Cette femme avait vraiment un truc en plus.

— Tu n'as pas l'air si fâché que ça, remarqua Adam en haussant les sourcils. Ah! J'ai compris. Elle est jolie, c'est ça? Tu l'aimes bien, hein?

Cash se hérissa.

— Ce n'est pas la question. Je n'embaucherais jamais une nounou juste parce qu'elle est sexy.

— OK. Donc elle te plaît.

Un sourire franc, puis une autre bouchée d'œufs brouillés. Après une gorgée de café, Adam baissa la tête pour relire attentivement le dossier, et il leva la main d'un air détaché.

— À ta place, je ne m'inquiéterais pas pour ça. Le simple fait que tu sois là m'indique que ton cerveau travaille plus que ta queue. Tu n'es pas près de sauter sur ta nounou.

— Qui parle de lui…

Cash s'interrompit.

Abruti! Il est temps de passer à la partie la plus brillante de ton plan, décida-t-il. *Précisément à ce qui t'a poussé à venir ici alors que tu pourrais être en train de faire des séries de développé couché à la salle de sport.*

— C'est vrai, reprit-il. Je ne vais pas sauter sur la nounou, parce que tu seras là pour t'en assurer.

— Hein? (Adam tira une photo de la chemise cartonnée et l'examina à la lumière du jour.) Ah! Je vois ce que tu veux dire.

Cash lui prit le portrait des mains. Marisol lui souriait depuis le papier glacé, mais il ne se laisserait pas amadouer par son adorable sourire ou par son incroyable savoir-faire avec ses gosses.

—Tu seras là pour t'en assurer, répéta Cash fermement. (Il attendit que son manager reporte son attention sur lui.) Je veux que tu viennes à la maison. Reste quelques jours et surveille ce qui se passe.

—Tu te fous de moi? demanda Adam en le dévisageant.

—Non, répondit Cash avec le même regard noir.

—Je ne vais pas espionner ta nourrice pour toi. Surtout si c'est juste pour t'empêcher de lui arracher sa culotte.

Cash ne releva pas cette remarque grossière. Cette fois, pour changer, ce serait lui le plus mature des deux. L'enjeu était trop important. De plus, il tenait à la présence d'Adam pour que celui-ci joue de son tempérament inébranlable et apaisant, pas pour doubler Marisol en tant que baby-sitter.

—Je ne veux pas que tu l'espionnes. Je veux juste que tu… supervises un peu les choses. Le temps que je reprenne la situation en main, expliqua-t-il avant de lui offrir son sourire le plus persuasif. Ce sera facile. Tu n'auras qu'à dire que tu n'es pas d'ici.

—Mais je ne suis pas d'ici. Je suis venu uniquement pour le camp d'entraînement. Et j'ai d'autres clients que toi, donc…

—Tu vois, c'est réglé. (Soulagé, Cash referma le dossier, le cala sous son bras, finit son verre et se leva.) Ne sois pas en retard, recommanda-t-il en saluant une fan à la table d'à côté. J'ai déjà dit à Marisol que tu venais dîner ce soir.

Adam fronça les sourcils.

—Tu étais sûr que j'accepterais?

Cash ne put s'empêcher de sourire.

— Eh! Tu me connais, non?

— Ouais. (Avec une expression résignée, Adam repoussa son assiette entamée.) Mais mieux vaut nous mettre d'accord sur la version de l'histoire qu'on va raconter. Qui je suis? Qu'est-ce que tu lui as dit sur moi?

— Tu es toi, tête de nœud, grommela Cash. On peut me qualifier de beaucoup de choses, mais pas de menteur.

Adam sembla y réfléchir, puis il se leva aussi.

— D'accord, mais je ne suis toujours pas chaud pour jouer les espions…

— Ne considère pas ça comme de l'espionnage, insista Cash. Dis-toi que tu es ma roue de secours. Tu sais, jamais deux sans trois.

— Tu n'as pas assez des enfants pour ça? soupira le manager.

— Les enfants se couchent tôt, lui rappela Cash.

Ils dormaient la nuit, quand tout était tranquille, laissant Marisol et lui seuls. En tête à tête. Il avait besoin de quelqu'un comme Adam, une personne de confiance, appliquée et capable de tenir une conversation sur les supermarchés. Parler de chou-fleur calmerait la libido de n'importe qui.

— Bon, d'accord. Je vais le faire pour les enfants, accepta Adam. Jacob, Hannah et Emily ont besoin de quelqu'un d'autre que leur fou de père.

— Très drôle.

— Mais ce sera temporaire, le prévint son manager – et ami – en se raidissant. Si tu crois vraiment que tu ne pourras pas gérer cette situation tout seul, mets-y un terme tout de suite. Sers-toi de ta tête autrement que pour mémoriser les techniques de jeu, pour changer. L'enjeu est trop important pour tout faire foirer.

Cash hésita. Une seule fois auparavant, Adam lui avait prodigué ce conseil. Malheureusement, quand il avait compris qu'accorder un divorce à Stephanie – pour le bien des enfants – était une erreur monumentale, son ex-femme avait déjà vidé leur compte joint. Elle s'était acheté une maison avec un immense terrain, puis elle était partie s'adonner à des orgies sous les tropiques avec Tyrell pour fêter la fin de la saison, abandonnant Cash à sa désolation, à sa pauvreté, à sa putain de nouvelle sagesse… et à sa décision d'éviter toute histoire d'amour pendant un moment.

—Ne sois pas aussi pessimiste, conseilla-t-il à son manager en lui tapant le dos. Je ne me laisserai pas embobiner deux fois. Je contrôle la situation.

Chapitre 13

Marisol ne connaissait rien de plus difficile que de cuisiner, à part, peut-être, d'enfiler une jupe fourreau. Ou, maintenant qu'elle y pensait, de trouver un accessoire qui irait sur sa superbe table basse Le Corbusier, chez elle. Elle cherchait à résoudre ce mystère depuis un moment déjà, mais elle n'avait pas encore déniché l'objet idéal. L'ultramoderne serait trop évident, mais du rococo dénoterait trop, comme des pâquerettes dans un vase Ming.

Quoi qu'il en soit, si elle ne réussissait pas ce dîner pour Cash, elle ne retournerait peut-être jamais à sa maison du bord de mer. Alors, peu lui importerait d'affûter son œil de designer.

D'un geste décidé, elle ramassa le premier paquet en carton qu'elle trouva. Du givre fondait sur la boîte colorée et brillante, lui glaçant les doigts tandis qu'elle lisait à voix haute pour se concentrer.

« Placer les nuggets de poulet sur du papier cuisson. Enfourner à 175 degrés jusqu'à obtention d'une croûte dorée et croustillante ».

Miam ! « *Une croûte dorée et croustillante* », *c'est appétissant.*

Marisol fouilla dans les placards pour trouver une plaque de cuisson, sur laquelle elle vida les nuggets.

Bizarre. Cela ne ressemblait pas du tout à la cuisine française du bistrot de son ami Henri, à Los Angeles. Pourtant, la boîte portait bien une étiquette «saveur cordon-bleu». Tant pis. Elle jeta l'emballage vide à peu près dans la direction de la poubelle.

C'est parti pour les entrées…

—Alors? lança Cash en faisant irruption dans la cuisine avec des airs d'homme d'affaires. Comment ça se passe? demanda-t-il en faisant l'état des lieux, les mains jointes. Adam sera là d'une minute à l'autre, donc…

Surprise, Marisol leva les yeux… et ne put détourner le regard.

Certes, une serviette de toilette ou un short allaient formidablement bien à Cash, mais ce n'était rien comparé à son allure lorsqu'il portait une chemise blanche et un pantalon noir pour le dîner. Et ce n'était rien comparé à ce sourire charmeur…

À moins qu'il ne soit moqueur.

Oh non!

—Qu'est-ce qui vous fait rire? demanda-t-elle.

Oups!

Les chips qu'elle versait dans un bol venaient de déborder sur le plan de travail. Quelques-unes atterrirent dans le pot de sauce froide.

—Vous. En train de cuisiner. (Il désigna la pagaille qui régnait sur le comptoir.) Vous êtes sûre que vous allez y arriver?

—C'est moi qui vous l'ai proposé, non?

Quand Cash avait annoncé la venue de son ami Adam pour le dîner, Marisol avait sauté sur cette occasion de faire bonne impression. S'il y avait bien une chose qu'elle maîtrisait, c'était de recevoir des invités.

—Je vais parfaitement m'en sortir. Ce que vous voyez n'est que ma technique de travail.

—Votre technique ?

Son sourire s'élargit. Ravissant.

—Vous savez, comme les artistes. Ceci est mon tableau !

D'une main pleine de chips, elle montra le plateau d'apéritifs. Elle avait mis une demi-heure rien que pour planter les roulés au goût pizza sur des pics.

—Et vous êtes mon cobaye. Tenez, goûtez.

Elle s'approcha de lui avec un petit-four.

Cash eut l'air dubitatif.

—Je vais attendre le dîner.

—Arrêtez de dire des bêtises. C'est délicieux. Les enfants m'ont aidée à fabriquer les petits drapeaux pour les cure-dents avec du papier de couleur et de la colle. Ça rend bien. Ça fait très café français. Vous savez : on déguste d'abord avec les yeux. Ouvrez la bouche, dit-elle en lui tapotant le menton.

Il la dévisagea, certainement impressionné par ses qualités d'hôtesse et sa prévoyance, ou par son look soigné. Elle ignorait lequel, mais elle avait particulièrement travaillé sa queue-de-cheval ce soir. Ou alors Cash tergiversait simplement. Il paraissait assez sceptique quant à ses compétences en cuisine.

Il l'arrêta juste à l'instant où elle effleurait sa bouche avec le roulé au goût pizza… Peut-être poussait-elle le bouchon trop loin ? Peut-être était-ce dû à son infime moment d'hésitation devant les lèvres sensuelles de Cash ou au fait de se retrouver aussi près de lui pour une raison parfaitement justifiable professionnellement. Quoi qu'il en soit… il refusait de goûter.

— Cette tenue vous va bien, dit-il en accrochant davantage l'attention de Marisol. J'aime bien le tablier, ajouta-t-il en regardant sa jupe.

— Ah oui ? s'étonna la nourrice en rajustant les bords chiffonnés du vêtement.

— C'est parfaitement dans le ton. Adam va être impressionné.

— Oui, c'est vrai, hein ? Je trouve aussi. Je l'ai déniché dans l'armoire de ma chambre avec tout un uniforme de femme de ménage, mais le reste de l'ensemble était noir, avec une jupe un peu courte. Vous savez, comme les costumes de soubrette ? Et ma couleur, c'est le blanc, donc… Eh ! Ça va ?

Elle s'apprêtait à tourner les talons, mais se ravisa et posa la main sur le bras de Cash. Il s'était complètement figé, de ses pommettes à ses hanches. De plus, il semblait incapable de détacher son regard du tablier.

— Vous avez une tenue de soubrette dans votre chambre ?

Marisol hocha la tête.

— Oh non ! J'aurais dû la mettre ? Vous voulez que je porte un uniforme ? Je l'ai essayé… (Cash déglutit et serra un poing.) … et il est parfaitement à ma taille. Bizarre, hein ? Il me va comme un gant. Un gant de haute couture, moulant, court… (Cash ferma l'autre main et se mordit la lèvre.) … et sexy. Enfin, c'est un peu trop osé pour que je le porte devant les enfants. Peut-être pour ranger la cuisine, le soir, une fois qu'ils sont couchés. Après tout, c'est vous le patron, donc si vous voulez que je porte une tenue de soubrette pour faire la poussière ou autre chose… (Elle se pencha en avant pour mimer cette action.) Eh bien, je suis partante.

— Non ! Euh… je crois que ça a sonné, lâcha-t-il.

— Ah ! OK.

Bon, pas d'uniforme, alors. D'accord.

Marisol haussa les épaules et mordit dans un roulé au goût pizza, mais le petit-four lui parut insipide tandis qu'elle se délectait de la vue de Cash qui s'éloignait.

Miam ! Si le monde était bien fait, on obligerait cet homme à toujours marcher les fesses en avant, juste pour le plaisir visuel de toutes les femmes.

Satisfaite, elle se remit au travail.

Vingt minutes plus tard, Marisol commençait à manquer de place dans le four. Des plats mijotaient sur les six plaques de cuisson disponibles et éclaboussaient tout autour. Le micro-ondes était rempli de pommes de terre qui cuisaient en tournant. Tous les étages du four supportaient des mini-pizzas surgelées, des quiches, des enchiladas et des beignets aux oignons.

Marisol savait que tous ces plats n'allaient pas ensemble. Ce repas ne ressemblerait pas à un menu gastronomique, mais elle s'était juré que, si elle y mettait du sien, ce serait amusant. Et cela plairait aux enfants à coup sûr. C'était ce qui comptait le plus. Cash ne gémirait pas d'extase et ne lui décernerait pas le titre de la plus grande cuisinière depuis Chef Boyardee.

Même si elle l'espérait. Son premier formulaire d'évaluation devait revenir sur le bureau de Jeremy Fordham à la fin de cette semaine. Marisol voulait en boucher un coin à cette grande asperge bio de *Dzeel* – et peut-être lui faire comprendre qu'elle possédait réellement des compétences. Elle voulait qu'il s'aperçoive qu'il était le seul à la sous-estimer.

Voilà pourquoi elle avait trouvé judicieux de préparer des plats de secours. Au cas où quelque chose brûlerait, noircirait, exploserait – ce qui était certainement plus probable qu'il n'y paraissait – ou tomberait par terre. En vérité, son dernier passage aux fourneaux chez elle avait consisté à réchauffer des restes de lotte aux chanterelles ramenés du *Tower Bar*. Par conséquent, Marisol ne débordait pas de confiance en elle pour cette toute première préparation d'un repas de A à Z.

Assis patiemment à l'entrée du garde-manger, Pato observait ses moindres mouvements. Il avait déjà bénéficié de deux feuilletés à la saucisse trop cuits et d'un beignet aux oignons rebelle, toujours congelé mais avalé de bon cœur. Marisol avait l'impression que le chien la surveillait avec bienveillance et elle trouvait cela mignon.

Hannah tira sur sa manche.

— Marisol, on peut t'aider ?

— Oui, ma chérie.

Exténuée, la nounou examina la cuisine qui se trouvait maintenant dans un état aussi pitoyable qu'après le petit déjeuner-surprise du matin. Bien sûr, cela venait simplement de son oubli de remplir le lave-vaisselle. En fait, elle ne comprenait pas comment faire pour ouvrir ce truc.

— Et si tu refermais les sandwichs ? On va faire des mini-toasts gratinés.

— D'accord. (Hannah alla immédiatement chercher le paquet.) J'aide Marisol ! scanda-t-elle haut et fort en ouvrant le plastique de quelques tranches de fromage. Même que c'est moi qui fais presque tout !

— Eh ! Et moi, qu'est-ce que je peux faire ? s'enquit Jacob en posant son petit camion-citerne.

— Euh… est-ce que tu sais te servir de cet appareil-là ?

Le petit leva les yeux vers l'appareil posé sur la table.

— Oui ! Tyrell, il en a un pareil, et il fait toujours des trucs dedans. Je sais comment ça marche.

— Alors tu vas pouvoir faire griller les mini-sandwichs au fromage. Ça te va ?

— D'accord !

Sur ce, il partit en trottinant de l'autre côté du plan de travail.

— Prends des maniques ! lui recommanda Marisol.

Elle avait appris cette précaution par la manière forte. Jacob hocha la tête et enfila des gants de cuisine matelassés gigantesques. Le sourire jusqu'aux oreilles, il brandit une spatule en silicone presque aussi longue que son bras.

Ne restait plus qu'Emily, qui contemplait les hors-d'œuvre.

—Tu es sûre qu'on va manger tout ça ? Ça fait vraiment beaucoup.

—Je sais, reconnut Marisol. Mais je n'ai jamais cuisiné pour autant de personnes avant ce soir. Je voulais être certaine qu'on ne manquerait de rien.

—En tout cas, moi, je pourrai manger tous les roulés goût pizza toute seule ! Parce que j'adore ça.

La fillette enroula ses petits bras maigrichons autour de sa taille et se mit à taper des pieds comme un sumo. Ses colliers en plastique se balancèrent de gauche à droite, et ses chaussures de princesse claquèrent sur le sol.

—Je meurs de faim ! ajouta-t-elle.

—Quelle comédienne ! sourit Marisol. (Elle se reconnaissait énormément dans cette petite fille.) On ne s'ennuie jamais, avec toi. Et tu as du flair pour trouver des accessoires incroyables.

Emily prit la pose, comme sur une couverture de magazine, et elles éclatèrent de rire.

La fillette la dévisagea en inclinant la tête d'un air songeur.

—Tu ris beaucoup. Pas comme papa.

Oh ! Oh !

—Peut-être parce que c'est un footballeur, grand et fort, avec plein de responsabilités.

—À mon avis, c'est parce qu'il se sent seul. Maman, elle a Tyrell, mais papa, lui, il a personne.

Marisol se figea. Cela dépassait de loin ce qu'elle avait besoin de savoir à propos de son responsable de stage. Cependant, l'idée que Cash puisse se sentir seul lui faisait mal au cœur. Pauvre chou, sans personne, avec pour seule compagnie son petit cul musclé et son sourire canon… C'était injuste.

De plus, il était gentil avec elle. Beaucoup de gens l'auraient renvoyée en la trouvant perchée dans l'arbre pour échapper à Pato. Son propre père avait un jour remercié un jardinier pour avoir taillé ses bougainvilliers d'un centimètre en trop.

Marisol sortit de ses rêveries.

— Mais non, il n'est pas seul ! rétorqua-t-elle à Emily. Il t'a toi, et Hannah, et Jacob.

— Moui, répondit la petite en haussant les épaules. Mais seulement de temps en temps.

« De temps en temps. » Marisol aussi avait dit ces mots à sa mère le jour du départ de sa croisière en Espagne. Elle n'avait alors que huit ans : trop jeune pour comprendre que la Barbie Beverly Hills série limitée que celle-ci lui avait offerte était un pot-de-vin.

« Sois gentille, ne pleure pas. Regarde, je t'ai amené un joli cadeau ! »

— De temps en temps, c'est mieux que rien, dit-elle à Emily en mettant ce souvenir de côté. Et vous êtes les meilleurs, tous les trois. Même si, finalement, vous ne faites plus la sieste. (Elle n'en revenait pas que Leslie l'ait ainsi induite en erreur.) Et vous avez le frigo le plus gros et le plus rempli que j'aie jamais vu.

— Ah bon ? Le plus gros du monde ?

Marisol opina du chef. Bien que sacrément maladroit, ce changement de sujet semblait efficace. Mission accomplie.

— Tu m'étonnes ! insista-t-elle. À L.A., en général, je n'ai rien d'autre dans mon frigo que quelques bouteilles de San Pellegrino, un ou deux citrons verts, une boîte de sushis à emporter et un peu de Cristal.

— Oh ! C'est quoi, du Cristal ? Ça a l'air génial.

— C'est comme du jus d'orange, mais pour les grands. C'est très bon.

— On en achètera la prochaine fois qu'on ira au *Shoparama* ?

— Peut-être quand tu seras plus grande. En attendant, tu veux bien m'aider à mettre ces bananes dans le mixeur ? Je fais aussi des smoothies. On manque un peu de boissons, et mes traiteurs disent qu'il faut toujours prévoir pour vingt-cinq pour cent de plus que le nombre d'invités prévus.

Bien entendu, ses traiteurs refusaient aussi d'organiser des événements de moins de trois cents personnes. Et leurs employés sifflaient généralement une bonne partie de la vodka. Marisol haussa les épaules.

— Les boissons sont importantes, tu sais. Presque aussi importantes que les sacs de *goodies* – c'est un peu comme des pochettes-surprises.

— Des pochettes-surprises ! Trop bien ! (Les yeux d'Emily s'illuminèrent.) Avec vingt-cinq pour cent en plus aussi !

Quand Marisol acquiesça, elle soupira sans cesse d'éplucher les bananes et de les fourrer dans le mixeur.

—Comme tu es intelligente, Marisol! Même en maths, et c'est ma matière préférée à l'école. Quand je serai grande, je veux être comme toi.

—Vraiment? Oh! C'est gentil! (La nounou la serra dans ses bras. Ces enfants étaient vraiment géniaux.) Dans ce cas, un petit conseil : n'essaie jamais de distancer des paparazzis. Ça ne les empêchera pas de faire des photos de toi, sauf que tu seras vilaine et en nage. Ensuite, les magazines les publieront et prétendront que tu souffres d'une maladie incurable et mystérieuse. Ou que tu es enceinte. Ou les deux.

Emily hocha la tête d'un air solennel.

—Aussi, reprit Marisol qui prenait goût à son nouveau rôle de modèle, ne fais jamais confiance à quelqu'un s'il te dit que les jeans pour homme vont aux femmes. C'est faux. Un point, c'est tout. Si tu as des hanches – et ça devrait être le cas, car tu deviendras une femme un jour – un jean d'homme te donnera juste l'air d'être aussi grosse qu'un char de la parade des roses de Pasadena.

La petite acquiesça encore. Marisol se sentait comblée. Elle adorait prodiguer ses conseils à une autre génération.

Elle s'accroupit pour se mettre à la hauteur d'Emily, car elle trouvait étrange et impoli de regarder de haut un interlocuteur – sauf quand il s'agissait de toiser, du haut d'une paire d'escarpins vertigineux, un malotru aux mains baladeuses.

—Pour finir, conclut-elle, n'oublie jamais ça, parce que ma belle-mère me l'a appris quand j'étais petite…

—Tu as une belle-mère?

—Trois, à vrai dire. Mes parents ont divorcé quand j'étais un peu plus jeune que toi. Ma maman a épousé un toréro, et mon papa ne pouvait pas rester tout seul. (*En fait, je dois tenir ça de lui*, comprit elle.) Donc il s'est mis à se marier et à divorcer jusqu'à ce qu'il trouve la bonne.

—Ton papa s'est marié trois fois? s'étonna Emily, comme effrayée.

Marisol hocha la tête.

—Au début, je croyais que, si j'étais vraiment gentille, il serait heureux juste avec moi, mais, maintenant que je suis adulte, je comprends que c'était idiot.

Emily ne parut pas rassurée.

—J'espère que mon papa se mariera pas trois fois.

Hannah et Jacob les regardèrent, apparemment inquiets.

—Je suis sûre que non, leur assura Marisol en se levant pour verser du yaourt dans le mixeur. Il est beaucoup trop intelligent pour ça.

—Oui, il est très, très intelligent, confirma Emily. Et il est beau, aussi.

—Oui, c'est vrai.

Surtout quand il me sourit.

Une étincelle de compréhension s'alluma dans les yeux de la fillette.

—Tu veux te marier avec mon papa? Parce que t'es très, très intelligente. Et t'es jolie, même sans diadème. Et t'es gentille, aussi.

—Super gentille! souligna Hannah en la regardant toujours.

—Ouais, confirma Jacob. Surtout pour la télé.

— Eh bien... se marier, ce n'est pas un jeu, se déroba Marisol en tripotant le bouton du mixeur.

Je me vois mal dire à des enfants aussi adorables que j'ai juste envie de croquer leur père tout cru.

Elle n'avait jamais été faite pour les histoires sérieuses. Chad, celui avec qui elle était restée le plus longtemps, n'avait réussi qu'à précipiter la fin de leur relation en lui demandant sa main quelques années auparavant. Cela avait obligé Marisol à affronter sa peur d'être génétiquement inapte à la vie de famille. De toute évidence, cette crainte avait gagné, vu qu'elle était encore célibataire malgré l'insistance de Jamie.

— Je suis sûre que si votre père me demandait de l'épouser je dirais « oui », déclara Marisol. Qui pourrait refuser ?

— Personne, évidemment, répondit Emily en secouant la tête.

Dieu merci, on n'en arrivera jamais là.

— Enfin, reprit Marisol en terminant ses smoothies, ce que me disait ma belle-mère, et ce que tu ne dois jamais oublier, c'est...

— De ne jamais porter de blanc après la fête du Travail ? avança Emily.

— Non, ma puce. Même si c'est bien vu aussi, ça fait très conseil de *Vogue*. Ma belle-mère Jamie me disait : « On n'échoue que si on renonce, donc essaie encore. »

Sur ce, elle prit le dernier plat propre du placard et le remplit d'un bloc de lasagnes congelées, dur comme de la pierre. Ensuite, elle fit une prière. Enfin, elle se

185

pencha sur le lave-vaisselle pour en finir avec cette saleté de machine une bonne fois pour toutes.

Le dîner – et plus particulièrement les plans de Cash pour apaiser ses rapports avec Marisol – ne se passa pas exactement comme prévu.

—Waouh ! Marisol ! C'est excellent. (Adam se frotta joyeusement la panse en regardant la table avec un sourire.) Qui aurait cru que le « *smorgasbord* à la Connelly » serait aussi bon ?

—Ouais ! acquiesça Jacob en imitant le geste d'Adam. Surtout quand on mélange les enchiladas et la compote de pommes. Miam !

—C'était super extra-délisavoureux ! renchérit Emily. Personne n'a jamais fait un repas aussi bon que le tien, Marisol.

—Et je l'ai aidée, ajouta fièrement Hannah. Je trouve que les mini-sandwichs au fromage étaient une très, très bonne idée.

—Oh ! Merci les copains.

Marisol était rayonnante, surtout à la lumière de la guirlande de Noël qu'elle avait rapportée du perron – « plus prudent que des chandelles », avait-elle dit – et placée au centre de la table.

—Merci à vous aussi, Adam, ajouta-t-elle avec son beau sourire. Ce nom est une vraie trouvaille : « *Smorgasbord à la Connelly* » ! (Elle ouvrit grands les bras comme si elle s'imaginait derrière un étalage.) C'est un peu comme la déco : quand on entre dans un appartement ou une maison pour la première fois, le vestibule donne le ton. Ici, par exemple, dès qu'on voit tous les jouets et les peluches éparpillés partout, on comprend que trois merveilleux enfants vivent là.

Marisol sourit en désignant le bazar qui régnait autour de la table. Tout le monde hocha la tête, pratiquement hypnotisé par cette théorie absurde. Était-il possible de lui résister ? Cash se le demandait sérieusement.

D'ailleurs, il ne pouvait pas vraiment se prétendre insensible. Il avait failli tomber dans les pommes avec cette histoire de costume de soubrette. En fait, il bandait presque, depuis, mais il refusait de laisser Marisol le manipuler, lui ou sa famille. Beaucoup trop de choses dépendaient de sa maîtrise de soi.

— En parlant de jouets, dit-il, cette maison ressemble à un dépotoir, Marisol. Il est temps que vous fassiez un peu de ménage. C'est pour ça que vous êtes là, non ?

Toute la tablée en resta bouche bée.

Cash insista obstinément.

— Je sais que ça ne fait que deux jours, mais vous êtes censée entretenir la maison. Ce n'est pas…

— Papa ! protestèrent Hannah et Emily avec une grimace.

— T'es pas cool ! lui reprocha Jacob en secouant la tête. Pas cool du tout.

— Ça ne peut pas attendre ? demanda Adam avec un regard agacé.

Cash lui donna un coup de pied sous la table.

Son manager se vengea par un regard en biais vers Marisol.

Un seul coup d'œil sur la mine déconfite de la nounou et il se sentit très bête. Toutefois, il devait camper sur ses positions. Si elle commençait par l'inciter à lui retirer son tablier affriolant et à la prendre sur le plan de travail, qui savait jusqu'où elle pouvait aller ? Cash devait rester maître de la situation.

Ainsi, il ne prêta pas attention aux regards accusateurs de toute la tablée.

— Marisol, vous n'êtes pas obligée…, commença Adam.

— Non, Cash a raison. (Elle se leva en agitant les mains, à la recherche de quelque chose à faire, et prit une assiette.) J'ai du pain sur la planche. Un lave-vaisselle à remplir, pour commencer. (Son sourire vacilla.) Merci de m'avoir accueillie à votre table.

— Attends, insista Hannah. Papa ne pensait pas ce qu'il a dit.

La fillette se mordit la lèvre en lançant à son père un regard plein d'espoir.

Têtu, Cash refusa de mordre à l'hameçon. Il était toujours le maître des lieux, bon sang ! Trop tard pour revenir en arrière. S'il cédait maintenant, il perdrait toute autorité.

— Si, je le pensais, rétorqua-t-il.

Il y eut quelques regards dégoûtés accompagnés de soupirs. Il lut la douche froide sur leur visage aussi clairement qu'il voyait la stratégie de défense d'une équipe adverse, mais il devait tenir bon.

Marisol recula sa chaise. Ses gestes déplacèrent l'air, et son odeur flotta jusqu'à lui… S'agissait-il de parfum ? De shampoing ? De crème pour le corps au beurre de cacao ? En tout cas, Cash eut immédiatement envie de la lécher. Lentement. Peut-être même en la mordillant un peu. Mmm !

Et merde ! Ça y est, je bande carrément.

— Je vais dans la cuisine, annonça Marisol.

— On va t'aider ! décidèrent les enfants en sautant de leur chaise.

Ils débarrassèrent leurs assiettes à une vitesse que Cash n'avait encore jamais vue, comme si on les avait réglés sur « avance rapide ». Et, en passant devant lui, Emily, Hannah et Jacob lui décochèrent des regards lourds de reproche.

Cash se tourna vers Adam, levant les yeux des plats vides de pizzas, de quiches, de beignets aux oignons et d'enchiladas. Même les pommes de terre explosées au micro-ondes avaient été avalées par la troupe.

— Impressionnant ! Aucune nounou n'a jamais obtenu ce genre de résultats en si peu de temps, plaisanta-t-il. Bientôt, ils vont se mettre à nettoyer la maison.

Son manager se contenta d'un regard noir, puis il prit son assiette aussi. D'un air exagérément digne, Adam ramassa ses couverts et son verre de smoothie, et emporta le tout à la cuisine.

Seul à la table, Cash entendit Marisol les remercier à voix basse. De l'eau coula. Des bruits de frottement. Des rires.

Qu'ils aillent se faire voir ! Si je suis arrivé où j'en suis aujourd'hui, c'est grâce à la discipline, et c'est elle qui me mènera à la prochaine étape. Je ne me prosternerai pas

devant cette fille, même si je crève d'envie de la supplier
de me laisser la toucher. C'est moi le patron, bordel!

De plus, il avait invité Adam pour que celui-ci agisse comme un calmant. Pour qu'il l'aide à résister à l'attrait de Marisol. Pas pour qu'il devienne le supporter de celle-ci, le directeur de son fan-club ou son chevalier servant. Dès l'instant où ils s'étaient serré la main, Adam s'était comporté comme ces intellos coincés et empotés qui tombent amoureux de la plus belle fille du lycée. Et son adulation ne semblait pas sur le point de diminuer.

La voix du manager lui parvint depuis la cuisine. Ils se trouvaient juste dans le dos de Cash, mais c'était à cause de la disposition de la maison. Ce n'était donc pas comme s'il participait personnellement à la révolte de la nourrice.

—Alors, Marisol. Il paraît que vous vous êtes comportée en héroïne ce matin, quand l'incendie du grille-pain a éclaté. Je l'ai lu dans le journal.

—Elle a été géniale! s'écria Jacob. Pan! Pan!

Cash imaginait son fils mimant des coups de poing à la façon d'un super-héros. Emily et Hannah l'applaudirent allégrement.

—Elle a été hypercourageuse, s'enthousiasma Emily de sa petite voix charmeuse. C'est la nounou la plus courageuse du monde!

—J'ai eu peur parce que papa nous a crié dessus, ajouta Hannah avec componction. Mais Marisol nous a emmenés dehors. Et après on est montés dans le camion des pompiers. C'était trop cool! C'est moi qui étais assise le plus haut, et même que j'ai fait sonner la sirène. C'était génial !

—Marisol a sauvé Pato aussi, ajouta Jacob.

Ouah !

De mauvaise humeur, Cash regarda les restes du dîner.

Marisol avait artistiquement éparpillé des pommes de pain sur la nappe qui, s'il ne se trompait pas, n'était autre que son rideau de douche « expressionniste abstrait avec une touche d'avant-gardisme ». Il ne le récupérerait certainement jamais pour sa fonction première. Il ramassa sa fourchette, qui s'accrocha dans un ruban que la nounou avait sorti d'on ne savait où. Cash se renfrogna.

Il ne savait pas exactement comment elle s'y était prise, mais Marisol avait dressé une table superbe. Elle avait présenté tous les plats encore mieux que sur leurs emballages. Elle avait discuté, plaisanté, raconté comment les enfants l'avaient aidée pendant qu'elle cuisinait, et elle avait accueilli Adam bien mieux que ne le méritait ce traître. Elle avait été parfaite. Absolument parfaite.

Même les enfants s'étaient bien conduits. Et Adam était tombé en pâmoison.

Donc, où était le problème ?

—On dirait que vous avez su gérer cette crise comme une chef, en faisant preuve d'une vraie présence d'esprit. (Au ton de sa voix, Cash crut de nouveau entendre un jeune binoclard suppliant la reine du bal de l'autoriser à porter ses cahiers.) Comment avez-vous pu rester aussi calme ?

— Bah ! répondit Marisol avec un petit rire. Essayez donc d'attraper la dernière paire de bottes Ferragamo avec cinquante femmes à vos trousses pendant les soldes de fin d'année. Vous apprendrez à rester élégant sous la pression.

Adam s'esclaffa. Cash n'avait jamais entendu son manager rire d'une façon aussi grinçante. Et il avait choisi ce type pour négocier son prochain – et sûrement ultime – contrat avec la NFL. Bravo !

— Et, reprit la voix chaleureuse et affectueuse de la nounou, je crois que je voulais vraiment que tout le monde soit en sécurité. Ces enfants sont super, vous savez.

— Et vous êtes super avec eux, surenchérit Adam. N'importe qui le verrait. Pas vrai, Cash ? demanda-t-il en élevant la voix.

Et voilà ! Game over.

Cash redressa la tête.

— Viens, Adam. Je vais te montrer le perron.

— Non, merci. Je l'ai déjà vu, la fois où Bulldozer lançait…

— Sur le perron. Maintenant, ordonna Cash en serrant les dents.

Chapitre 14

Cash s'en prit à Adam à la seconde où celui-ci fermait la porte du porche obscur et silencieux.

— C'est quoi, ton problème ? s'enquit-il en pointant son doigt sur le torse du manager. Tu essaies de tout foutre en l'air ou quoi ?

— Pas exactement, répondit Adam. Et toi ?

Cash poussa un soupir exaspéré.

— Qu'est-ce que tu racontes ?

— Je veux dire que tu es assez dur avec Marisol. Souviens-toi que, si elle démissionne, tu seras dans la merde. Plus de nounou.

— Elle ne peut pas démissionner. Elle est en stage pour *Dzeel*.

— C'est faux. Elle peut demander à être placée ailleurs, rétorqua Adam en secouant la tête. Comme d'habitude, tu n'as pas lu toute la paperasse.

Cash jura. En effet, il ne lisait jamais les documents administratifs. Ce n'était pas son travail. Il était la star, pas le manager. Il agissait selon son instinct et son talent, pas en fonction d'un bout de papier.

— Arrête ta parade amoureuse et redeviens chiant, putain ! ordonna-t-il. C'est pour ça que tu es là.

— Chiant ? répéta Adam en levant les sourcils.

—Tu vois ce que je veux dire. (Essayant de trouver des exemples dignes d'Adam, Cash se mit à agiter les mains.) Parle de tofu, d'investissements ou de films à l'eau de rose. Non, attends. Pas de films à l'eau de rose. C'est Marisol qui est censée te trouver ennuyeux, pas moi.

—Rappelle-moi le but du jeu.

Cash pensait que c'était évident.

—Pour l'éloigner de ce putain de costume de soubrette. (Il se mit à arpenter le perron plus rapidement.) Il est dans son armoire, juste là, à vingt mètres ! Tu sais combien de temps il me faut pour couvrir vingt mètres, lui rappela-t-il sérieusement. À peine plus de trois secondes.

—Tu es fou.

—Et tu ne m'aides pas.

Bon sang ! Cash voyait Marisol à travers la porte du perron : un tableau parfaitement éclairé d'une nourrice et de ses enfants s'activant en parfaite harmonie. Elle avait convaincu Jacob, Emily et Hannah d'essuyer le plan de travail, et ils s'exécutaient avec enthousiasme – presque avec soin. Il ne pouvait s'agir que de vaudou. S'il ne se méprenait pas, ils chantaient tous en chœur, en plus.

Cash fit face à Adam.

—Tu ne m'aides vraiment pas. « C'était excellent, Marisol », l'imita-t-il en mimant des gestes efféminés. « Vous êtes super avec les enfants, Marisol. » « Vous êtes trop sexy ce soir, Marisol. »

—Eh ! Je n'ai jamais dit qu'elle était sexy, protesta Adam.

—Pas la peine. Ton regard était assez éloquent.

—Je confirme : tu es fou. (Avec un calme exaspérant, le manager s'appuya à la rambarde et plongea son regard dans le ciel étoilé.) Waouh ! On dirait un rideau de diamants. Rien ne vaut le ciel de Flagstaff la nuit, pas vrai ? C'est pour ça qu'ils ont installé l'observatoire de Lowell ici, tu sais.

—Voilà ! C'est ça ! (Cash le saisit par le bras, soudain souriant.) Reste comme ça. Ne déballe pas tout maintenant. Garde tes poésies pour Marisol. Parle-lui de l'observatoire aussi. Quand il a été construit, ses programmes d'astronomie… Elle crèvera d'envie de nous laisser en plan.

—Tu veux qu'elle te fuie ? Invite-la ici et sors-lui ce que tu viens de me dire, lâcha Adam. Ça devrait marcher.

Cash ne comprenait pas pourquoi son ami se montrait aussi peu coopératif. Ce plan lui paraissait pourtant évident et urgent.

—Tu sais quoi ? Fais comme si Marisol était Stephanie, rétorqua Cash. Ou l'une de mes vieilles copines de la fac. Tu te rappelles ? Sois aussi détestable qu'avec elles.

—Comment ? En venant vous interrompre en pleine séance de bisous ?

—Mais non, imbécile !

Soudain, une vision fit saliver Cash et l'aveugla presque : lui en train de plaquer Marisol contre le réfrigérateur et de l'embrasser jusqu'à ce qu'elle le supplie de la déshabiller. Il hocha la tête.

— Je veux dire, oui. Aussi. Mais reste critique. Dis-lui qu'elle n'est pas faite pour moi. Passe pour un connard macho.

— Holà ! Cette fille te plaît vraiment, hein ? commenta Adam en souriant.

Beaucoup plus que je ne le pensais, comprit Cash.

Ce qui faisait d'elle une triple menace : pour sa vie, pour son cœur et pour son avenir.

À moins que cela ne vienne de l'excès de nourriture avalée au cours de ce dîner déséquilibré. Peut-être qu'il souffrait d'hallucinations à cause d'une overdose d'arômes artificiels et qu'il se faisait des illusions sur son attirance pour la nounou canon.

Conclusion…

— Je dois faire en sorte qu'elle me considère comme son patron. Point final.

— Je ne sais pas. Tu la sous-estimes peut-être, objecta Adam avec un regard dubitatif. Marisol est exceptionnelle. Elle est drôle, et les enfants l'adorent. Cela dit, je n'arrive toujours pas à retrouver d'où je la connais. En chair et en os elle m'est encore plus familière qu'en photo, mais je ne la remets pas.

— Laisse tomber. Arrête d'être raisonnable. OK, vieux ?

Encore un soupir.

— Je vais faire de mon mieux.

— C'est tout ce que je te demande. (Cash lui donna une tape sur l'épaule.) Merci d'être venu ce soir. C'était sympa de ta part.

— Il va falloir que je change de boulot, se plaignit Adam.

Enfin, après un dernier regard vers les étoiles, il pivota et repartit, suivi de près par Cash, bien décidé à appliquer son plan infaillible pour ne pas toucher à la nourrice.

Quand ils entrèrent dans la cuisine, Marisol leva les yeux. Elle sourit, contourna l'îlot central encore jonché d'emballages, de boîtes, de plats et de casseroles, malgré l'enthousiasme avec lequel les triplés s'affairaient à remplir des sacs-poubelles. Voyant que Cash la regardait, elle lui adressa une grimace comique en désignant la pile de vaisselle sale.

Merde ! Elle est bonne perdante, alors que je l'envoie faire le ménage, que je lui arrache son fan, Adam, et que je n'arrête pas de ronchonner depuis le début.

Marisol dansait en accompagnant les enfants sur une chanson de dessin animé. Avec un clin d'œil, elle leva les bras pour compléter la chorégraphie, à l'image d'Emily, Hannah et Jacob, qui lâchèrent leurs sacs et sortirent de la pièce en dansant le cha-cha-cha. Marisol avait des gants en caoutchouc jaunes qui lui arrivaient jusqu'aux coudes, mais elle portait très bien ce look de femme de ménage.

Cash ne pouvait pas dire qu'elle excellait dans le domaine de la vaisselle. En effet, elle avait apparemment saupoudré de Calgonite chacune des assiettes posées sur le plan de travail au lieu de verser la poudre directement dans le lave-vaisselle, et elle avait versé du liquide vaisselle dans les verres, qui contenaient maintenant tous une sorte de dépôt bleu.

À ce moment précis, peut-être à cause de cette chanson, de cette danse et de cette grimace débile, Marisol semblait totalement dans son élément, tellement à sa place que Cash s'arrêta pour la contempler.

Pendant un quart de seconde, il souhaita que cette maison lui appartienne vraiment, qu'elle ne soit pas qu'une échappatoire provisoire à sa petite garçonnière. Il souhaita que les enfants soient aussi angéliques en permanence, qu'ils ne se chamaillent plus au sujet des mérites respectifs de Bob L'éponge et des Castors allumés. Il souhaita que Marisol soit vraiment à lui. À lui tout seul.

Elle brandit deux sachets de congélation ornés de nœuds et les agita en l'air.

— J'ai des cadeaux pour vous deux ! Venez les chercher.

Sans réfléchir, Cash et Adam foncèrent vers elle. Ils se percutèrent, mais Cash assena un coup de coude à son manager et prit la tête. Adam lui fit un croche-pied et regagna la première place. Ils se bousculèrent, sautèrent par-dessus le pauvre Pato et, après plusieurs grimaces et quelques regards mauvais, parcoururent les trois mètres les plus disputés de l'histoire de cette cuisine. Cash poussa Adam une dernière fois.

Victoire ! Avec un sourire de champion, il accepta le sachet que Marisol lui tendait.

— Merci. Ça a l'air bon.

— Ça a l'air excellent, renchérit Adam en se frayant un passage pour prendre son sac.

—Les enfants ont déjà eu les leurs, mais ils les gardent pour plus tard. (La jeune femme semblait amusée.) Allez-y. Ouvrez-les.

Cash obéit. Pour cela, il dut se débarrasser de deux couches d'autocollants – certains métalliques, d'autres parfumés, quelques-uns à l'effigie de *Shrek* ou de *Mon Petit Poney* – d'un bolduc bouclé enroulé plusieurs fois et de quelques nœuds adhésifs.

—Ces *goodies* sont le plat de résistance du dîner, expliqua Marisol. On ne réussit pas une soirée si on n'offre pas un petit souvenir aux convives. J'espère que ça vous plaira.

—J'en suis sûr.

Cash déballa deux petits chocolats, une bande dessinée soigneusement découpée dans le journal, trois galets polis et une pomme de pin miniature. Vraisemblablement, Marisol s'était débrouillée avec les moyens du bord, sans enfreindre les règles du programme de *Dzeel*.

—Les enfants m'ont aidée pour les décorations. (Elle le regarda en se mordant la lèvre.) Ils ont fait du bon travail. Imaginez le temps qu'ils ont passé à coller tous ces autocollants.

Cash se l'imaginait parfaitement, ayant passé un nombre incalculable d'heures avec Emily, Hannah et Jacob sur des livres de coloriage, sur une ardoise magique ou sur des collages. Habituellement, leur zèle artistique – et la coordination de leurs mains avec leurs yeux – s'épuisait au bout de cinq minutes. Il ignorait comment Marisol les avait motivés pour qu'ils confectionnent ces pochettes-cadeaux.

Impressionné, il la dévisagea. Elle croisa son regard avec un air plein d'enthousiasme et de générosité.

Ça y est, je suis foutu.

Marisol était trop douce, trop généreuse, trop gentille, pour le genre d'esquive qu'il avait à l'esprit. Tout d'un coup, la réalité le frappa de plein fouet : ses plans étaient stupides.

Cash ne savait même pas si ce qu'il éprouvait pour elle était réciproque, mais il était sûr d'une chose : la présence d'Adam pour le calmer ne l'avait pas empêché de reconnaître la vérité. Il ressentait quelque chose quand Marisol était près de lui. Une sensation jusque-là inconnue de lui. Et il en voulait encore. Plus qu'une partie de jambes en l'air sur le plan de travail.

— Vous savez quoi ? J'ouvrirai le mien plus tard. (Sans plus de précaution, Adam lâcha son sachet sur le comptoir et grogna comme un rustre.) Eh, mec ! Ça te dit que je te mette une déculottée au billard ?

Sur ce, il passa son bras autour des épaules de Cash.

Ce dernier lui jeta un coup d'œil mauvais en essayant de ne pas regarder le visage déçu de Marisol. D'un coup d'épaule, il repoussa le bras d'Adam.

— Attends. Je vais d'abord ranger ça…

Adam saisit la pochette de Cash et la jeta sur le comptoir.

— Eh !

Dans la seconde, Cash lui sauta à la gorge.

Seul le regard dur et lourd de sous-entendus du manager l'arrêta.

Tu l'as cherché, disaient ses yeux. *Tu es servi.*

Ils restèrent figés un instant dans cette posture inconfortable : Cash avec un poing prêt à frapper et Adam le regardant de haut.

— C'est bon. (Marisol ramassa les sachets avec un petit rire légèrement forcé.) Ça peut attendre. Allez vous amuser.

Quand Adam lui décocha un clin d'œil, Cash n'en crut pas ses yeux.

— Eh ! Vous devriez venir avec nous, proposa le manager en la saluant comme un vieux militaire ringard. Ce ne sera pas drôle, sans vous, poupée, ajouta-t-il avec un regard concupiscent.

Quoi ?

« Poupée » ? répéta silencieusement Cash, incrédule.

Remarquant son air ébahi, Adam lui répondit par un haussement d'épaules imperceptible. Cash se souvint alors que son ami n'avait jamais débordé de machisme. Il faisait simplement ce qu'il pensait être la volonté de Cash.

Le bon côté des choses était que Marisol ne serait pas réceptive aux tentatives d'Adam de s'interposer entre eux, car elle n'accepterait jamais de jouer au billard. Il lui restait du ménage, des ordures à sortir, des enfants à regrouper… et toute une cérémonie du coucher à mettre en œuvre. Mieux que quiconque, Cash savait quel calvaire cela pouvait être d'endormir Emily, Hannah et Jacob.

— Euh… (Un sourire se dessina au coin des lèvres de Marisol.) … j'ai quelques trucs à faire pour l'instant, mais je vous rejoindrai peut-être plus tard.

—Ne rejoignez pas Cash, lâcha Adam. Il n'est pas pour vous.

La jeune femme les toisa d'un œil interrogateur.

Mon dieu ! Je n'aurais jamais dû mêler Adam à mon plan.

Avant que le manager puisse aggraver son cas, Cash le prit par la nuque et l'entraîna à l'arrière de la maison. Au passage, en désespoir de cause, il lança à Marisol :

—Allez savoir ce qui se passe dans la tête de ce guignol !

—« Poupée » ? répéta Cash. (Exaspéré au plus haut point, il poussa Adam dans la salle des trophées, en direction du billard.) Qu'est-ce que tu fous, bordel ? Pour qui tu te prends, tout d'un coup ? Pour une star d'Hollywood ?

—Eh ! C'est toi qui as eu cette idée stupide ! Ne t'en prends pas à moi.

—Tu l'as blessée !

—Non. Toi, tu l'as blessée, rétorqua Adam. Tu t'es servi de moi pour le faire, ducon. Si ça ne te plaît pas, arrête.

Cash fit le tour de la table de billard en observant son abat-jour coloré, sa bordure rajoutée et son tapis pourpre. Maake « Bulldozer » Anapau, le plaqueur à qui appartenait cette maison, cherchait à exprimer quelque chose chaque fois qu'il choisissait un objet de décoration. Cash, pour sa part, ne cherchait qu'à être le plus fort, le plus rapide et le meilleur, dans tout ce qu'il faisait.

— Tu sais que je ne peux pas, répliqua-t-il.

— Tant mieux, parce que, si pathétique que soit ton plan, c'est tout ce qu'on a. (Calmement, Adam sortit quelques billes.) Il n'y a pas que ton avenir qui soit en jeu. Ne l'oublie pas.

— Je le sais très bien. Tu crois que j'ai envie de tout foutre en l'air ?

— Non. Pas pour l'instant. C'est justement le problème.

Cash le fusilla du regard.

— Si c'était vraiment calculé de ta part, tu n'aurais pas fondu comme ça devant Marisol il y a deux minutes, insista Adam.

« Fondu » ? Cash leva les yeux au ciel. Il devait pouvoir cacher son jeu mieux que cela.

— Tu te fais des films.

— Mais oui, bien sûr ! (Adam installa encore deux billes et visa, puis se redressa sans tirer.) Je te connais depuis longtemps. Je lis en toi comme dans un livre ouvert. Cette fille te plaît. Beaucoup. Mais c'est la nourrice de tes enfants, Cash. Tu as besoin d'elle.

— Je sais.

— Donc, je n'ai qu'une chose à te dire : bas les pattes. OK ?

— Je ne fais que ça ! *(Et j'en bave. Deux kilos de glaçons et une douche froide, ça pique.)* Je te jure.

— Bien. Continue. Passe à autre chose. Sois un homme, l'encouragea Adam avec une tape dans le dos. Pendant ce temps, je ferai ce que je pourrai pour te tenir à l'écart de Marisol. Dieu sait que tu en as besoin. Vous deux, vous ressemblez à un couple de chiens en chaleur.

—Oh! Va te faire foutre!

Impassible, le manager choisit une queue et examina la table de billard d'un air décidé.

—Alors, on joue ou pas?

—Tu seras plus sympa avec Marisol? demanda Cash.

—Tu vas essayer de profiter d'elle?

—De pro… (Adam allait trop loin. Cash fonça vers son manager en le foudroyant du regard.) Quand est-ce que tu m'as vu profiter d'une femme? Dis-moi.

Adam se massa la nuque en évitant le regard de Cash.

—Eh bien, en fait… tu as plutôt tendance à tomber amoureux d'elles qu'à profiter d'elles.

Pff! Moi? Tomber amoureux? Ce type n'y connaît rien! pensa Cash.

—Et ton ex-femme t'a plumé quand vous avez divorcé, juste au moment où tu es devenu père de famille à temps plein. Donc je suppose que c'est plutôt Stephanie qui a profité de toi.

Un coup bas qui méritait bien un doigt d'honneur; Cash s'exécuta des deux mains.

—D'un autre côté, tu vis comme un reclus depuis deux ans, donc on peut tout remettre à zéro, poursuivit Adam en enduisant de bleu l'embout de sa queue. Par ailleurs, Marisol n'est pas comme les autres. Je ne veux pas qu'elle tombe dans tes filets et qu'elle souffre.

—Quoi? C'est elle que tu défends, maintenant? Contre moi?

—Ouais, en toutes circonstances. (Adam ouvrit les bras en un geste de conciliation.) Parce que tu sais, ces ex-copines dont tu parlais ? Celles qui ne m'aimaient pas, selon toi. (*Oh ! Ça, je le sens mal*, se méfia Cash en hochant la tête de mauvaise grâce.) Eh bien, quand tu les larguais, devine vers qui elles se tournaient pour obtenir des réponses ?

—Je n'y crois pas ! (Cash s'empara d'une queue de billard et la pointa vers Adam.) Tu es en train de me dire que mes ex venaient pleurer sur ton épaule ?

—C'est arrivé, à une ou deux reprises, acquiesça le manager.

Incroyable !

—Donc, je sais ce que les types comme toi font aux femmes, continua Adam. Et ce n'est pas joli joli. Au début, tout ça ne m'emballait pas, mais maintenant que je connais Marisol… il va certainement falloir que je l'aide à garder ses distances avec toi, mec. Pour son bien.

Cash secoua la tête, mais ne répondit rien. Il venait de rentrer deux billes du premier coup, mais il s'inquiétait trop pour se réjouir de cette réussite. Adam le faisait passer pour un vulgaire crevard prêt à tout pour baiser.

Qu'il aille se faire foutre ! Il se plante sur toute la ligne. Je n'ai jamais été comme ça et je ne vais pas non plus faire les yeux doux à Marisol si je peux l'éviter. En tout cas, je vais tout faire pour.

De plus, Cash ne tombait pas toujours amoureux. Bien sûr, il aimait les femmes. Il les adorait. Cependant, il n'avait été amoureux qu'une seule fois

– de Stephanie –, et cela avait abouti à un désastre. Il faudrait vraiment qu'il soit idiot pour refaire la même erreur.

Surtout quand sa vie était dans une telle pagaille.

Si seulement Marisol n'avait pas été aussi accueillante quand il était rentré à la maison ce soir-là. Si seulement elle ne lui avait pas adressé ce clin d'œil. Si seulement elle n'avait pas parlé d'une tenue de soubrette – comme par hasard – pour l'aguicher. Tout se passerait différemment.

« Si ça ne te plaît pas, arrête. »

En effet, cela ne plaisait pas à Cash, mais il ne pouvait pas s'en empêcher.

—Écoute, essaie juste d'être plus subtil, d'accord ? indiqua-t-il à Adam. (Il fit rebondir une bille sur la bande gauche et blousa.) Ne blesse pas Marisol. Fais juste en sorte qu'elle ne me trouve pas trop irrésistible…

Adam pouffa de rire.

—Ça ne devrait pas être compliqué.

—… et assure-toi qu'elle comprenne que je ne suis pas accessible, insista Cash. Je le lui ai déjà dit, je lui ai rappelé qu'elle était là uniquement pour les enfants, mais…

—Mais un peu de renfort ne peut pas faire de mal. Pigé, accepta le manager.

Ils jouèrent encore quelques coups chacun en tournant autour de la table, puis Adam releva la tête.

—Tu sais, je peux comprendre qu'il soit difficile de résister à Marisol. Crois-moi. Non seulement parce qu'elle est belle, mais aussi parce qu'elle a d'autres qualités. Tu sais, ce truc particulier, unique…

Cash le stoppa net. Il n'avait pas besoin qu'on lui vante les mérites de la nourrice. Il voyait lui-même ses qualités.

—Et c'est toi qui me traites de joli cœur? s'étonna-t-il avec un sourire forcé. (Il longea le mur couvert de trophées de Bulldozer et pointa sa queue sur la droite.) Quatre billes, dans le coin.

Il blousa net.

Prends ça!

Cash Connelly restait le maître du jeu, de sa vie, de son destin…, et aucune nounou, aussi attirante soit-elle, ne se mettrait en travers de son chemin.

Chapitre 15

Marisol installa les enfants devant le DVD de *Cendrillon*, chacun sous sa couverture et avec sa loutre en peluche, puis elle vérifia l'état du lave-vaisselle avant de sortir quatre sacs-poubelles. Suivant les indications sommaires de Jacob, elle mit un certain temps à trouver la benne, cachée derrière la cabane qui servait de garage. Il lui fallut encore plus longtemps pour trouver le courage de l'ouvrir.

Elle regarda longuement l'énorme poubelle verte en plastique, puis posa ses sacs pleins à craquer et s'approcha de quelques centimètres. À la faible lueur des éclairages du jardin, ce conteneur semblait une cachette idéale pour les ratons-laveurs – qui devaient être assez mignons, en fait. En revanche, les ours n'aimaient-ils pas aussi fouiner dans les ordures ? Un ours pouvait sûrement tenir dans une benne…

Non ! Ne sois pas bête, se dit-elle. *S'il y avait une bestiole sauvage là-dedans, je l'entendrais, non ?*

Les doigts de pied gelés dans ses escarpins, Marisol s'approcha encore de la poubelle. Elle retint son souffle et tendit l'oreille, regrettant de ne pas s'être munie d'un objet plus solide que quatre sacs plastique, au cas où elle devrait se défendre.

De plus, ce conteneur était répugnant. Elle refusait d'y toucher, même avec ses gants en caoutchouc.

Tant pis, elle devrait faire preuve d'imagination. Elle venait bien de prouver qu'elle pouvait improviser un dîner. Regardant autour d'elle, elle remarqua un grand bâton par terre. Elle le ramassa – tremblante comme une feuille – et l'inséra courageusement sous le couvercle de la poubelle.

Celui-ci s'entrouvrit. Marisol eut un mouvement de recul, mais elle souleva plus fort. L'abattant s'ouvrit complètement à une vitesse qui faillit la déséquilibrer. Soudain, une légère puanteur se mit à flotter dans l'air, concurrençant le parfum de l'herbe et des pins, mais moins horrible que ce que l'on aurait pu craindre.

Cash avait peut-être ordonné à ses ordures de ne pas sentir mauvais. Cela n'aurait pas étonné Marisol, vu comme il s'était montré autoritaire à la fin du repas.

Évidemment, elle connaissait la raison de ce comportement. Adam lui avait confié – tout bas, au-dessus de l'évier plein de vaisselle sale – que Cash rechignait parfois à déléguer ses responsabilités. Ce qui expliquait le ton despotique avec lequel il lui avait enjoint de commencer le ménage. Il était vrai que la tension pouvait produire cet effet. Même chez un grand gaillard comme Cash, étonnamment réservé sous ce paquet de muscles.

C'était intéressant. Selon Adam, si elle voulait gagner la confiance de Cash, elle devait s'affirmer, prendre les commandes. Et c'était exactement ce qu'elle avait décidé de faire. Elle était une femme forte qui n'éprouvait aucune difficulté à prendre les choses en main.

Ou à changer les choses – mais il s'agissait là d'un tout autre problème.

Conclusion : si Cash croyait effrayer Marisol Winston avec quelques malheureux petits ordres et la menace d'un peu de travail, il se fourrait le doigt dans l'œil. Il était hors de question qu'elle démissionne. Surtout après tant de chemin parcouru.

Sans plaisanter, elle n'avait jamais sorti de poubelles avant ce soir. Mince ! Elle ne s'était même jamais demandé où disparaissaient son gobelet de café et son tube de mascara quand elle s'en débarrassait après usage. Et jamais, au grand jamais, elle n'avait songé qu'un grand conteneur sombre au milieu d'un jardin à la campagne puisse être aussi effrayant.

Elle s'en était sortie, et cela seul comptait pour l'instant. Hourra !

Au clair de lune, la poubelle béante attendait la deuxième phase des travaux ménagers. Après seulement deux jours dans ce bled, Marisol maîtrisait déjà de nouveaux défis.

Elle planta fièrement son bâton dans le sol, forte de son dîner triomphal et de sa conquête de la benne. Elle avait l'impression d'être une exploratrice aventurière, la première femme ayant voté ou la première femme ayant porté un pantalon et déclaré que c'était génial.

Greta Garbo ? Ou peut-être Katharine Hepburn. Elle ne savait plus très bien. En revanche, elle était sûre et certaine que, malgré la nouveauté que représentait son rôle de nounou et de femme de ménage, jusqu'à présent elle assurait.

Un miaulement s'éleva des buissons. Une ombre – une chose poilue et rapide – traversa l'allée. Une bête sauvage ! Peut-être un ours !

Terrorisée, Marisol s'empressa de jeter les sacs dans la poubelle avant de filer vers la maison. Tout d'un coup, elle se sentait mille fois moins Garbo. Saleté de Mère Nature qui prenait son pied à ridiculiser les gens stylés.

— Et hop ! Je vous apporte des rafraîchissements.

Marisol passa la tête dans la salle des trophées. Son cœur enfin calmé après sa frayeur avec l'ours, elle s'était remis du rouge à lèvres – dont ses stocks diminuaient dangereusement – et avait terminé la première partie du ménage de la cuisine. *Merci au spray bleu multi-usage !* Les enfants installés, elle pouvait se détendre.

Elle trouva Cash et Adam, apparemment lancés dans une partie de billard très serrée. Elle leur apporta son plateau de digestifs – de citronnade, en fait, à cause des enfants – sans attendre d'y être invitée.

— Qui veut une boisson bien fraîche ? demanda-t-elle en tendant un verre.

Leur expression enjouée disparut. Les deux hommes la regardèrent comme si elle leur présentait un serpent vivant. Cela dit, Marisol doutait qu'un être vivant aussi près du sol puisse faire peur à Cash.

Peut-être les avait-elle surpris. Ils s'étaient comportés plutôt bizarrement juste avant de quitter la cuisine. Un instant, on aurait presque dit qu'ils étaient prêts à se taper dessus à cause des sacs de *goodies*, comme deux gamins.

Marisol fit tinter les glaçons dans leurs verres afin de leur montrer une autre de ses qualités d'hôtesse.

— Elle est vraiment bonne.

Comme elle s'y attendait, Cash fut le plus courageux.

— Merci, je veux bien un verre.

Tandis qu'il venait à sa rencontre, son regard s'attarda sur les jambes nues de Marisol. Puis il leva les yeux, passant sur la dentelle de son tablier blanc de soubrette, puis sur sa poitrine. Là, il tendit la main en lui adressant un sourire irrésistible.

— Ça a l'air délicieux. Je meurs de soif.

Il s'immobilisa, la tenant momentanément sous son charme. Marisol éprouva comme une faiblesse. Elle ignorait comment un homme pouvait lui faire un tel effet. Et, lorsqu'elle arriva à la portée de Cash, toutes ses bonnes intentions s'envolèrent.

Cette fois, elle les refoula et s'obligea à se rappeler les conseils d'Adam : « Soyez décidée. Prenez les choses en main. »

Bon. D'accord !

— Tenez, dit-elle en collant un verre dans la main de Cash.

Celui-ci haussa un sourcil, mais il obéit. Il porta même son verre à sa bouche. Malheureusement, son regard de braise ne quitta pas Marisol. Cette dernière ne put s'empêcher de rester en extase devant tous les détails qui lui sautèrent aux yeux : sa poigne

212

ferme, l'ombre subtile de sa barbe de trois jours, les mouvements de sa pomme d'Adam pendant qu'il étanchait sa soif.

Mmm !... J'aime quand les hommes viennent prendre ce qu'ils veulent.

Soudain, Adam s'approcha et arracha le verre des mains de Cash en marchant presque sur les pieds de Marisol. Il s'intercala entre eux comme un agent de sécurité appréhendant la racaille qui essayait de passer sur le tapis rouge.

— Donne-moi ça. (Adam avala en quelques gorgées la citronnade volée et expira bruyamment.) Ah ! C'est bon ! (Il posa le verre et donna un coup de coude à Cash.) Dommage, il ne t'en reste plus. Tu sais que ces trucs ne sont pas bons pour toi. (Il se pencha vers Marisol.) Je dois faire attention à ce qu'il reste dans le droit chemin.

— Ce n'est que de la citronnade, protesta-t-elle avec un regard dur en direction de Cash.

Celui-ci ne paraissait pas particulièrement affecté par la boisson. Marisol posa le plateau, faisant tinter les verres.

— Je ne l'ai même pas sucrée. Il n'y a pratiquement que des fruits.

C'était du moins ce que disait le sachet surgelé.

— Je sais, mais Cash est en période de remise en forme. (Avec un coup d'épaule, Adam passa devant un Cash maussade pour continuer son explication en tendant le pouce vers son ami.) À vrai dire, il a du mal à savoir ce qui est bon pour lui. Il veut toujours ce qu'il ne peut pas avoir.

— Ah bon ? (Marisol aurait juré que Cash était plutôt une personne disciplinée.) Ça m'étonne.

— Je sais, acquiesça Adam. Mais si je ne le surveille pas entre deux saisons et pendant le camp d'entraînement, il s'attire tout un tas d'ennuis. Surtout quand il est question de petites douceurs.

Les deux hommes échangèrent un regard tendu. Marisol crut même voir Cash faire subrepticement un doigt d'honneur à son manager.

— C'est vrai ? demanda-t-elle à Cash.

Cette information inattendue l'estomaquait. Jusqu'à présent, elle n'avait décelé aucune faiblesse chez cet homme, en dehors de son problème pour déléguer ses responsabilités. Étrangement, découvrir sa vulnérabilité le faisait paraître deux fois plus réel. Deux fois plus abordable.

— Vous avez un faible pour les friandises ?

Cash sourit.

— Oui, on peut dire ça comme ça.

— Moi aussi, déclara Marisol.

Tout à coup, une image s'imprima dans son esprit : Cash et elle, seuls, sans rien d'autre que de la crème fouettée, quelques cuillerées de sauce au chocolat pour s'enduire le corps, et de longues heures à tuer. Mmm !... Comme elle avait décidé de prendre les choses en main, elle devrait sûrement l'attacher avant de lécher tout ce délice crémeux, mais cela ne l'intimidait pas.

Elle se demanda si lui en serait capable ou s'il la supplierait de le détacher afin de reprendre le contrôle de la situation. «S'il vous plaît, gémirait-il d'une voix rauque en tirant sur ses liens. Il faut que je…»

—Oh oui! confirma Adam en faisant allégrement éclater la bulle de ses rêveries. Cash a un gros faible pour les sucreries. Si je ne m'interpose pas entre lui et les fantaisies qu'il essaie de s'offrir, il euh… il gonfle comme Homer Simpson. C'est affreux.

Les yeux exorbités, Cash protesta par un grognement.

—Alors, vous devez faire votre boulot comme un chef, parce que je trouve Cash très bien comme ça.

Pour souligner ses propos, Marisol s'approcha de l'intéressé pour lui caresser le torse. Elle sentit sa chaleur appétissante sous ses doigts. Il se raidit légèrement, comme si elle l'avait pris par surprise. Un peu tard, elle songea que si une nounou / femme de ménage ne pouvait pas se permettre de saisir son patron par le bras, il y avait des chances qu'elle ait l'interdiction formelle de lui peloter les muscles du torse.

Par un effort herculéen, elle abaissa sa main.

—Enfin, reprit-elle jovialement, très bien dans le sens sportif du terme.

Cash haussa les sourcils.

—Dans tous les sens du terme.

OK. D'accord.

Elle le dévisagea en imaginant exactement de quels autres sens il parlait : la vue, l'odorat, le toucher.

Mmm!…

Peut-être voyait-il aussi la sauce au chocolat et la crème fouettée. Sinon, elle pourrait lui expliquer. Ou lui faire une démonstration. Comme il voudrait.

Ils auraient sûrement aussi besoin de cerises.

Juste au moment où Marisol repartait dans les nuages, Adam se glissa entre eux.

— Allez, venez! lança-t-il gaiement en prenant la jeune femme par la main pour la tirer sur le côté. Comme je dois rester là pour empêcher Cash de céder aux petites douceurs, faisons une partie!

Quelques instants plus tard, Marisol se retrouva avec une queue de billard dans la main, face à un tapis pourpre pendant qu'Adam lui expliquait les règles du jeu par le menu – celles du carambole, du pool et du snooker. Au milieu de ses explications à propos des solides, des rayées et de la noire, elle risqua un coup d'œil discret vers Cash.

Il lui sourit avec un regard profond, chaleureux, rieur et incitant au viol. Il avait bel et bien deviné ses rêveries. Cela se lisait dans ses yeux. Marisol essaya de s'éventer avec sa queue de billard.

— Voilà comment le jeu a évolué dans l'histoire depuis une forme de croquet français joué avec une petite bille, ou balle, pour devenir ce que nous appelons aujourd'hui le billard, expliquait Adam. (Il s'arrêta brusquement en surprenant l'œillade que s'échangeaient Marisol et Cash, et fronça les sourcils.) Marisol, et si vous veniez par ici pour essayer?

— Euh… d'accord.

Joueuse, elle tira le triangle vers elle et commença à y insérer les billes. Elle n'avait aucune chance de réussir à les ranger joliment en fonction de leurs couleurs, mais elle décida de faire de son mieux. Que personne ne prétende un jour que Marisol Winston était mauvaise joueuse.

Quand elle releva la tête, Cash avait reporté son attention sur Adam.

Les deux hommes s'échangeaient un regard indéchiffrable.

—Est-ce que je fais quelque chose de travers ? s'enquit-elle. Je sais que vous avez dit de mélanger les solides et les rayées, mais, artistiquement parlant, c'est mieux comme ça, expliqua-t-elle en montrant les billes.

—C'est très bien, répondit Adam.

—Jouons, annonça Cash en posant sa main dans le dos de Marisol avec familiarité pour la guider. Je vais vous apprendre la casse.

Marisol l'écouta attentivement. Toutefois, la concentration la plus intense ne pouvait pas contrebalancer l'effet stimulant que produisait la proximité de Cash. Lorsqu'il plaça ses mains sur les siennes pour lui montrer comment former un chevalet avec ses doigts, elle fut prise de fourmillements. Il lui sourit pour récompenser ses efforts, et elle retint un soupir. Puis il la prit par les hanches pour la positionner correctement pour le coup suivant, et elle ne put s'empêcher de s'appuyer un peu plus fermement sur ses paumes. Elle aurait juré qu'il avait répondu par un gémissement.

—Je vous ai parlé de l'observatoire qu'on a près d'ici ? lâcha Adam en s'approchant à grands pas.

Il a été construit en 1894 par Percival Lowell, un mathématicien amateur d'astronomie.

Marisol se dégagea de l'étreinte de Cash.

— Non, pas encore.

— C'est un vrai monument historique. En 1930, des astronomes de l'observatoire Lowell ont découvert Pluton – la planète Pluton, hein, pas Pluto le chien. (Adam jeta à Cash un coup d'œil indescriptible et s'humecta les lèvres.) Et, vues d'ici, les étoiles ressemblent à des millions de diamants éparpillés sur euh… du velours noir.

Marisol regarda Cash avec l'air de dire : « N'est-il pas mignon ? » mais celui-ci faisait déjà les gros yeux à Adam. Elle opta donc pour répondre :

— Ah oui ?

— Tout à fait. Vous devriez aller voir un de ces jours. (Son regard passa de Cash à Marisol, puis il parcourut les quelques pas qui les séparaient.) Comme maintenant, par exemple. Je vous accompagne sur le perron.

— C'est à son tour de jouer.

Ce disant, Cash revint dans l'espace vital de Marisol, excitant tous les atomes de l'air qui les entourait. Adam répliqua, mais en vain. Sa voix disparut en un murmure de fond sur lequel Marisol ne fut plus en mesure de se concentrer. Elle se sentait attirée vers Cash, poussée à s'approcher encore de lui, à savourer sa voix, à le dévisager avec ravissement.

Il avait un beau visage : honnête, robuste et attirant. Elle aurait pu le regarder pendant des heures. Elle voulait le toucher, être avec lui, le connaître.

Elle n'avait pas l'impression de le fréquenter depuis si peu de temps. Ils semblaient inévitablement unis l'un à l'autre.

— Allez-y, l'encouragea Cash en guidant ses mains. Lancez-vous.

Oh oui ! Elle avait vraiment envie de se lancer, mais, en présence d'Adam qui donnait une conférence sur les systèmes solaires et les événements historiques, elle savait qu'il serait impoli de pousser Cash sur la table de billard pour lui arracher ses vêtements. Même dans ce trou paumé.

Ainsi, elle tenta un autre coup et, cette fois, elle réussit à taper la bille. *Hourra !* Contente d'elle, elle fit une petite danse et topa avec Cash. Leurs regards se croisèrent. Leurs mains restèrent collées, leurs doigts s'entrelacèrent et se serrèrent. À ce simple contact, un frisson parcourut le corps tout entier de Marisol.

Bon sang ! Tous les deux, on va être phénoménaux.

Enfin, on pourrait l'être, se reprit Marisol, *sans cet interdit à deux balles.*

Toucher Cash lui faisait tout oublier. Elle aurait dû prévoir qu'il aurait les mains douces… et une poigne ferme et décidée. Les hommes qui n'avaient pas peur du contact étaient ses préférés.

— … mais, bien sûr, d'autres scientifiques s'y sont opposés ! s'écria Adam. (Il avait dû palabrer sur l'astronomie et les constellations pendant tout ce temps.) Lowell était le seul à y croire !

Décontenancée, Marisol lâcha la main de Cash.

Ce dernier, tout aussi calmé, serra le poing.

— À toi de jouer, Adam.

Son manager le regarda sévèrement. Un autre message passa entre eux. Rien à voir avec le camp d'entraînement ni avec une rivalité liée au billard.

Avec des parents divorcés, un père très critique et trois belles-mères, impossible de ne pas apprendre le langage du corps. Tous ces mouvements de sourcils, ces gestes impatients et ces regards entendus que s'échangeaient Cash et Adam cachaient forcément quelque chose.

Une fois de plus, Adam s'immisça entre Cash et Marisol. D'ailleurs, il en profita pour la pousser comme le faisaient parfois les chasseurs d'autographes avec Caprice et Tenley quand elles faisaient du shopping toutes les trois sur la Promenade de Santa Monica.

Perplexe, Marisol se décala.

—N'oublie pas que tu es en période de préparation, rappela le manager à Cash en le prenant par le bras pour souligner son propos. Tu as promis que tu ne jouerais pas à ça.

—À quoi ? s'enquit Marisol. Au billard ?

Les deux hommes se tournèrent vers elle comme s'ils se souvenaient tout d'un coup de sa présence. Cash grommela en jetant à Adam un regard frustré.

Avec indignation, Marisol planta ses poings sur ses hanches et attendit une explication. Peut-être que les deux amis avaient vraiment l'esprit de compétition, mais elle doutait que cela justifie l'entêtement d'Adam à s'interposer entre elle et Cash, ou les regards vaguement coupables que ce dernier lançait continuellement à son manager. Sans oublier l'acharnement avec lequel ils parlaient de la période de remise en forme, comme s'ils s'exprimaient en langage codé.

Soudain, elle eut un flash. Elle se demanda comment elle avait pu être aussi aveugle.

Comment avait-elle fait pour ne pas comprendre ce qui se passait?

— Bon, écoutez. Vous n'avez qu'à continuer à jouer tous les deux, décida-t-elle en indiquant la table de billard. Il faut que je mette les enfants au lit, maintenant.

Elle rajusta sa jupe et son tablier, gratifia les deux hommes d'un sourire légèrement vacillant, puis elle prit la direction de la sortie.

Chapitre 16

Il fallut deux jours à Cash pour réussir à coincer Marisol et lui demander pourquoi elle avait quitté aussi brusquement leur leçon de billard. Même là, il ne réussit à l'intercepter qu'entre une séance de relooking de nounours et la préparation de trois coupes de glace vanille-chocolat pour le petit déjeuner.

Sidéré, il trouva ses enfants attablés devant des bols de céréales surmontées de crème glacée.

— De la glace ? s'étonna-t-il. Qui vous a autorisés à manger ça pour le petit déj' ?

La bouche pleine, Jacob tendit sa cuillère.

— Marichol a dit qu'on pouvait, bredouilla-t-il, la bouche pleine.

On aurait dit qu'il avait décoré sa glace avec des miettes de chips et du poivre noir, et il piochait dans ce mélange avec régal.

— C'est bon pour la santé, l'informa Emily en détachant son regard de ses Polly Pocket. Des études démontrent que manger trois produits laitiers par jour aide à perdre du poids.

— C'est vrai, confirma Hannah.

Elle rajusta son ours en peluche – qui portait des boucles d'oreilles créoles, une casquette et un short doré – de sorte qu'il soit assis au-dessus des nounours d'Emily et de Jacob.

—Pour l'instant, c'est moi qui en mange le plus, ajouta-t-elle.

—Ce n'est pas une compétition.

Cash examina le packaging enfantin de la glace. Il semblait cabossé, comme si les triplés s'étaient acharnés dessus.

—Marisol aussi a mangé de la glace, la dénonça Jacob.

—Ah bon ?

J'aurais bien aimé voir ça.

Cela détourna instantanément son attention. Il l'imagina léchant la cuillère, les yeux fermés d'extase dès la première morsure du froid, frissonnant de satisfaction tandis que la glace fondrait dans sa bouche. Mmm !... Il ne doutait pas une seconde que Marisol soit le genre de femmes à savoir apprécier les bonnes choses. Lentement. Sensuellement. Tout entière concentrée sur son plaisir.

Adam se racla la gorge, sortant Cash de ses pensées.

Cash lui lança un regard agacé.

Son manager se contenta de baisser son journal et de prélever deux autres analgésiques de la marque Shoparama dans le grand bocal posé sur la table. Il les goba avec une gorgée de café sans cacher son mécontentement.

Adam ne croyait pas à l'utilité de sa présence ici, même après toutes ses interventions et les conversations ennuyeuses par lesquelles il avait dû passer ces dernières quarante-huit heures. De toute évidence, il voulait le faire savoir à Cash. Il voulait aussi que celui-ci comprenne qu'il ne dormait pas bien sur le canapé.

— Oh! Va t'acheter du Baume du Tigre, vieux, lâcha Cash.

Adam releva simplement son journal.

Les enfants continuèrent à dévorer leur «petit déjeuner», faisant fi de toutes les règles qu'il leur avait inculquées en matière d'alimentation équilibrée. D'ailleurs, Cash ne savait pas où ils s'étaient procuré cette glace. Pendant ses entraînements, il ne pouvait rien vérifier. En y repensant, il avait remarqué l'apparition de plusieurs nouveautés dans le garde-manger, récemment…

Tout à coup, une voix attira son attention de l'autre côté de la maison.

— N'oubliez pas de mettre vos bols dans le lave-vaisselle, rappela Marisol. Je ne veux pas jouer à cache-cache avec eux encore une fois.

— Oui, oui! répondirent en chœur les enfants. (Ils ricanèrent, prévoyant certainement de tout faire sauf ça.) Dans le lave-vaisselle.

Sans perdre de temps avec les manigances de sa progéniture, Cash pivota vers la grande chambre. Il allait trouver Marisol et élucider le mystère de la glace – et du reste, d'ailleurs.

Jetant son sac de sport et ses clés sur l'îlot central de la cuisine, il partit en quête de sa nounou portée disparue.

Cash commença par se cogner un orteil.

Il hurla et agrippa son pied nu en sautillant dans le couloir. Qui diable avait déplacé cette table ?

Marisol émergea de la chambre et le regarda d'un air inquisiteur et excessivement impertinent. Elle tenait un plumeau. Si Cash ne venait pas de se faire mal, il lui aurait donné la fessée avec. En l'occurrence, il ne put que serrer la mâchoire et essayer de passer outre la douleur de son doigt de pied.

Comment cela avait-il pu se produire ? Il ne demandait qu'un été agréable et prévisible afin d'exceller lors de son camp d'entraînement, d'affirmer sa place au sein des Scorpions et de convaincre Stephanie qu'il méritait une extension de son temps de garde. Au lieu de cela, il se retrouvait confronté à une rébellion, au désordre et peut-être à un orteil cassé. Sans oublier la présence d'une nounou irrésistible.

— Qu'est-ce que ça fout là, ça ? demanda-t-il en indiquant la table.

— La console ? (Marisol cligna des yeux.) Eh bien, elle n'était pas utilisée à sa juste valeur dans le salon, donc je l'ai mise dans le couloir. Ça remplit bien l'espace, vous ne trouvez pas ?

— Non.

— Eh bien, moi, si ! Surtout avec ce vase dessus.

Elle le jaugea du regard, sembla en conclure que son orteil n'était pas cassé et croisa les bras. Le plumeau dépassait sous son coude, rappelant à Cash qu'il devait appartenir à l'ensemble de soubrette.

— Je ne sais pas qui est votre décorateur, mais il n'a manifestement pas le sens des proportions et des couleurs. Je prévois quelques améliorations, si ça ne vous dérange pas, maintenant que j'ai trouvé mon rythme avec les enfants.

— Peu importe, rétorqua-t-il. Allez-y. Faites n'importe quoi.

Marisol fit une adorable petite moue.

— Vous allez bien ? Vous avez l'air grincheux. (Elle se pencha sur le côté comme pour regarder dans le salon, au bout du couloir.) Vous n'avez pas encore dû manger votre petit déjeuner. Vous êtes toujours un peu ronchon avant votre omelette avec six œufs, de la féta, des épinards et des biscuits.

Elle sourit, comme si ce mélange était très amusant.

Cash ne voyait pas ce qu'elle trouvait de si drôle là-dedans.

— J'aime bien manger la même chose tous les matins. Et alors ? Les œufs, c'est bon pour la santé. Où est le problème ?

— Eh bien… je comprends de qui Jacob tient ça, c'est tout.

— De qui il tient quoi ?

— Ses goûts bizarres. Arrêtez, ne me dites pas que vous n'avez jamais rien remarqué ? insista-t-elle en lui donnant un petit coup de coude. Vous, vous osez tremper vos Doritos dans la confiture de fraises, et lui, il dévore des sandwichs à la bolognaise sur du pain aux raisins secs avec de la sauce piquante.

— Je n'avais jamais fait le rapprochement, reconnut Cash.

Pour l'instant, il avait surtout envie de se rapprocher d'elle. Elle portait encore une jupe courte blanche, comme il les aimait. Des talons hauts, également.

Et un haut blanc dont, malheureusement, l'épaisseur ne permettait pas d'entrevoir son soutien-gorge en dentelle.

—OK, niez si vous voulez, lui dit Marisol. À *Dzeel*, ils diraient que vous êtes « dans le déni de vos déclencheurs » et ils pousseraient votre thérapie plus loin.

Dzeel. Merde! Je n'ai toujours pas lu son dossier.

—Bref, je ne vous dénoncerai pas à Jeremy Fordham, promit-elle avec des yeux pétillants de malice. Mais je voulais vous dire…

Elle s'approcha de lui, apparemment décidée à laisser momentanément de côté la discussion sur ses goûts alimentaires. Elle le regarda droit dans les yeux, solennellement.

—Je suis désolée pour l'autre soir, quand on jouait au billard. Je ne voulais pas paraître maladroite ni mettre qui que ce soit mal à l'aise.

Elle l'avait mis mal à l'aise, lui, cela ne faisait aucun doute, mais Cash doutait qu'elle parle de la soudaine étroitesse de son caleçon.

Il hocha la tête.

—C'est juste que… (Marisol s'interrompit pour regarder au bout du couloir, puis elle planta son regard dans le sien.) Je n'avais pas compris que vous étiez si proches, Adam et vous, mais ne vous inquiétez pas. Tant qu'il sera là, je m'arrangerai pour que vous passiez le plus de temps possible seuls, tous les deux.

—Seuls? répéta Cash, incrédule.

— Vous savez… (Elle lui flanqua un coup de coude complice dans les côtes.) Seuls. Pour que vous ayez un peu d'intimité.

— De l'intimité ? Pour quoi faire ?

— Tout ce que vous voudrez. (Elle sourit et lui serra le bras.) Je vous trouve mignons, tous les deux.

— Mignons ?

— Je ne vais pas vous mentir : je suis un peu déçue, poursuivit-elle. Et je dois avouer que je suis un peu gênée de ne pas avoir perçu les signaux plus tôt. Enfin, maintenant que je sais ce qu'il y a entre Adam et vous, je vous promets de ne pas m'interposer.

Cash fronça les sourcils.

Mais qu'est-ce qu'elle raconte ?

Inconsciente de sa confusion, Marisol s'enflamma.

— En fait, on devrait décider d'un genre de code pour que j'occupe les enfants quand vous voudrez un peu de temps entre adultes avec Adam ! proposa-t-elle avec un clin d'œil. Vous n'aurez qu'à me faire un signe, et je les emmènerai jouer au baseball ou à autre chose.

Du temps entre adultes ?

Abasourdi, Cash en resta bouche bée.

— Vous pensez qu'Adam et moi sommes en couple ?

— Ben… ouais. Bien sûr, confirma-t-elle en désignant la cuisine. Les regards que vous vous échangez, ces coups d'œil en coin… C'est tellement romantique !

— Romantique ?

Marisol acquiesça.

— Pour tout vous dire, quand Adam vous a mis une tape sur les fesses hier, j'ai failli pleurer. Je vous le jure.

Apparemment toujours un peu mitigée, elle lui adressa un salut de scout. Cash n'en croyait pas ses yeux ni ses oreilles.

— Adam et moi sommes juste amis, dit-il.

— C'est bon, Cash, répondit-elle d'un air complice. Ne faites pas de manières avec moi. Je sais que la situation est délicate parce que vous êtes footballeur, mais…

Il posa ses doigts sur la bouche de Marisol pour la faire taire, puis secoua la tête avec plus de conviction.

— Vous vous faites des idées.

— Ce n'est pas grave ! Enfin, j'ai un peu honte d'avoir autant flashé sur vous, reconnut Marisol, vu que ce n'est pas réciproque. Je pensais qu'il y avait plus…

— Il y a plus, confirma Cash. Pour moi aussi. (Elle se tut et le dévisagea.) Adam ne m'intéresse pas surtout pas de cette façon.

— Ah bon ?

Il secoua la tête. Il distinguait presque les rouages qui tournaient dans le cerveau de Marisol. Son sourire disparut, mais ses lèvres ne perdirent rien de leur caractère pulpeux. Elle venait de comprendre.

— Oh ! Ça vient seulement d'Adam ? (Elle le saisit par le bras avec ferveur, les yeux écarquillés.) Il est attiré par vous, mais ce n'est pas réciproque non plus. (Elle posa une main sur son cœur.) Oh ! Le pauvre. Je sais ce que c'est.

—Non! murmura Cash pour éviter d'être entendu par son manager et ses trois enfants, juste au bout du couloir. Écoutez-moi…

—Vous devriez être plus gentil avec lui, déclara Marisol avec un regard sévère. Je vous ai entendu l'insulter, vous savez. Vous devriez être sensible aux sentiments d'Adam, même si vous ne pouvez pas les lui rendre. Ce serait plus correct.

Cash serra les poings en priant pour garder patience.

—Stop. Écoutez-moi. Adam n'éprouve rien pour moi, et je n'éprouve rien pour lui. On est juste amis. C'est tout. Amis.

—Mais… (Marisol réfléchit un instant avant de désigner la salle des trophées de Bulldozer.) Les regards lourds de sens. Toutes les fois où il s'est immiscé entre nous. Les coups d'œil jaloux et les messages codés…

—Les messages codés?

—La « remise en forme », les « petites douceurs »… Ne me dites pas que ce n'étaient pas des messages codés.

—Rappelez-moi de ne jamais vous faire lire les schémas tactiques des Scorpions.

Elle éclata de rire, mais resta en attente.

Cash pesta.

Tu m'emmerdes, Adam! J'ai autre chose à faire que de me retrouver dans cette situation maintenant!

—Adam essayait juste de m'aider.

—À faire quoi?

—À ne pas vous approcher.

Cash se passa la paume sur le front en évitant de croiser le regard de Marisol… comme pour se cacher de cette inconfortable vérité. Toutefois, la jeune femme méritait de la connaître, et Cash aimait aller droit au but.

—Adam est là pour m'empêcher de vous toucher.

Pendant un court instant, seul le silence lui répondit. Il releva la tête.

Marisol paraissait encore plus déroutée qu'avant.

—Vous avez besoin de tout ça juste pour ne pas me toucher ?

Cash hocha la tête humblement.

—Vous êtes la nourrice de mes enfants. (Il n'arrivait pas à la regarder en face sachant ce qu'il comptait lui dire.) Je ne suis pas censé profiter de la situation… ou de vous.

—Ah !… (Marisol hocha la tête le temps d'intégrer cette information.) C'est vrai. On en a déjà parlé. Vous m'avez dit : « Il ne se passera rien entre nous. » Je n'avais pas compris que vous vouliez profiter de moi.

—Ce n'est pas le cas. (Il fit appel à sa légendaire discipline.) Et je ne le ferai pas. (Il inspira profondément.) Bon, maintenant que c'est réglé…

—Réglé ? Qui a dit ça ? (Marisol regarda les poings de Cash posés sur ses hanches et elle les prit dans ses mains en les serrant doucement.) Et si c'était moi qui profitais de vous ?

Il retint son souffle. Toute son attention se concentra sur leurs mains jointes. Le contact de Marisol était aussi délicat qu'elle… et largement aussi tenace. Cela lui plaisait. Tout lui plaisait.

— Vous ne pouvez pas profiter de moi. Je suis trop fort pour vous.

— Ah oui ? (Elle haussa les sourcils et planta son regard sur les lèvres de Cash.) C'est ce qu'on va voir.

Quelques secondes plus tard, leurs bouches entraient en contact. La terre entière se mit à tanguer. Lentement, doucement, tendrement, Marisol l'embrassa en posant les mains de Cash sur ses propres hanches. Elle leva les yeux, sourit et recommença.

Ce contact et l'idée qu'elle le désire autant qu'il avait envie d'elle ébranlèrent Cash. Il le sentit dans son baiser, dans son toucher, dans son inspiration quand elle s'adossa au mur en l'attirant vers elle.

Il n'en fallut pas davantage à Cash. Il se colla contre elle, visant le même objectif que Marisol : l'abandon total. Il l'incita à ouvrir les lèvres, entre lesquelles il glissa sa langue en gémissant de plaisir tandis que leur baiser devenait plus passionné. Il n'avait jamais rien vécu d'aussi incroyable, d'aussi enflammé et habité par un désir aussi hallucinant.

Lorsqu'il releva finalement la tête, ils étaient plaqués l'un contre l'autre, adossés au mur du couloir. Cash n'en revenait pas que les rondins dans le dos de Marisol ne se soient pas déjà embrasés. Haletante, elle le regarda et passa les doigts dans ses cheveux.

— Encore ! réclama-t-elle.

Obéissant, il lui donna un autre baiser, aussi profond. Ce contact lui semblait absolument nécessaire, comme une incroyable confirmation qu'embrasser Marisol était dans l'ordre des choses. Cash ignorait d'où provenait cette sensation, et il s'en moquait.

Tant qu'il tenait dans ses bras cette femme attirante et brûlante de désir, et tant qu'elle continuait à l'embrasser. Les petits gémissements de Marisol le rendaient dingue. Ils étaient tellement sensuels, tellement rauques, tellement désinhibés…

Son désir longtemps refoulé le suppliait de le libérer, et Cash savait exactement comment le satisfaire. Il empoigna les fesses de Marisol et la serra brusquement contre lui sans cesser de l'embrasser. Oh oui! Il aurait pu rester là toute la journée, toute la nuit, tout le temps. Tout son être se délectait du contact de Marisol sous ses doigts, de leurs baisers, et de l'empressement de son corps à se rapprocher d'elle, toujours plus près…

— Papa, y a ton téléphone qui sonne! cria Hannah.

Ses pas retentirent dans le couloir.

Pris de panique, Cash poussa Marisol. Leurs lèvres se séparèrent avec un bruit presque comique. Il recula vivement et fit volte-face, tandis que ses poils se hérissaient.

Merde, merde, merde!

Hannah freina. Elle promena son regard de lui à Marisol, qui était tout ébouriffée, puis lui tendit son téléphone portable, dont les témoins lumineux clignotaient sur un air des Scorpions.

Il n'y avait rien d'autre à faire, donc il décrocha.

— Quoi? aboya-t-il dans le combiné.

— Écarte-toi de la nounou, lui ordonna une voix sévère familière. Lève les mains en l'air, ou enfile une camisole de force. Franchement, Connelly, c'est quoi, ton problème?

Cash se détourna en couvrant son téléphone de sa main libre.

—Adam?

—Qui veux-tu que ce soit? Sérieux, pourquoi tu ne gardes pas ton portable sur toi, comme tout le monde? Je n'avais pas prévu que Hannah le prendrait.

Cash chercha son manager au bout du couloir. *Nada.* Cet homme devait avoir des yeux partout.

Il a installé des caméras ou quoi?

—Qu'est-ce que tu fais, espèce de pervers?

—Je sauve ta peau, répondit Adam sèchement. Comme tu me l'as demandé. Tu te rappelles?

Cash grommela. Voyant que Hannah l'observait avec ses grands yeux innocents, il lui caressa les cheveux et la rassura d'un sourire.

—Merci, mon cœur. Tu peux aller finir ta glace, maintenant.

Sa fille partit en sautillant, évitant habilement la table déplacée. Apparemment, seules les femmes possédaient l'instinct de survie à la redécoration. À ce propos, il venait de donner carte blanche à Marisol pour faire ce qu'elle voulait de la maison de Bulldozer. Il était foutu.

—Eh! Tu es là? l'interpella Adam dans son oreille. (Cash l'imagina en train de faire les cent pas.) Parce que je viens de me rappeler où j'ai vu Marisol. Cette fois, ça te dépasse complètement, mon pote.

—Non, rétorqua-t-il par automatisme.

Il réussissait toujours à tout gérer. Bon, sa réaction n'avait pas été vraiment mature quand il avait découvert que son ex-femme se tapait son receveur, mais qui l'aurait bien pris ?

— Arrête de m'espionner.

— C'est Marisol Winston, insista Adam en passant outre son ordre. Marisol Winston, putain ! De la célèbre famille Winston. Les multimilliardaires qui sont à la tête de l'empire de *The Home Warehouse*.

— Et alors ? demanda Cash en regardant à côté de lui.

Ayant lâché son plumeau pendant qu'ils s'embrassaient, Marisol se pencha pour le ramasser. Elle lissa sa jupe, cette jupe courte, sexy, qui le rendait fou. Il lui lança un regard approbateur.

— Ce n'est pas son compte en banque qui m'intéresse.

— Elle attire les paparazzis comme des mouches, déclara Adam. Elle va te causer des Ennuis avec un E majuscule. La presse parle d'elle au moins une fois par semaine.

— Pas cette semaine.

Mmm !… Il aimait vraiment beaucoup les jambes de Marisol.

— Non. Écoute-moi, gronda Adam dans le téléphone. La dernière chose que les dirigeants des Scorpions attendent de toi, c'est que tu fasses de la pub à l'équipe. (Il marqua une pause, probablement pour laisser son avertissement faire son effet.) Tes disputes avec Tyrell et la division de l'équipe ont suffi. Si en plus…

— C'est du passé, ça ! cracha Cash qui sentait sa colère monter.

—Tu ne peux pas sortir avec ta nounou, décida Adam. Surtout si c'est aussi une célèbre héritière. Tu ne peux pas faire ça.

—Peut-être que toi, tu ne peux pas, répondit Cash en souriant, mais moi…

—Ne joue pas à ça. Tu perds les pédales.

—Non, c'est toi qui perds les pédales. Il n'y a rien de grave.

Marisol époussetait les appliques murales du couloir. Comme elle levait le bras plus haut, sa jupe remonta à une hauteur terriblement alléchante, au point que Cash aperçut sa culotte en dentelle blanche.

Nom d'un chien !

—Et je suis occupé. Éteins tes caméras de surveillance et va t'acheter du Baume du Tigre. C'est moi qui offre.

—Cash. (On aurait dit qu'Adam serrait les dents.) Je te le dis parce que je suis sur le perron, où les enfants ne m'entendent pas, alors écoute-moi bien. Tu es de plus en plus bête. Ne laisse pas ta bite diriger ta vie. Cette situation est instable. N'oublie pas pourquoi je suis là…

Marisol referma sa main sur celle de Cash, étouffant la diatribe du manager.

—Raccroche, murmura-t-elle.

Cash en resta pantois. D'abord, Adam qui piquait une crise, et maintenant ça… D'habitude, les femmes ne lui donnaient pas d'ordres.

—Allez, insista-t-elle. Tu le rappelleras plus tard.

—Non ! Ne t'avise pas de raccrocher ce téléphone ! s'écria Adam d'une voix réduite à un minuscule crissement. Ne m'oblige pas à venir te chercher ! C'est toi qui m'as demandé d'être là. Je suis censé te calmer, putain !

— Je te rappelle, annonça Cash en observant Marisol.

— Non ! Écoute-moi ! beugla Adam. Garde la tête froide. Ne laisse pas cette fille à papa te commander, bordel ! En plus, tu n'aimes pas les dominatrices ! Tu n'es pas obligé de…

— Non, c'est toi qui n'aimes pas les dominatrices.

Adam confondait toujours. Cash sourit à Marisol. Bon sang ! Ce qu'elle était belle. Surtout maintenant que Hannah avait décampé et que les enfants étaient occupés.

— Moi, j'adore ça. Il faut que j'y aille.

Cash coupa brusquement la communication, puis il rangea son téléphone dans sa poche et sentit un sourire enthousiaste naître sur son visage.

— Parfait, approuva Marisol. C'était facile. Je me demande ce que je pourrais te faire faire juste en te le demandant.

Il contempla son air mutin, son grand sourire et ses superbes jambes.

Tout de suite ? À peu près n'importe quoi.

— Eh bien, si tu dis « s'il te plaît », expliqua-t-il en ouvrant les bras, je pense qu'il faudra te contenter de la lune.

Quelque chose de nouveau et d'inexorable s'installait entre eux. Il le sentait à chaque pas que Marisol faisait vers lui.

— Mmm!... Dans ce cas... (Elle le toisa de la tête aux pieds avec des yeux étincelants, puis hocha la tête.) Embrasse-moi encore, s'il te plaît.

Cash s'avança et lui prit la joue au creux de sa main, émerveillé par la douceur de sa peau. Il sourit, puis il posa ses lèvres sur celles de Marisol, qui lui rendit son baiser avec la même ferveur. Il avait l'impression qu'ils attendaient ce baiser depuis des années, qu'ils rêvaient de se toucher depuis des siècles. Le baiser en engendra un deuxième, puis un troisième.

— Oooooh! soupira Emily.

— Trop romantique! s'écria Hannah d'une voix de midinette.

— Beurk! (Jacob racla le fond de son bol de glace et de chips au poivre noir, et l'avala d'une seule bouchée.) Je préfère aller jouer aux petites voitures.

Hein?

Surpris, Cash recula. Les triplés l'observaient d'un air parfaitement serein depuis l'autre bout du couloir, alignés comme des spectateurs.

— C'était encore mieux que quand Tyrell embrasse maman, commenta Emily.

Hannah approuva d'un signe de tête. Jacob fit semblant de s'étrangler en jonglant avec son bol désormais vide.

— Depuis quand vous êtes là? s'enquit Cash.

— Assez longtemps, répondit Hannah.

Les deux autres acquiescèrent. De toute évidence, la petite avait directement balancé son père après lui avoir donné son téléphone. Sympa!

— Salut, les enfants ! s'exclama Marisol. Vous avez fini votre petit déj' ?

Ils hochèrent la tête sans quitter Cash du regard. Celui-ci en conclut qu'il n'avait pas d'autre recours que d'assumer ce qui venait de se passer. Il n'était pas du genre à se dérober. Il savait quelle était la meilleure chose à faire, même avec Adam perché sur son épaule comme Jiminy Cricket.

— Écoutez-moi, les enfants, dit-il en s'accroupissant pour se mettre à leur hauteur. Il arrive qu'un monsieur et une dame s'aiment bien et qu'ils veuillent… euh… passer un peu de temps en tête à tête…

— Ouais. Pour s'embrasser, gloussa Emily.

— Peut-être, oui, confirma Cash. (*Et pas qu'un peu !* renchérit son corps.) Mais aussi pour rester entre adultes, parler, exprimer leurs sentiments et apprendre à se connaître…

— Et pour se lécher la figure ! lança Jacob avec jubilation.

Cash essaya courageusement de garder une expression sérieuse.

— D'accord… et pour se lécher la figure, répéta-t-il d'un ton solennel en décochant un regard à Marisol.

Elle pouvait peut-être l'aider à se sortir de là. Il ne voulait pas retarder le développement de ses enfants en les traitant comme des bébés, ni trop entrer dans les détails. Bref, il voulait se montrer respectueux.

La vache ! C'est compliqué d'être père !

Marisol hocha gravement la tête.

— Pour mélanger sa salive, renchérit-elle.

C'est une blague ?

D'un coup d'œil, Cash lui fit comprendre qu'elle ne l'aidait pas.

Elle haussa les épaules et développa.

—Danser la « languada ».

Hannah, Emily et Jacob approuvèrent d'un air grave.

—Se sucer la pomme.

—Passer la seconde.

—Se lécher les amygdales !

—Se rouler des pelles.

—Ça suffit ! hurla Cash en leur décochant à tous les quatre un regard sévère. *(Ils sont tarés ou quoi ?)* Conclusion : ça ne regarde que moi si j'ai envie de draguer Marisol.

Ils le dévisagèrent, bouche bée.

—Enfin, ce sont un peu mes oignons aussi, corrigea l'intéressée.

—Oui, papa ! insista Emily en se frayant un passage à coups de coude vers sa nounou. C'est aussi les oignons de Marisol. *Girl power* !

—Est-ce que vous allez vous marier, tous les deux ? intervint Jacob.

—Oh ! Est-ce que je pourrai encore tenir le bouquet ? réclama Hannah.

—Non ! C'est moi ! protesta Emily en sautillant sur place.

—Moi, moi, moi ! objecta Hannah. Je suis meilleure qu'elle pour ça.

—Moi, je veux pas tenir le bouquet. (Jacob recula, faisant tinter sa cuillère dans son bol.) J'ai pas envie.

Je rêve ou ils sont en train d'organiser mon mariage ?

Cash chercha de l'aide dans les yeux de Marisol. En vain. Tout ce souk semblait lui plaire. Et elle était adorablement débraillée. Il aurait voulu la soulever, l'emmener dans sa chambre et la découvrir un peu plus. Ensuite, il la laisserait sortir… dans trois ou quatre jours… peut-être.

Hum, hum. Qu'est-ce que j'ai foutu de mon self-control ?

Il se racla la gorge ostensiblement. D'un geste, il demanda un temps mort, histoire de reprendre la maîtrise de la situation.

Le chahut ne cessa pas. Il mit ses doigts dans sa bouche et siffla.

Tout le monde se tut et se tourna vers lui avec attention.

—Il faut que je parte à l'entraînement, déclara-t-il avant de prendre la poudre d'escampette.

Chapitre 17

—Non, je ne plaisante pas.

Marisol ajusta son kit mains libres en s'assurant de ne pas perdre de vue les triplés qui faisaient les fous devant elle dans un rayon du *Shoparama*.

—On a passé un moment extraordinaire tous les deux, et puis il s'est enfui. Qu'est-ce que ça veut dire, à ton avis ?

—Peut-être qu'il devait aller à l'entraînement, comme il l'a dit, proposa Tenley. (De toutes ses amies, c'était elle qui lui donnait toujours le point de vue le plus optimiste.) Les hommes sont simples. Ils disent ce qu'ils pensent.

—C'est ça, ricana Caprice à l'autre bout de leur conversation à trois.

Elle paraissait essoufflée. Elle devait probablement être en plein milieu de son marathon shopping du jeudi.

—Les hommes sont super directs, continua-t-elle. Comme quand ils disent «je t'appelle» et qu'ils ne le font pas.

—Parfois, ils rappellent, insista Tenley.

—Oh! Un nouveau haut Rebecca Taylor! s'écria Caprice qui venait visiblement de perdre le fil de la discussion. Trop mignon!

—J'aimerais bien voir ça.

Marisol poussa tristement son chariot devant un rayon de plats cuisinés. Pile ce qu'il lui fallait. Elle ajouta quelques boîtes à ses provisions.

—Je n'ai pas fait de shopping – du vrai – depuis une éternité. Tu as reçu ton cadeau d'anniversaire, Caprice?

—Ouais. Par livraison spéciale, comme tu l'as demandé. Merci, ma puce. C'était parfait.

Cela réchauffa le cœur de Marisol, qui serra un peu plus la poignée de son chariot.

—Vous me manquez, les copines.

—Tu me manques aussi, répondit Tenley.

—À moi aussi.

Un gros «boum» retentit. Caprice avait dû laisser tomber son portable.

—Désolée. Je viens de me battre pour le plus beau jean slim du monde.

—Tu as gagné? s'enquit Marisol.

—Bien sûr. Dis donc, ça fait vraiment longtemps que tu es partie.

Ses deux amies rirent, mais Marisol se sentit soudain étrangement détachées d'elles. Elle était partie depuis longtemps, mais la terre continuait à tourner sans elle.

—Ne t'inquiète pas, Tenley, rétorqua-t-elle avec un entrain forcé. Je trouverai le cadeau idéal pour toi aussi.

—C'est bon. (Son amie parut perplexe.) Tu n'as pas besoin de m'offrir quoi que ce soit. Ce n'est pas mon anniversaire, tu sais. Par contre, reviens vite, d'accord?

—Promis.

Toutefois, Marisol savait que cela ne suffisait pas. Elle leva les yeux de sa liste de courses pour chercher un cadeau potentiel.

Dommage que le *Shoparama* ne vende pas de coffrets Spa.

—En attendant, amuse-toi bien avec ton *quarter-back* sexy, souligna Caprice. Quitte à être coincée dans un trou paumé, autant te taper Davy Crockett, non?

Elles rirent de plus belle.

—En fait, je pense que ça ne va pas se limiter à ça, reconnut Marisol.

Elle passa devant une rangée de boîtes de céréales multicolores, chacune promettant plus de vitamines et d'antioxydants que sa voisine. Tout le monde savait que ces derniers étaient bons pour la peau. Or, il était important de prendre soin de son teint, même pour les enfants. Elle en prit donc plusieurs sortes.

—Cash a quelque chose. Un truc en plus. J'ai vraiment envie qu'il m'apprécie. Qu'il pense du bien de moi. Qu'il me respecte. Vous voyez ce que je veux dire?

—Bien sûr qu'il va ressentir ça pour toi. Qui pourrait résister? demanda la fidèle Tenley.

—Mettez ça sur mon AmEx, intervint la voix étouffée de Caprice. Et faites tout livrer à cette adresse, merci. (Elle reprit la conversation.) Désolée. Où on en était?

—Au milieu de coup de cœur de Marisol pour son patron.

—OK. Eh bien, moi, je dis : fonce ! Sois toi-même jusqu'au bout.

—Merci, les filles.

Marisol vit les enfants tourner à un angle. Si elle ne se dépêchait pas, elle finirait par les perdre. Ses talons claquant sur le carrelage, elle fonça donc dans le rayon, passant devant un étalage alléchant de gâteaux.

Waouh ! Je commence vraiment à choper le truc des héroïnes de Desperate Housewives.

—Le problème, c'est qu'il travaille dur. Il a sué sang et eau pour en arriver là.

—Il est si fragile que ça ? l'interrompit Caprice. Oh, ma chérie…

—C'est un aphorisme, la coupa Tenley. Continue…

—Un quoi ? Ça a l'air grave. Quel âge il a ?

—Laisse tomber. Continue, Marisol.

Celle-ci sourit.

—Et il ne sera pas impressionné par l'ampleur de mon compte en banque, ni par le nombre d'invitations que je reçois, ni par la taille de mon placard à chaussures.

Même s'il s'agissait d'un vrai paradis du pied de cinquante mètres carrés, meublé d'étagères sur mesure et climatisé.

Bon sang ! Cette pièce lui manquait. Le reste de sa maison sur la plage aussi. Elle était tellement épurée, tellement propre…, tellement austère.

Hein ? Austère ? D'où ça sort, ça ?

Ta maison est sophistiquée et luxueuse, se rappela-t-elle. *Pas comme la cabane en bois visqueuse, tapissée de gelée au raisin et parsemée de jouets, où tu vis en ce moment.*

— Tu travailles dur aussi, déclara Tenley d'une voix gaie qui la sortit de ses pensées. Regarde tous les cadeaux géniaux que tu as trouvés à tout le monde pour Noël. Ça t'a pris plusieurs jours rien que pour superviser l'équipe d'emballage.

— Et tu déchires en décoration d'intérieur, ajouta Caprice. (Les bruits de la circulation de Los Angeles résonnèrent dans le téléphone. Elle était sortie de la boutique.) Je ne connais personne d'autre qui ait une maison de rêve comme la tienne.

C'était vrai. Marisol avait longtemps travaillé d'arrache-pied pour dénicher et installer les divers meubles de sa villa. Elle s'était même imaginée en designer et avait pensé ouvrir sa propre boutique de décoration d'intérieur, un jour. L'exact opposé de *The Home Warehouse*, un lieu où rien ne serait en plastique, pratique ni lavable en machine. Un endroit dont elle serait fière, qu'elle pourrait développer toute seule, où elle deviendrait autre chose qu'un nom prétentieux aux ambitions avortées.

La seule fois où elle avait abordé le sujet, son père avait tout réfuté en prétendant que Marisol ne possédait pas les atouts nécessaires pour monter une affaire. À raison, supposait-elle, puisqu'elle s'était retrouvée en cure de désintoxication au shopping deux semaines plus tard. *Dzeel* ne ressemblait pas vraiment à un centre de formation pour jeunes entrepreneurs.

Au moins, Tenley et Caprice étaient de son côté.

— Oh! Vous êtes les meilleures, les copines. Merci d'être là.

Ses amies murmurèrent encore des encouragements et des mots gentils, et Marisol fut heureuse de les avoir appelées. Malgré les difficultés qu'elle éprouvait à pousser un chariot, à choisir des aliments raisonnables, à entrer son identifiant de *Dzeel* pour les courses et à parler au téléphone en même temps. Ah! Et à garder un œil sur les enfants. Ce job de nounou requérait un réel don pour les tâches multiples. Heureusement qu'elle avait l'habitude de…

Les triplés avaient disparu.

Elle tourna à l'angle, s'attendant à y trouver Hannah, Emily et Jacob, mais ils restaient invisibles.

— Il faut que j'y aille! s'exclama Marisol.

Elle raccrocha et se mit à courir dans le rayon.

Deux minutes d'affolement plus tard, elle ne les avait toujours pas retrouvés. Le cœur battant à tout rompre et l'estomac noué, elle fit le même chemin à l'envers une dernière fois. Comment avait-elle pu laisser les triplés échapper à sa surveillance? Rien qu'une seconde. Où étaient-ils donc passés? Comment les retrouver?

Elle s'arrêta net, les mains tremblantes. Comment allait-elle annoncer à Cash qu'elle avait perdu ses enfants?

Oh non, non, non!

Paniquée, Marisol sonda les énormes étalages de pommes, de bananes et de carottes. Pourquoi empilaient-ils tout aussi haut, ici ? Elle dut parcourir toutes les allées en tournant la tête de gauche à droite pour voir si les triplés s'y cachaient. Les enfants étaient petits. Tellement fragiles…

Trouvant un responsable de rayon qui rafraîchissait la laitue, elle le saisit par le bras avec un regard fou.

— Vous avez vu trois petits enfants ? Ils étaient juste là.

— Désolé, madame. (Il fit « non » de la tête.) Essayez à la boulangerie. Les enfants se promènent parfois là-bas pour les gâteaux gratuits.

Des gâteaux gratuits ? Génial !

Elle fila dans cette direction.

— Vous avez vu trois petits enfants ? Deux filles et un garçon, à peu près grands comme ça, précisa Marisol en mettant la main au niveau de sa taille et en refoulant ses larmes. J'ai tourné les yeux juste une seconde. Vous leur avez peut-être donné des gâteaux gratuits.

— Oui, acquiesça la vendeuse coiffée d'un filet. Ils sont venus ici.

Marisol eut envie de pleurer de soulagement. Elle tremblait de tout son corps.

— Oh, mon Dieu ! Merci ! s'écria-t-elle en regardant autour d'elle. Où sont-ils ?

— Ils sont partis par là, indiqua Madame Filet-à-Cheveux en tendant le doigt.

Non. Non ! Paniquée, Marisol prit la direction du rayon frais. Derrière les réfrigérateurs, un adolescent maigrichon faisait la promotion des saucisses. Il semblait à peine assez costaud pour déplacer son micro et le poser à côté d'une liste d'offres spéciales – dont, pour une fois, Marisol se fichait éperdument –, alors soulever un salami entier…

— Vous avez vu…, commença-t-elle avant d'examiner le micro.

Une meilleure idée lui vint à l'esprit. Elle se jeta devant l'adolescent et s'empara de l'appareil.

Merde! Comment ça s'allume? Ah! Ici.

— Mesdames et messieurs, votre attention, s'il vous plaît, lança-t-elle.

Sa voix tremblait, comme si elle était sur le point d'éclater en sanglots. Marisol rassembla ses forces. Personne n'écouterait une hystérique lunatique. En revanche, sa voix de négociatrice en chaises Achille Castiglioni pourrait se révéler utile.

— Emily, Hannah et Jacob Connelly sont cordialement invités à se rendre au rayon Traiteur, annonça-t-elle calmement. Un granité gratuit vous y attend. Je répète : un granité gratuit vous y attend.

Inquiète, elle éteignit le micro et attendit.

Elle le ralluma.

— Des bleus. Des granités bleus.

Elle coupa de nouveau le contact. Un long moment passa. Puis un autre.

Une voix hésitante interrompit sa surveillance.

— Madame, je crois que c'est à moi.

L'adolescent essaya de récupérer son micro, mais Marisol resserra sa prise.

—Va donc allumer la machine à granités, gamin. Je ne lâcherai pas.

La tactique de Marisol ne fonctionna pas. Trois minutes atrocement longues après son annonce, Hannah, Jacob et Emily restaient introuvables.

Les autres clients arpentaient les rayons sans se soucier du drame qui se jouait. Marisol avait envie de leur crier dessus : « Vous ne vous rendez pas compte que l'heure est grave ? Je viens de perdre trois adorables enfants ! » Certains s'arrêtaient au rayon Traiteur en jetant des regards curieux vers elle, tandis qu'elle faisait les cent pas devant la salade piémontaise.

Deux adolescentes la pointèrent du doigt en chuchotant. L'une d'elle ouvrit son magazine, examina les pages et dévisagea de nouveau Marisol. Finalement, elle vint vers elle.

—Euh… vous ne seriez pas… genre… Marisol Winston ?

—Ouais, confirma la deuxième. Vous lui ressemblez carrément trop.

—Sauf qu'en vrai vous faites plus grosse, décréta la première fille en tendant son magazine ouvert sur une photo prise trois mois plus tôt par un paparazzi. Regardez. En tout cas, j'adore vos chaussures.

Elles restèrent là à attendre une confirmation. Marisol les gratifia d'un bref sourire sans cesser de se tordre les mains et de sonder le *Shoparama* à la recherche de trois petites têtes brunes. Ce n'était pas le moment d'être reconnue. Si son père était là, il lui dirait de partir. Être vue en public – surtout dans un trou paumé d'Arizona – soulèverait des questions auxquelles aucun Winston ne voudrait répondre. À commencer par la raison de la présence de Marisol loin de Los Angeles.

Peut-être que, si elle faisait preuve de politesse, ces gamines la laisseraient tranquille.

— Oui, c'est moi. (Avec un effort surhumain, Marisol élargit son sourire.) Vous voulez que je vous signe un autographe ?

— Carrément ! Vous feriez ça ?

La première adolescente lui présenta son magazine. L'autre sortit un stylo du fond de son sac. D'une main tremblante, Marisol inscrivit sa signature sur une photo terriblement peu flatteuse d'elle ruminant une salade dans le patio du *Urth Caffé*.

— Et voilà, dit-elle en rendant le magazine à la jeune fille.

— Oh là là ! C'est vraiment vous ! s'exclama la petite en donnant un coup de coude à sa copine. (Son sourire dévoila un appareil dentaire violet.) Merci !

— Vous êtes mon idole, quoi ! renchérit la deuxième. Sérieux, c'est trop de la balle ! J'ai rencontré Marisol Winston !

Cette dernière se pencha vers elles et baissa la voix.

— En fait, j'apprécierais vraiment que vous gardiez ça pour vous. Je suis ici pour un genre de projet secret, et si la nouvelle se répand…

— Ah ? Bon, OK.

La première adolescente prit un air solennel et traça une croix sur son cœur. On voyait qu'elle se rongeait les ongles, couverts de vernis rose à paillettes écaillé.

— On ne dira rien. C'est promis.

— C'est une émission de télé-réalité ?

La seconde fille se passa la main dans les cheveux et regarda autour d'elle, certainement pour chercher les caméras.

— Je le savais ! On va passer sur MTV ?

— Désolée, je ne peux rien dire. (Marisol reprit le micro.) D'ailleurs, il faut que je m'y remette avant de m'attirer des ennuis. Ravie de vous avoir rencontrées.

Elles comprirent tout de suite. Après quelques commentaires et des gloussements, elles la saluèrent et déguerpirent en lui lançant des regards complices. Puis, avec un signe de la main, elles disparurent dans une allée.

Ouf ! Je l'ai échappé belle. Maintenant, passons aux choses sérieuses.

Marisol parla fermement dans le micro, sans prêter attention aux regards noirs des clients du rayon Traiteur :

— Mesdames et messieurs. Nous informons notre aimable clientèle que nous offrons des granités gratuits à tous les enfants de moins de huit ans ! Exclusivement au rayon Traiteur. Venez chercher vos granités ! Surtout vous, Jacob, Hannah et Emily !

L'estomac noué, elle posa le micro. Si cela ne fonctionnait pas, elle ne savait pas ce qu'elle ferait. Elle n'appellerait de l'aide qu'en dernier recours. Elle pouvait toujours composer le 911 sur son portable, mais un rapide coup d'œil à sa montre lui indiqua qu'il venait de se passer seulement quelques minutes depuis qu'elle avait perdu la trace des enfants. Pour l'instant, ils devaient toujours se promener dans le magasin, et elle avait simplement dû les manquer de peu pendant sa recherche affolée.

De plus, était-il possible de lancer un avis de recherche au bout de neuf minutes ? Marisol se fichait que tout le commissariat de police se paie sa tête ; elle ferait tout pour retrouver Emily, Hannah et Jacob, sains et saufs.

— Messieurs-dames n'oubliez pas : ce sont des granités bleus ! Des bleus !

Des enfants de toutes tailles commencèrent à accourir vers le comptoir, souvent suivis par leurs parents. Marisol examina leurs petits visages pour chercher les trois qu'elle connaissait. Elle se dressa sur la pointe des pieds dans l'espoir de les apercevoir.

— Madame, qui va payer tout ça ? s'enquit le vendeur tandis que les enfants approchaient. Ça va faire beaucoup.

Marisol consulta sa liste de courses, puis sa carte de paiement de *Dzeel*. Elle devait respecter sa liste au pied de la lettre et enregistrer tous ses achats pour la validation d'Imelda Santos, sa conseillère en oniomanie. Toute entorse à ses prescriptions pourrait faire renvoyer Marisol de sa cure et, par conséquent, lui faire perdre définitivement son héritage.

— Je vais payer, décida-t-elle. Occupez-vous juste de les servir.

La foule se bousculait déjà pour récupérer les granités gratuits. Il y eut même deux équipes junior de football. Apparemment, le bleu plaisait à tous les enfants, pas seulement à ceux de Marisol.

Enfin, ceux qu'elle gardait.

Soudain, deux mamans et leurs poussettes s'écartèrent pour laisser passer les triplés, Hannah en tête.

Marisol savait qu'il s'agissait d'une hallucination. Son cœur s'arrêta, puis il se mit à tambouriner. Se pouvait-il que… Oui! C'étaient bien eux qui avançaient vers le rayon Traiteur d'un air impatient. Jacob bouscula Emily, qui le repoussa, tandis que Hannah fonçait vers le comptoir, traînant son frère et sa sœur dans son sillage.

À cet instant, ils remarquèrent Marisol. Elle les vit tourner la figure vers elle, la reconnaître…, lui faire un signe de la main et poursuivre allégrement leur chemin.

Un signe de la main? Mais quel était leur problème? Comment pouvaient-ils être aussi détachés de leur disparition?

À bout de nerfs, Marisol fonça vers eux. Peu lui importait d'être en jupe Behnaz Sarafpour : elle s'agenouilla sur le carrelage crasseux et les serra dans ses bras.

— Merci, mon Dieu! lâcha-t-elle d'une voix rauque. Où est-ce que vous étiez?

— Juste là.

Cavalièrement, Hannah tendit le doigt vers l'accueil du *Shoparama*. Jacob tendit le cou, probablement pour s'assurer de la distribution de granités. Quant à Emily, elle lui rendit son câlin en disant :

— Tu sens bon, Marisol. Je trouve que tu portes le meilleur parfum du monde. Tu voudras bien m'aider à en trouver un pour moi, un jour ?

— Je te prêterai le mien avec plaisir.

Marisol entendit sa voix se casser. Affaiblie par les émotions, toute tremblante, elle les serra encore plus fort. Quelle sensation extraordinairement forte et parfaite de les tenir dans ses bras ! Elle ne voulait plus les lâcher.

— Euh… tu nous écrases un peu, se plaignit Hannah.

— Je veux un granité gratuit, lui rappela Jacob.

Marisol se redressa et admira leurs adorables petites bouilles. Elle n'avait jamais remarqué les taches de rousseur d'Emily ni les longs cils de Hannah ni le mignon petit nez de Jacob. Plus tard, il se changerait en un nez solide et franc comme celui de Cash, mais pour l'instant il était tout joli. Comme eux tous.

— Eh ! Mais tu pleures, s'exclama Emily en la dévisageant.

— Ah bon ? (Marisol essuya rapidement ses joues et rit avec soulagement.) Je crois que je suis tout excitée par les granités gratuits. On va en chercher ? Tout le monde se tient par la main.

Elle se leva en prenant soin de rester à portée d'eux. Quand elle eut repris ses esprits, elle observa les triplés qui la regardaient comme si elle était folle.

— Tu veux qu'on se tienne par la main ? demanda Jacob en grimaçant. On n'est pas des bébés !

— Je sais, mais juste pour aujourd'hui, je me suis dit…

— Mes chéris! l'interrompit une voix près d'elle. Je savais bien que j'avais entendu vos noms!

Au son de cette voix mélodieuse, les triplés se tournèrent d'un même mouvement. Marisol les imita. Elle aurait reconnu ce ton entre mille. Il criait «argent», «privilège», «je peux faire tout ce que je veux».

Une blonde propre sur elle s'approcha d'un pas léger en examinant d'un regard curieux les enfants Connelly... et Marisol. Elle marchait la tête haute, d'une façon qui devait inciter tout le monde à s'écarter de son chemin. Trois femmes taillées sur le même modèle la suivaient. Elles avaient toutes approximativement le même âge que Marisol, mais celle-ci ne connaissait aucune d'elles. Elles avaient du style, leur coiffure était parfaite, et elles semblaient prêtes à tout pour échanger des potins.

En bref, elles ressemblaient aux gens comme Marisol. De plus, elles étaient les premières personnes qu'elle voyait transgresser la règle locale selon laquelle tout le monde devait porter du polyester, fuir le maquillage et se chausser confortablement.

Après un regard inquisiteur – mais pas antipathique – vers Marisol, la blonde sourit aux enfants.

— Ça fait des lustres que je ne vous ai pas vus, tous les trois! Alors, j'ai cru comprendre que vous vous étiez perdus.

Son air malicieux ne sembla pas impressionner Hannah.

— On jouait au vieux jeu vidéo, expliqua-t-elle en indiquant un coin miteux du supermarché. Papa, il veut bien.

— Ouais, confirma Emily avec une expression qui interdisait à la blonde tout désaccord. Parce que c'est le meilleur papa, le plus beau et le plus merveilleux du monde.

— N'est-ce pas mignon, cette loyauté familiale ?

La blonde échangea un coup d'œil avec sa bande de *fashion victims*, toutes occupées à admirer les chaussures de Marisol. Elle ébouriffa les cheveux de Jacob et lui pinça la joue.

— Tu as dû grandir depuis la dernière fois, Jacob. Tu vas devenir footballeur, toi aussi ?

Il se recoiffa nerveusement en la fusillant du regard. Il était tatillon avec ses cheveux, et Marisol avait déjà compris qu'il valait mieux ne pas y toucher.

— Peut-être, répondit-il. Mon papa m'apprendra si je lui demande.

— Cash est assez occupé à se préparer pour son camp d'entraînement, ces jours-ci, intervint Marisol en se promettant de trouver un moyen d'exaucer le souhait secret de Jacob de pratiquer un sport. Mais je sais qu'il est toujours là pour montrer à Jacob ce qu'il a envie d'apprendre. (Elle tendit la main.) Je m'appelle Marisol. Je suis…

Elle faillit dire « la nourrice des enfants », mais Hannah lui coupa la parole avec entrain.

— C'est la nouvelle amoureuse de papa.

— Ah oui ? (La blonde recula pour toiser Marisol avec un intérêt renouvelé.) Je ne savais pas que Cash fréquentait quelqu'un depuis son divorce. Vous sortez ensemble ?

— Ils vivent ensemble, corrigea Emily.

— Et ils s'embrassent, précisa Jacob. Tout le temps. (Il attrapa le poignet de Marisol.) On peut aller chercher les granités, maintenant ?

— Oui, Jacob.

La nounou lui tapota l'épaule et décida de ne rien ajouter sur sa relation avec Cash. Cela ne regardait personne, de toute façon. Même si elle devait bien admettre que Cash embrassait incroyablement bien et qu'elle était pressée de renouveler l'expérience.

— Allons faire la queue, annonça-t-elle avant de s'interrompre pour adresser un signe de tête au groupe de femmes. Ravie d'avoir fait votre connaissance.

— Oui, enfin, on n'a pas vraiment fait connaissance.

La blonde gloussa, imitée par sa bande. Elles échangèrent toutes les quatre un autre regard mysté-rieux, puis elles reportèrent leur attention sur le sac à main de Marisol. Après quoi, comme si une décision venait d'être prise, la blonde hocha la tête.

— Je m'appelle Cassie, se présenta-t-elle avant de désigner ses amies. Et voici Amanda, Ashley et Lindsay. Nous sommes des femmes de footballeurs… des Scorpions, en fait. Nos enfants jouaient toujours avec Emily, Hannah et Jacob pendant les camps d'été. En ce moment, ils sont à un camp de danse et de karaté à Phoenix pour faire leur entrée dans la société.

Les trois autres acquiescèrent fièrement, comme si cela représentait une fin en soi. Le simple principe de créer un réseau social pour des enfants de six ans échappait totalement à Marisol. De quoi parlaient-ils ? De la meilleure façon de mâchouiller un crayon ?

De la classe la plus cool à l'école ? De qui était puni et pourquoi ?

Vraisemblablement, Marisol avait encore beaucoup de choses à apprendre sur l'éducation des enfants.

—Euh… tant mieux pour eux, dit-elle pour faire durer la discussion. Est-ce qu'ils ont des mini-cartes de visite aussi ?

—Rien de professionnel, bien sûr, répondit la blonde après avoir consulté ses amies du regard.

L'une d'elle leva les yeux au ciel.

—À cet âge, on leur fait des cartes customisées.

Il s'agissait bien de la chose la plus ridicule que Marisol ait jamais entendue. Peut-être qu'elle aurait dû commander des cartes chez un designer pour Jacob, Emily et Hannah ? Ou prendre rendez-vous pour qu'ils jouent avec d'autres enfants et qu'ils assurent leur future vie en société et… – elle vit Jacob ramasser un bonbon par terre et l'essuyer sur son tee-shirt – … les empêcher de contracter le botulisme en avalant des sucreries sales. D'un air sévère, elle tendit la main, et le garçon y laissa tomber le bonbon.

—Oui, mais tu veux pas que je mange un granité ! se plaignit-il.

—On va en chercher un dans une minute, lui promit-elle en se rangeant sur le côté pour éviter d'être bousculée par les enfants qui couraient vers le rayon Traiteur. Dès qu'il y aura moins de queue, d'accord ?

Les idées de Marisol fusaient. Ces femmes présentaient un intérêt particulier : visiblement, elles connaissaient Cash et les enfants, et elles savaient comment les choses devaient se passer dans le monde des familles avec enfants. Si elle voulait s'épargner d'autres faux pas comme aujourd'hui, réussir son stage et forcer le respect et l'admiration de Cash à son égard, elle devait faire plus d'efforts. Il fallait qu'elle se renseigne sur la meilleure façon de s'occuper des enfants.

—Puis-je offrir des granités ? proposa Marisol en désignant hardiment la file qui s'allongeait.

Cassie, Amanda, Ashley et Lindsay se regardèrent. Si elles acceptaient son offre, Marisol se ferait peut-être de nouvelles amies tout en collectant des informations utiles. Ces femmes lui ressemblaient énormément. Elle pourrait établir une relation avec elles. En l'absence de Caprice et de Tenley, elle n'avait personne à qui se confier.

De plus, les femmes de footballeurs devaient savoir comment rendre heureux un sportif professionnel. Une amitié avec elles ne pourrait que jouer en faveur de Cash.

—J'aurais vraiment besoin de conseils sur les activités d'été pour les enfants, avoua Marisol en espérant que cela ferait mieux passer la pilule.

Et cela fonctionna.

—D'accord. Pourquoi pas ? accepta Cassie en souriant à ses copines et en rajustant élégamment son sac Louis Vuitton. Je pense que nous avons toutes des choses à apprendre les unes des autres. Allons-y.

Chapitre 18

Cash jeta une serviette sur son épaule et emmena son tableau dans la salle de sport du campus, réservée pour l'entraînement des Scorpions. À part quelques lève-tôt comme lui – des joueurs motivés pour prendre une longueur d'avance sur le camp –, pas un chat ne traînait dans le coin. Dans une ambiance égayée par une chaîne stéréo, un *running back* de quatre-vingt-dix kilos et un plaqueur de cent trente kilos faisaient résonner des poids. Une odeur de transpiration, de métal et de vieux tapis régnait dans l'air, mais cela donnait à Cash l'impression de revenir chez lui.

Il adressa un signe de tête à l'un de ses coéquipiers, puis alla s'échauffer sur un tapis de jogging. Il serait bientôt sur les rails. De nouveaux joueurs apparaissaient chaque jour – des vétérans, comme lui –, et tous avaient du pain sur la planche, mais il suffisait de s'y mettre pour y arriver.

D'habitude, cette partie de la journée ne dérangeait pas Cash. Entretenir sa force n'était qu'une formalité, comme se brosser les dents, mais ce jour-là… il se sentait perdu, incapable de se concentrer sur ses pompes ou sur ses tractions.

Ce baiser avec Marisol, Cash ne le vivait pas uniquement comme un épisode fortuit. Cela lui avait donné un sentiment de retour aux sources, aussi fou que cela puisse paraître. Et quand les enfants avaient fait irruption, prêts à lancer la marche nuptiale sur leur karaoké, Cash n'avait pas su comment réagir. Jacob, Hannah et Emily aimaient Marisol, donc leur réaction n'aurait pas dû le surprendre. En tout cas, il n'était absolument pas prêt à se marier, pas plus qu'à expliquer leurs baisers à sa fouineuse marmaille.

Cash s'assit sur un banc, cocha sur la liste d'exercices donnée par son entraîneur ceux qu'il venait d'effectuer, puis il s'adossa au mur. Il regarda la barre afin de se mettre en condition pour des séries de développé-couché. Quand il fut prêt, il tendit les mains et saisit le métal.

Un autre joueur s'installa à la machine à côté de lui et se prépara à travailler ses quadriceps. Quand il vit Cash, son visage d'ébène s'épanouit en un sourire, et il tendit la main.

— Salut, Connelly. Ça fait plaisir de t'avoir de nouveau dans l'équipe, numéro sept.

— Merci, Darrell. Content de te revoir aussi, répondit Cash en lui serrant la main. Je vois que tu t'économises pour la pré-saison, ajouta-t-il en désignant sa barbe de plusieurs jours. Tu joues la sécurité.

— Exactement ! Après la saison dernière, il ne va rien falloir laisser au hasard.

Darrell croyait mieux jouer lorsqu'il ne se rasait pas, et, justement parce qu'il y croyait, son jeu était meilleur quand il portait la barbe. Il se caressa le menton en souriant.

— Sheryl déteste quand je suis mal rasé. Elle ne me lâche pas avec ça. Elle demande même aux enfants de me harceler. Du coup, ils n'arrêtent pas de me répéter : « Papa, tu ressembles à un ours. » Mais tu sais ce que c'est : il faut mettre toutes les chances de notre côté.

— Tu l'as dit !

Cash entama sa première série, et les deux hommes exécutèrent machinalement leurs exercices. Quand il eut terminé, Cash laissa retomber ses mains sur ses cuisses.

— Et la famille, ça va ?

— Ouais, grommela Darrell en repliant ses jambes sur la machine. (En tant qu'attaquant, il devait posséder des appuis au sol extrêmement puissants.) Tout le monde va bien. Ils sont installés dans notre maison de Lake Mary. Tu devrais passer avec les enfants. Les petits monstres pourraient rester dormir.

— Bonne idée.

Cash s'aperçut que, quand Stephanie était encore là, elle gérait toutes les invitations des enfants avec ces cruches de femmes de footballeurs. Il ne savait même pas comment cela s'organisait, mais il ne voulait pas que les enfants soient tristes de ne plus voir leurs copains.

— En fin de semaine, peut-être.

— Je vais en parler à Sheryl. (Darrell marqua une pause. Tout en dévisageant Cash, il secoua la tête d'un air émerveillé.) C'est bon de te revoir, numéro sept.

Quelle merde, cette histoire avec Tyrell ! Dieu sait que ce n'est plus pareil sans toi, ici.

Cash hocha la tête et reprit sa série de développé-couché. Il en ajouta quelques-uns pour faire bonne mesure et pour écarter la vague d'émotion qui l'assaillait soudain. Il s'entraînait ici depuis des semaines. Beaucoup de vétérans l'avaient accueilli avec des tapes dans le dos ou en lui reparlant du bon vieux temps et d'anciens matchs.

En revanche, avant Darrell, tout le monde avait fait comme si sa rupture tumultueuse avec l'équipe ne s'était jamais produite. Comme s'il n'avait jamais pris sa retraite, ne s'était pas pris une grande claque et n'avait pas tout perdu.

— C'est bon de revenir, répondit-il, essoufflé, en s'essuyant la figure avec sa serviette. Dès qu'Ed me laisse ma chance, je commence par faire sa fête à ce branleur de McNamara.

Les deux hommes sourirent. Ce genre de réflexions désobligeantes était courant chez les footballeurs. Cela n'amoindrissait en rien le respect que portait Cash à son ancien remplaçant.

Ils consultèrent leur plan d'entraînement et changèrent de machine, passant devant des rangées de poids en métal, de tapis de jogging, et de divers engins de remise en forme. Par habitude, ils s'installèrent sur des appareils voisins.

— Ouais, à mon avis, la retraite ne te convenait pas, déclara Darrell en soulevant une barre pour exécuter des squats. J'aurais tellement aimé que tu

264

ouvres ce bar pour sportifs, comme tu voulais. Ça aurait été génial.

Cash se contenta de grommeler. Il ne souhaitait pas aborder le sujet de ce qu'il projetait autrefois de faire après sa carrière de footballeur. Il en avait rêvé. Cela ne s'était pas réalisé. Fin de l'histoire. Il choisit une paire d'haltères et commença ses *hammer curls*.

— Un écran géant, des bières gratuites…, pas de matchs loin de la ville et de la famille. Que demander de plus ? continua Darrell en s'étirant entre deux séries. Tu devrais garder ce projet en tête, ajouta-t-il en se frottant le crâne comme pour le lustrer.

— Peut-être.

— Mais attends d'être vraiment trop vieux pour jouer, cette fois, lui conseilla-t-il en remuant ses doigts. Tu t'es arrêté trop tôt, la dernière fois.

Cash secoua la tête et sentit des gouttes de sueur couler entre ses cheveux. Tous ses efforts ne réussiraient pas à mettre un terme à cette conversation.

— Ça m'a fait un choc, quand tu as pris ta retraite. (Darrell raffermit sa prise sur la barre et se tut pendant une autre série de squats, qu'il termina sur un grognement.) La direction a cru que tu bluffais pour avoir une augmentation. Et certains de ces nazes aussi.

D'un hochement de tête, il indiqua les autres joueurs présents dans la salle en joignant à son geste une interjection bien choisie pour exprimer ce qu'il en pensait. L'attaquant posa ses poids et s'essuya joyeusement la tête. Puis il consulta son programme pour passer à la suite.

— Ce n'était pas une question d'argent, répondit Cash.

En vérité, quand il était le *quarterback* star de l'équipe, il était nul en tant que père. Et en tant que mari. Constamment occupé par ses entraînements, ses blessures, ses cures, ses réunions, ses visionnages, ses semaines intensives, ses matchs à domicile, ses matchs à l'extérieur, ou même par ses apparitions promotionnelles, il n'avait pu courir qu'à la ruine de sa vie de famille.

Le football professionnel n'avait rien de la routine facile qu'imaginaient les gens extérieurs. C'était une charge éreintante et quotidienne, que Cash trouvait pesante. Peut-être trop, d'ailleurs, depuis la naissance d'Emily, de Jacob et de Hannah. Il avait parfois vécu l'éducation des triplés comme un défi, comme une lutte même, certains jours, surtout lorsqu'il s'était retrouvé seul. Stephanie, elle, avait confié cette lutte à sa mère, Leslie, mais pas à lui. En tout cas, pas tant qu'il pouvait encore fournir des efforts pour faire bouger les choses.

Leur mariage avait déjà subi trop de dommages.

Toute sa vie, seuls le travail d'équipe et la discipline l'avaient sauvé. Pourtant, ces deux principes l'avaient abandonné quand il s'agissait de sa vie privée. Son unique souhait avait toujours été de poursuivre une carrière de rêve dans le football, d'habiter une maison dans la banlieue chic et de fonder une famille heureuse. Quand celle-ci s'était formée, il avait cru bon de travailler encore plus dur, pour assurer l'avenir de ceux qu'il aimait. Au contraire, ce faisant, il avait délaissé Stephanie trop souvent, et tout était parti en vrille. Le temps qu'il s'aperçoive que ses efforts l'avaient conduit à l'exact opposé de ce qu'il cherchait, et le temps qu'il essaie de réparer son erreur en prenant une retraite précipitée pour être plus présent à la maison, il était déjà trop tard.

Peu de temps après la fin de sa dernière saison, Stephanie était partie avec Tyrell et la totalité de leur compte joint, ruinant définitivement ses espoirs de l'aimer et de la chérir jusqu'à ce que la mort les sépare. Sans oublier le naufrage de son projet de bar. Ainsi, il s'était retrouvé à la case départ, sauf qu'il avait désormais besoin de jouer pour encaisser un peu d'argent. Mais rejouer impliquait de s'éloigner des enfants pendant presque toute la saison.

Pour oublier la dure réalité, Cash fit quelques séries d'haltères supplémentaires, malgré son essoufflement. À côté de lui, Darrell lâcha un gros rire amical.

—T'inquiète, numéro sept. Je sais bien que ce n'est pas une question d'argent ! (Son sourire s'élargit encore et, tout en polissant sa bague du Super Bowl, il renifla d'un air viril, comme à son habitude.) Qui irait chercher plus loin après avoir reçu son premier gros chèque ?

Techniquement, Cash en avait besoin, mais il se tut. Cela l'aurait écorché d'admettre que Stephanie – son ex-agent sportif – l'avait entubé sur la plupart de ses contrats. Qu'il s'était assez fié à elle pour la laisser faire. Qu'il avait voulu divorcer proprement et qu'il n'avait pas protesté quand elle avait exigé une énorme pension. Qu'il lui avait fait confiance sur toute la ligne.

—Je sais que j'ai plus de cicatrices que la moyenne pour un gamin d'Alabama, reprit Darrell, et tout ça à cause de mon amour pour le jeu, mec. Quand j'ai pu acheter une Cadillac pour ma mère et payer ma maison, j'ai été tranquille. (Il redressa la tête.) Enfin, j'aime bien cette idée de bar pour sportifs. Je devrais peut-être essayer moi-même.

Cash acquiesça et essaya de se concentrer sur ses séries suivantes, un peu plus longues. S'il sautait le moindre exercice ici, cela le hanterait plus tard sur le terrain – un peu comme Marisol hantait ses pensées ces derniers jours dès qu'il baissait sa garde. Il se surprenait souvent à penser à elle. À s'interroger sur ce qu'elle faisait. À se demander comment une riche héritière en arrivait à jouer les nounous. À imaginer quel genre de vie une authentique Winston – comme Adam l'avait si lourdement souligné – pouvait attendre, vouloir ou exiger.

La vie de Marisol avait-elle sa place dans la banlieue chic ?

Et merde !

Cash rangea ses haltères et jeta sa serviette sur sa nuque. Il devait absolument arrêter de penser à ça. Surtout quand il essayait de se concentrer sur le travail.

Sauf que…

—Hé ! Darrell, tu as déjà parlé à tes enfants des couples qui s'embrassent ?

— Oh putain, non ! répondit son ami avec une grimace. C'est le boulot de Sheryl. (Un autre attaquant passa à côté d'eux.) Donne-leur un bouquin, lui conseilla-t-il. C'est ce que j'ai fait. Les oiseaux, les abeilles ou je ne sais plus quelle connerie.

Cash hocha la tête en s'épongeant le front. En y réfléchissant, un livre pouvait faire l'affaire. Les triplés aimaient les livres. S'ils lisaient ces histoires d'oiseaux et d'abeilles, peut-être qu'ils comprendraient la différence entre embrasser une femme et vouloir l'épouser. Surtout pour leur père.

— Encore une série.

Cash cocha les haltères sur son plan d'entraînement et chargea une barre pour passer aux exercices de soulevé de terre. Il choisit donc un poids de vingt kilos, se contorsionna pour le fixer au bout de la barre… et sentit un claquement à l'arrière de son genou. Son tendon.

Avec un juron, il porta la main à son jarret. Darrell leva les yeux, remarqua à son expression que Cash avait mal et comprit immédiatement ce qui venait de se passer.

— On dirait que tu vas devoir t'arrêter quelques jours, numéro sept.

Celui-ci lui décocha un regard mauvais. Le camp d'entraînement commençait dans cinq jours. Cinq jours ! Il ne lui restait plus que ça avant d'impressionner le coach, l'équipe et les dirigeants grâce à son jeu. Il n'avait pas de temps à perdre avec une blessure.

Têtu, il prit un deuxième poids et boitilla jusqu'à l'autre extrémité de la barre. L'arrière de sa cuisse l'élançait à chaque pas, le faisant grimacer.

— Ne m'oblige pas à te balancer aux entraîneurs, le menaça Darrell en lui bloquant le passage, les bras croisés. Je le ferai si tu mets en péril notre prochaine saison en jouant les têtes de mules. On a déjà perdu un *quarterback* de réserve quand Johnson est parti. McNamara est peut-être bon, mais on a quand même besoin de toi, et en forme.

— Va te faire foutre ! Je vais bien, insista Cash en le fusillant du regard.

Une autre décharge de douleur le fit tressaillir.

Merde ! Comment c'est possible ? Je ne suis pas si vieux que ça, bon sang ! Je n'ai que trente-quatre ans. Montana a joué jusqu'à trente-neuf ans. Elway a ouvert un Super Bowl à trente-huit ans, putain ! Flutie a continué jusqu'à quarante et un ans.

Cash entendait bien faire partie des chanceux : ceux qui restaient dans la partie aussi longtemps qu'ils le voulaient – ou que nécessaire.

— Il faut que tu apprennes à y aller mollo, numéro sept, se moqua un autre joueur en passant à côté. C'est ça, d'être un vieux croûton.

— Eh ! Mon poing n'est pas trop vieux pour finir sur ta gueule.

— Ah ouais ? Vas-y, prouve-le.

Cash s'élança vers ce connard, un défenseur qui pesait probablement plus de trente kilos de plus que lui. Les Scorpions avaient dû l'acheter récemment, car Cash ne le reconnaissait pas. Darrell le retint par le bras et l'immobilisa.

—Ça ne sert à rien, mec. Va signaler ton départ et rentre chez toi.

Cash s'efforça de ravaler les élans de fureur qui le brûlaient. Retenu par son partenaire d'entraînement, le défenseur abandonna aussi. Cash se dit que se défouler sur quelqu'un aurait pu le décharger de sa frustration. Un combat contre un adversaire aussi assoiffé de castagne serait l'idéal. Il repoussa Darrell.

—Doucement, lui conseilla son ami en désignant de la tête un membre du comité directeur qui s'était arrêté à quelque distance et regardait la scène avec curiosité. Tu n'as pas besoin que les VIP te mettent la pression. Il paraît qu'ils te serrent la bride depuis ton retour.

Merde ! Darrell avait raison.

Cash jeta un dernier coup d'œil menaçant au défenseur, puis il se calma, mais il sentit son visage se durcir.

—Fais gaffe, l'avertit-il.

Sur ce, il jeta sa serviette à travers la salle et partit dans la direction opposée, vers les locaux des entraîneurs, pour faire un contrôle de santé… et recevoir le verdict quant à sa pré-saison.

Marisol s'affairait dans la maisonnette en surveillant les enfants toutes les deux minutes. Pour l'instant, ils se prélassaient devant la télévision, sous l'emprise protectrice d'un dessin animé japonais. Profitant de ces quelques instants de détente, la jeune femme prit son téléphone et se réjouit que quelqu'un réponde à son appel.

— *The Home Warehouse*, bonjour. En quoi puis-je vous aider ?

— Ah ! s'étonna Marisol en entendant la réceptionniste. Je suis désolée, j'ai dû me tromper de numéro. Je suis Marisol Winston. J'appelais mon père, mais sa ligne directe a l'air occupée.

— Je suis désolée, mademoiselle Winston. M. Winston a changé de numéro il y a quelques mois. Je vous le passe.

— Merci.

Elle se mit à faire les cent pas en écoutant la musique d'attente. Elle commençait vraiment à ne plus être dans le coup, si elle ne connaissait même pas le numéro de son propre père au siège de l'entreprise familiale. La musique continuait.

— Bureau de Gary Winston, répondit une voix de femme.

— Salut, Mindy ! C'est Marisol. Vous allez bien ?

— Je suis désolée, mademoiselle Winston. Mindy est partie l'année dernière. C'est Sophie, à l'appareil. La nouvelle assistante de M. Winston. Que puis-je faire pour vous ?

— Ah bon !… Salut, Sophie ! Je voudrais parler à mon père, s'il vous plaît. Il m'a dit qu'il appellerait, mais ça fait plusieurs jours que…

— Merci, mademoiselle Winston. Ne quittez pas, je vous prie.

Et encore de la musique.

Euh… elle ne connaissait pas non plus la nouvelle assistante de son père. Elle ne s'était même pas aperçue qu'il avait changé son personnel. Bien sûr, parfois réticent à lui parler affaires, son père recourait parfois à la langue de bois, mais elle trouvait cela absurde. Il aurait au moins pu lui communiquer son nouveau numéro.

Il veut se débarrasser de moi ou quoi ?

Tout d'un coup, cette hypothèse lui parut évidente.

Marisol accéléra le pas en essayant de garder le moral. Elle tira un catalogue de la pile de courrier des Connelly et le parcourut pour s'occuper. Tandis qu'elle tournait les pages en papier glacé, elle se redressa et relâcha les épaules comme elle l'avait appris à l'atelier de relaxation de *Dzeel*. Elle respira profondément en s'efforçant d'inspirer de façon apaisante comme au yoga.

Son propre père filtrait ses appels.

Non. Il ne pourrait pas l'éviter éternellement. Elle continuerait d'appeler. D'ailleurs, un petit mémento l'aiderait à se souvenir d'elle. Peut-être un modèle en cuir proposé dans le catalogue de *Restoration Hardware*…

Elle en entoura un et se sentit un peu mieux. Elle y ajouta une lampe de bureau en nickel sur sa liste mentale, et son moral grimpa en flèche. Elle marqua un cadre métallique – parfait pour mettre une photo d'elle ou de Jamie sur le bureau de son père. Son humeur s'améliora encore.

Sophie reprit la communication.

273

— Je vous prie de m'excuser pour cette attente, mademoiselle Winston. Je ne trouve pas votre père. Voulez-vous attendre encore un peu ou préférez-vous laisser un message ?

— Je vais attendre, merci.

Comme Sophie lui faisait la promesse alléchante de réessayer, Marisol cala le téléphone contre son épaule et n'entendit presque plus la musique. Elle entoura une pendule de style ancien, puis un ventilateur de bureau tout droit sorti d'un film en noir et blanc avec Humphrey Bogart. Son père allait adorer ! Elle imagina sa mine ravie quand il déballerait le tout, et elle décida d'opter plutôt pour une livraison à domicile. Le plus vite serait le mieux. Ah ! Et il lui fallait absolument un emballage cadeau, aussi.

Oui, elle allait beaucoup mieux. Peu lui importait d'attendre son père, puisqu'elle prévoyait de lui envoyer un colis. Marisol étudia attentivement le catalogue pour y trouver tout ce qui pourrait lui plaire. Évidemment, *Dzeel* lui avait confisqué toutes ses cartes de crédit, mais on pouvait facilement ouvrir un nouveau compte par téléphone. Elle avait déjà explosé au *Shoparama* le crédit prévu dans le cadre de sa cure, donc autant se lâcher complètement. Comme de toute façon elle allait se faire virer de *Dzeel*, autant s'en aller en fanfare.

Elle se demanda si Cash recevait d'autres catalogues. Sans lâcher le téléphone, elle fouilla dans le courrier, cherchant tout ce qui pourrait recéler quelques cadeaux pour son père. Peut-être aussi pour Jamie. Marisol ne voulait pas que sa belle-mère l'oublie pendant qu'elle était coincée en Arizona. Un cadeau livré directement à la maison ensoleillerait la journée de Jamie mieux que n'importe quoi d'autre.

La musique cessa.

— Je suis désolée, mademoiselle Winston, s'excusa Sophie. Apparemment, votre père est en réunion, et on ne peut pas le déranger.

— Ah bon ? (Marisol se figea, et ses mains retombèrent sur la pile de catalogues.) Vous lui avez bien dit que sa fille cherchait à le joindre ?

Silence.

— Je suis désolée. Je le lui ai dit, mademoiselle Winston.

Et il a quand même refusé de me parler ?

— Est-ce qu'il vous a dit quand il me rappellerait ? À moins que je ne réessaie plus tard ?

Marisol perçut une note plaintive dans sa propre voix. Bien que ce soit très embarrassant, elle se sentait incapable d'y remédier.

— Je suis euh… absente depuis plusieurs semaines, et je pensais avoir de ses nouvelles. C'est important.

— C'est une urgence ?

— Eh bien…

Marisol flirta brièvement avec l'idée de répondre par l'affirmative. Elle voulait simplement entendre la voix de son père, qu'il sache qu'elle donnait le meilleur d'elle-même dans cette corvée de désintox et qu'elle y arrivait…, du moins jusqu'à aujourd'hui. Cette fois, il aurait été fier d'elle.

— Non, ce n'est pas urgent. Je réessaierai plus tard.

— Merci, mademoiselle Winston. Je lui rappellerai de vous téléphoner.

Découragée, Marisol raccrocha. Même l'assistante de son père semblait navrée pour elle. C'était pathétique.

Dès que Marisol enverrait ce superbe paquet, Sophie verrait les choses différemment, et Gary aussi. Chassant cet appel désastreux de ses pensées, Marisol reprit son stylo et se prépara à passer à l'action.

Alors, Emily la tira par la manche.

— Marisol ? Est-ce que tu vas me prêter ton parfum pour de vrai ? Parce qu'il sent vraiment bon.

— Hum, bien sûr. Dans deux minutes. Là, je suis occupée, marmonna-t-elle en entourant d'autres articles.

— D'accord, accepta Emily en s'adossant à l'îlot central de la cuisine.

Jacob arriva en sautillant.

— On peut faire un jeu ?

— Une seconde. J'ai presque fini.

Option d'emballage…

— Waouh ! Ça fait beaucoup de trucs.

Hannah regarda par-dessus son bras le bon de commande qu'elle remplissait en tournant et retournant les pages pour reporter les numéros des articles.

— Beurk ! Cette pendule a un million d'années. À mon avis, tu devrais en prendre une mieux.

— C'est un cadeau pour mon papa. Elle lui plaira.

— Non. On dirait qu'elle vient de la préhistoire.

— C'est faux. Elle fait ancien. C'est différent.

Agacée, Marisol s'interrompit. Elle voulait simplement commander ces cadeaux pour son père et Jamie.

— Bon, vous ne pouvez pas vous amuser tout seuls, cinq minutes ? S'il vous plaît ?

Surpris par son ton cassant, les triplés en restèrent pantois. La bouche de Jacob forma un O de détresse, et Hannah sembla au bord des larmes. Même Emily, généralement aussi joyeuse que mielleuse, sembla offensée. Ils se regardèrent tous d'un air blessé.

— Je suis désolée, s'excusa Marisol.

Elle ne leur avait jamais crié dessus. Elle ne savait pas ce qui lui avait pris. Elle tendit la main et adoucit sa voix.

— C'est juste que je voulais…

— T'inquiète pas, on s'en va ! l'interrompit Emily d'une voix pleine de larmes. Et puis ton sale parfum, t'as qu'à le garder !

— Ouais, on s'en fiche. (Jacob, réellement vexé, dressa son menton.) On peut faire des jeux tout seuls. On a pas besoin de toi !

Hannah se contenta de la regarder tristement. Ensuite, les trois enfants partirent vers la mezzanine dans un mouvement d'humeur, laissant Marisol seule avec son catalogue… et de profonds regrets.

Chapitre 19

Personne ne repoussait Marisol. Surtout pas un trio de demi-portions qui ne reconnaîtraient pas un cadeau-surprise même s'il se mettait à aboyer.

Au moins, maintenant, elle avait un peu la paix, ce qui ne lui était pas arrivé depuis qu'elle habitait sur l'île aux enfants.

Tenant absolument à ses cadeaux, Marisol inscrivit d'autres numéros sur le formulaire de commande. Elle remplit la première page, puis commença le verso en écrivant de plus en plus petit pour que tout tienne. Elle avait les yeux brûlants de larmes retenues et la gorge douloureuse, mais elle refusait de se laisser distraire. Emily, Jacob et Hannah ne comprenaient rien. Ils ne savaient pas combien cela comptait pour elle.

Elle reprit son téléphone. Elle avait du mal à lire le numéro vert réservé aux commandes tant sa vue était brouillée. Sans se démonter, Marisol composa hardiment les premiers chiffres.

—Tiens, tu devrais prendre Louloutre, lui proposa Emily en calant sa vieille loutre en peluche sous le bras de Marisol. T'en as plus besoin que moi.

que *Dzeel* tentait de lui inculquer depuis le début – et que ces mômes lui avaient donné inconsciemment.

De la force.

Elle tourna définitivement le dos au catalogue et regarda Jacob, Hannah et Emily.

—Venez, les enfants ! J'ai une super idée !

Un peu plus tard, Cash rentra en trombe, refermant la porte dans un claquement qui fit sursauter Marisol.

—Salut. Tu rentres tôt, dit-elle en le regardant avec un sourire. Flemmard.

Étonnamment, sa plaisanterie n'atteignit pas sa cible. En tout cas, Cash ne mordit pas à l'hameçon. Il rougit, au point que ses adorables pommettes se marbrèrent d'écarlate sous ses cheveux ébouriffés. Ses yeux, quant à eux, lançaient des éclairs.

—Pourquoi tu ne réponds pas au téléphone ? demanda-t-il en lâchant brusquement son sac de sport. J'ai appelé pour dire que je rentrais.

—Ah oui ! (Marisol agita ses doigts et souffla sur ses ongles.) J'ai entendu. On se faisait les mains et les pieds.

Croisant son regard déconcerté, elle désigna les fillettes d'un geste du menton. Fièrement, Emily et Hannah montrèrent leurs ongles vernis de rose pivoine. Le coton toujours coincé entre leurs orteils les fit ricaner.

—On est jolies et stylées, et on brille comme des princesses !

—Moi, j'ai appris à le faire toute seule !

D'où sortait cette petite ? Marisol ne l'avait pas entendue descendre l'escalier. Cela dit, elle avait l'esprit ailleurs…

—Prends Madame Gloutonne aussi, lui ordonna Hannah en fourrant sa propre loutre sous le second coude de la jeune femme. C'est la meilleure.

Gênée, Marisol serra les deux peluches contre elle. Elle ne savait pas trop quoi faire d'autre. C'est bien connu : faire un câlin à une peluche, ça ne se refuse pas. C'est comme si on vous colle un bébé dans les bras : il n'y a qu'à sourire et gazouiller.

—Si tu t'assieds, je peux te donner toute mon armée de petits soldats. (Jacob se tenait à côté d'elle, les bras chargés d'un seau de soldats en plastique.) Par contre, il faut que tu t'asseyes, sinon ils vont tous tomber.

La nounou les dévisagea. Ils lui retournèrent patiemment son regard. Elle ne pouvait pas à la fois tenir les deux loutres, s'asseoir par terre et passer sa commande chez *Restoration Hardware*, surtout si elle devait ouvrir un compte.

Elle hésita.

—On en a discuté entre nous. (Hannah loucha vers le catalogue ouvert sur le plan de travail.) Pour quelqu'un qui choisit plein d'affaires comme pour Noël, t'as pas l'air très contente.

—C'est parce que cette pendule elle est vieille comme Cro-Magnon, diagnostiqua Emily. Fais un câlin à Louloutre, ça ira mieux, insista-t-elle.

—Ouais, et assieds-toi aussi.

Jacob rajusta son seau avant de poser sa petite main sur l'épaule de Marisol. Deux de ses petits soldats tombèrent au sol.

—Vas-y, dit-il sur un ton autoritaire imitant parfaitement celui de son père. Ils sont vachement chouettes. Tu vas bien t'amuser.

D'un air hébété, Marisol se laissa glisser au sol sans lâcher son téléphone. Puis elle comprit qu'elle ne réussirait pas à lire le numéro ni à passer sa commande si elle restait par terre. Avant qu'elle remédie à ce problème, Jacob lui sourit et renversa son seau.

Une pluie de petits soldats verts lui tomba sur les genoux. Certains étaient armés de fusils en plastique et d'autres simplement figés dans des poses viriles. Marisol en choisit un qui ressemblait à son ex-petit ami, Chad. Sauf que Chad ne se serait jamais laissé tuer dans une tenue aussi folklorique.

—Regarde, tu peux faire tout ce que tu veux avec, lui expliqua Jacob en s'asseyant joyeusement à côté d'elle pour installer les personnages en scène de bataille.

—Je crois que Louloutre t'aime bien, déclara Emily en se laissant tomber par terre aussi avant de glisser à côté de Marisol. Tu vois, elle te sourit.

C'était une loutre en peluche. Avec de fausses moustaches. Elle souriait toujours, Marisol en était quasiment sûre. En tout cas, elle souriait aussi, maintenant. Comment les enfants pardonnaient-ils aussi vite? Comment faisaient-ils pour comprendre aussi bien les choses?

Comment avaient-ils deviné qu'elle avait exactement besoin de cela?

—Tu arriverais mieux à tenir Madame Gloutonne si tu raccrochais le téléphone.

Hannah lui prit le combiné et le reposa sur son socle. Puis elle s'épousseta les mains et s'assit en tailleur avec les autres.

—Voilà! C'est mieux, non?

Étrangement, elle avait raison. Marisol inspira profondément et contempla les enfants – ses enfants – avec admiration. Ils l'avaient enveloppée d'un manteau de bienveillance et de prévenance. Sans le savoir, ils étaient arrivés au moment précis où elle avait besoin d'une présence qui lui prouverait que tout le monde ne l'avait pas oubliée.

Certaines personnes qui commençaient juste à la connaître.

Et elle les découvrait aussi.

—Oh! Ce que vous êtes autoritaires, tous les trois! On dirait votre père, plaisanta-t-elle.

En réalité, Marisol les aimait précisément pour cela. Elle ignorait par quel prodige elle s'était retrouvée dans cette famille, avec ces bambins. Quoi qu'il en soit, à cet instant précis, elle s'en trouvait heureuse.

Elle s'en portait mieux, aussi. En effet, quand ils eurent joué un moment – les petits soldats abattirent Godzilla et un T-Rex (alias Louloutre et Madame Gloutonne) après une bataille acharnée –, quand elle se releva et qu'elle vit le bon de commande toujours posé à côté du téléphone, Marisol eut une vague idée de ce

Cash en resta bouche bée. Petit à petit, il commença à comprendre, mais sans quitter du regard le coton.

— OK, je vois… Et Jacob ?

— Même les hommes ne sont jamais trop jeunes pour avoir de beaux pieds.

— Dis-moi que tu plaisantes, grommela Cash.

À cet instant, Jacob entra tranquillement dans la cuisine d'une démarche étrange – il portait les tongs de Marisol.

— Regarde mes pieds, papa ! Je suis un vrai monsieur, maintenant.

Cash en resta pantois. Marisol approuva d'un sourire. Un jour prochain, des jeunes filles la remercieraient pour ça.

— Marisol, elle m'a coupé les ongles, et elles les a limés et polis, et elle m'a poncé les pieds et elle a mis de la lotion dessus, annonça le garçon. Même que ça m'a chatouillé.

— Tout ça ? Vous avez fouillé dans ma caisse à outils ?

— Non, répondit Jacob en admirant ses orteils tout propres. Peut-être la prochaine fois.

Cash se gratta la tête en contemplant le spectacle.

— Tu veux que je m'occupe de toi aussi ? Je suis de plus en plus douée, déclara Marisol en lui montrant sa lime à ongles.

Il sourit pour la première fois.

— Je n'en doute pas.

« Et oui, je veux bien que tu t'occupes de moi », ajoutèrent ses yeux. Toutefois, la jeune femme doutait qu'il admire sa pédicure / manucure. Tout d'un coup, elle s'en fichait aussi.

Elle se souvint de leur premier baiser, tellement délicieux. Le prochain avait des chances d'être encore meilleur. Surtout maintenant qu'elle se sentait à l'aise avec lui et tout ce décor domestique. Cela lui était presque naturel ; un talent jusque-là inconnu.

— Prenez vos duvets, les enfants, dit Cash en se frottant les mains. J'ai quelques jours sans football, alors on va en profiter pour se salir un peu. Surtout toi, ajouta-t-il en pointant son doigt sur son fils. Ce n'est pas naturel d'avoir les ongles brillants quand on est un homme.

— Mais si ! rétorqua Marisol.

Pas question de ruiner tous les progrès qu'elle avait faits avec Jacob. Tous les garçons avaient besoin de quelques bons soins.

— Si tu veux porter des sandales…

— Je ne veux pas.

— On en trouve de très élégantes pour les hommes, de nos jours…

— Je n'en veux pas.

— En cuir, par exemple. Dans ce cas, il faut d'abord soigner tes pieds en bonne et due forme. (Marisol s'interrompit quand elle prit enfin conscience de ce qu'il venait de dire.) Euh… est-ce que tu as parlé de duvets ? demanda-t-elle d'un air confus. Pourquoi auraient-ils besoin de ça ?

— Pour camper.

Marisol sur ses talons, Cash partit vers la cuisine d'un pas décidé en traînant derrière lui une vieille boîte en carton et une énorme glacière bleue.

— C'est la tradition : on part toujours camper avant le début du camp d'entraînement.

— Youpi ! s'écrièrent les triplés en sautillant. Du camping !

Leur père se pencha pour tirer la glacière. Momentanément fascinée par la magnifique courbe de ses fesses, Marisol mit dix secondes de plus à décoder sa réponse.

— Du camping ? Mais… mais… (Confuse, elle désigna les murs de la maisonnette, autour d'eux.) Vous campez déjà, ici ! Cet endroit est largement assez rustique pour être considéré comme du camping.

— Tu te fiches de moi ?

Cash secoua la tête en sortant des provisions du garde-manger et en les rangeant minutieusement dans le carton. C'était une véritable leçon de géométrie.

— Comparé à l'endroit où on va, cette maison est un palace.

Des frissons parcoururent l'échine de Marisol.

— Ça, un palace ? Il n'y a même pas de concierge. Ni de… comment ça s'appelle ? Ah oui, de vrais murs. Ni de draps dignes de ce nom. (Elle compta les preuves sur ses doigts.) Il n'y a rien de classe dans les environs ni de prestataires de services.

— À ce propos… (Cash regarda par-dessus son épaule avec une drôle de moue.) J'ai entendu des plaintes à ce sujet. Les filles m'ont dit que les toilettes de l'étage auraient besoin d'un petit rafraîchissement.

D'un « rafraîchissement » ? Marisol posa ses mains sur ses hanches, contrariée qu'il ne daigne pas l'écouter.

— Et alors ? Embauche des ouvriers. Et une entreprise de désinfection aussi, pendant que tu y es. Je suis sûre que les termites rongent tous les rondins de cette baraque, même si quelqu'un a poli les marques de dents.

— Ce sont des marques naturelles dans le bois, et ce n'est pas ce que je voulais dire, rétorqua-t-il avec un sourire étrange. Les toilettes de la mezzanine ont besoin d'être nettoyées. Emily et Hannah ont dit que c'était dégoûtant.

Marisol regarda fixement les enfants, qui rentrèrent la tête dans les épaules d'un air coupable.

— On voulait pas cafarder, s'empressa de se défendre Emily. C'est juste que Jacob, il sait pas viser. C'est ça, le problème.

— Ouais, il fait pipi partout, renchérit Hannah en levant les yeux au ciel.

— C'est même pas vrai ! hurla Jacob tandis que le rose lui montait aux joues. La ferme ! Et d'abord, comment vous savez que c'est moi ?

Ses sœurs croisèrent les bras.

— On le sait, c'est tout.

Cash tapota l'épaule de Jacob.

— Il faut juste te concentrer, mon pote. C'est simple. Maintenant, aide-moi à trouver les gâteaux secs.

— Mais… (Marisol se sentait confuse, et un peu gênée pour Jacob, le pauvre petit bonhomme.)

Pourquoi tu me dis ça ? Tu as quelqu'un pour nettoyer ce genre de choses, non ?

—Oui, confirma Cash. Toi.

—Moi ? gloussa-t-elle. Non, je ne parle pas du plus gros du ménage. Parce que je nettoie comme je suis censée le faire. Je ramasse tous les restes tous les jours. Je fais la poussière aussi, ajouta-t-elle en décochant un clin d'œil à Cash en se remémorant l'épisode du couloir. Et je gère carrément le lave-vaisselle, maintenant. Il n'a presque pas débordé, ces derniers jours. (Elle se redressa fièrement.) En fait, j'ai toujours été douée pour le rangement. Les femmes de ménage m'adorent. Une fois, j'ai dormi au *Four Seasons* de Las Vegas, pour le mariage de mon cousin, et le personnel de maintenance…

—Non. Tu es censée faire le nettoyage, l'interrompit Cash doucement. Tout nettoyer. Frotter, récurer, laver, rincer.

—Ah… nettoyer ? Tu veux dire… comme une vraie femme de ménage ?

—Plutôt comme une gouvernante, précisa Cash.

Marisol se dit qu'il présentait la chose élégamment. Comme lorsqu'elle étendait sa serviette de bain mouillée par gentillesse pour les femmes de chambre ou quand elle donnait un gros pourboire aux équipes de restauration après les fêtes. Cash ne voulait pas qu'elle éprouve de la gêne à être une femme de ménage à proprement parler. Apparemment, c'était ce qu'elle était. Marisol Winston. Héritière hors du commun. La coqueluche de la ville. Le sujet de conversation favori de Los Angeles.

Femme de ménage. Gouvernante. Domestique.

Jeremy Fordham gagnait encore une bataille. En confiant à la direction de *Dzeel* qu'elle était douée pour le ménage, elle parlait de rangement, bien sûr. Le genre de corvées dont elle se chargeait dans sa propre maison de Malibu. Des tâches dont les gens normaux s'acquittaient pour que leurs femmes de ménage ne les prennent pas pour de pauvres ploucs impotents. Rien de plus.

De nos jours, qui s'amuse encore à récurer ?

Sûrement pas les riches héritières.

Comme si Cash ne savait pas qui elle était. Comme Adam, il avait lu son dossier de A à Z. Une nuit, elle l'avait surpris totalement absorbé par sa photo, un sourire niais sur le visage.

— Tu peux faire ça ? s'enquit-il, une lampe torche à la main.

— Bien sûr, répondit-elle aussitôt.

Elle voulait qu'il la respecte. Qu'il lui donne de bonnes notes à ses évaluations de *Dzeel*. Qu'il éprouve de la tendresse pour elle. Certes, récurer les toilettes ne suscitait pas forcément de la tendresse, mais il fallait bien se débrouiller avec les moyens du bord. Dans le cas de Marisol, ces moyens se manifestaient sous la forme d'un… truc à récurer.

Et peut-être d'un masque à gaz. Et de gants de sécurité.

Oh ! Bon sang ! Comment allait-elle s'en sortir ?

— Et si tu allais t'en occuper pendant que je finis de tout empaqueter ?

Cash jeta des piles électriques sur le tas d'affaires qui s'accumulait sur le plan de travail, puis il ouvrit le réfrigérateur et regarda à l'intérieur pour choisir ce qu'il mettrait dans la glacière. De la moutarde, des cornichons, une bouteille de ketchup format familial. Il s'arrêta.

— Où sont les hot-dogs ?

— On n'en a pas acheté, annonça Hannah. Marisol a dépensé tout l'argent des courses dans des granités.

La jeune femme se figea et jeta un coup d'œil coupable vers Cash.

— Tu as dépensé tout l'argent des courses dans des granités ? répéta-t-il.

Et voilà ! Elle allait devoir avouer la perte des enfants. Cash allait comprendre qu'il devait la flanquer à la porte de *Dzeel* pour ne pas s'en être tenue à sa liste, à son budget et à son journal d'achat. L'heure de son échec avait sonné.

Elle décida d'esquiver la vérité, furtivement et en douceur.

— Non, pas vraiment tout l'argent. En fait, il m'en restait assez pour acheter des hot-dogs. (Nerveusement, elle passa devant lui et indiqua le paquet posé derrière une boîte d'œufs.) Là.

Il planta son regard droit dans le sien.

— Merci.

Il avait compris qu'elle contournait le sujet. Elle en était sûre.

— Une bonne partie de l'argent a servi à payer des granités aux enfants et à leurs copains, reconnut-elle en haussant les épaules. Qu'est-ce que tu voulais que je fasse ? J'ai perdu Jacob, Hannah et Emily quelques minutes au rayon Épicerie, et les granités les ont ramenés tout droit vers moi. Avec quelques mômes en plus. *(Et deux équipes juniors de foot, complètement assoiffées.)* Tu sais ce que c'est…

On en arrive vite à cinquante-cinq granités XL…

Cash la dévisageait. Le silence s'éternisa. Marisol se mâchouillait la lèvre, avalant au passage les restes de son brillant à lèvres. L'expression dure de Cash restait impénétrable. Pourquoi fallait-il qu'il soit aussi énigmatique ? Surtout dans un moment aussi important.

Il fit volte-face.

— Les enfants, allez chercher vos duvets. Hop, hop, hop ! On va finir par être en retard. Et prenez vos sacs à dos, aussi.

Les triplés détalèrent à l'étage, où leurs pas résonnèrent.

Marisol resta plantée là, incrédule, les yeux rivés sur Cash.

Celui-ci rangea les hot-dogs dans la glacière, puis il remarqua qu'elle ne bougeait pas.

— Toi aussi. Tu trouveras le nécessaire de ménage dans le placard en haut de l'escalier. Si on laisse les toilettes dans cet état, on va y retrouver un nid de ratons-laveurs à notre retour.

— Mais… tu ne veux pas en savoir plus sur ce qui s'est passé au supermarché avec les enfants ? Je les ai perdus !

— Et tu les as retrouvés, ajouta Cash avec un sourire.

— Mais tu dois être fâché. Tu n'as pas envie de me crier dessus?

— Pour quoi faire? demanda-t-il en fronçant les sourcils.

— Euh… eh bien… en général, on réagit comme ça quand on est déçu. Quand quelqu'un fait une bêtise, on lui crie dessus.

Ou on s'en va. Ou on refuse de lui parler au téléphone.

— Eh! Je ne cherche pas l'affrontement, en dehors du terrain. Tu as fait ce que tu avais à faire, et le problème est réglé. Apparemment, les enfants vont bien. On a des hot-dogs. On va camper, comme d'habitude. C'est tout ce qui compte.

Marisol ne comprenait pas.

— Je t'ai aussi acheté une boîte de biscuits, pour le petit déjeuner.

Elle alla vite chercher le paquet dans le garde-manger. Elle n'avait pas trouvé mieux pour se faire pardonner, bien qu'elle se soit creusé la tête pour trouver une idée qui ferait plaisir à Cash.

— Regarde. Aux fruits rouges.

Il la regarda comme si elle venait de fumer quelques-uns des gâteaux.

— Merci, mais ce n'était pas nécessaire. (Il prit la boîte et alla la remettre à sa place en grimaçant de douleur.) Pour l'instant, j'ai surtout besoin que tu…

— Tu vas bien? l'interrompit-elle. On dirait que tu es blessé.

— Ça va. (Il hocha la tête vers l'étage.) Pour l'instant, j'ai surtout besoin que tu fasses un peu de ménage. Je sais que ce n'est pas ton truc, princesse, mais il faut que ce soit fait. Sauf si tu préfères attendre la prochaine flaque de Jacob, mais je ne te le conseille pas.

— Non. Enfin, oui, j'y vais, mais… (La démarche anormale de Cash l'inquiétait. Il économisait visiblement sa jambe droite.) Je pensais le faire en votre absence.

— En notre absence ?

— Ben oui ! Je ne vais pas camper avec vous, déclara Marisol en souriant devant l'absurdité de cette idée. Tu n'as pas besoin de nounou si tu y vas. Tu t'occuperas des enfants.

— Oui, mais… ils seraient effondrés que tu ne viennes pas, plaida-t-il avec un sourire particulièrement attendrissant.

Oh ! C'est trop mignon !

Marisol se rendit compte que, si elle ne prenait pas garde, elle finirait par s'attacher à cette famille.

— Euh… je ne suis pas vraiment une femme d'extérieur, argumenta-t-elle.

C'était la pure vérité, mais elle envisageait aussi de prendre un peu ses distances avec Cash. Elle ne voulait pas qu'il se sente obligé de l'inclure dans son programme uniquement parce qu'elle se tenait devant lui, à retarder le moment de se consacrer à ses tâches ménagères et à se demander comment diable on récurait des toilettes.

— Je disais justement à mon chauffeur, Tom, en venant ici, que je n'aime même pas dîner en terrasse. Ni jouer au golf, même sur un green bien propre.

Donc, dans un décor plein de vraie terre, d'insectes et de bestioles qui grouillent autour de moi…

Le sourire de Cash s'élargit.

— Je te protégerai.

Sans doute. Un grand gaillard viril comme lui.

Un instant, Marisol fut tentée d'accepter, mais elle devait faire preuve de force. Elle était là pour travailler, et elle avait déjà failli tout faire rater au *Shoparama*. Elle devait se rattraper. Il fallait qu'elle évite de se laisser distraire par cet homme, aussi alléchant soit-il.

— Je n'ai même pas de vêtements adaptés, protesta-t-elle. Et, surtout, je n'ai pas de duvet, donc…

Cash la fit taire d'un baiser.

— On partagera le mien. Il est assez grand pour deux.

Bon! Elle n'avait pas la force de volonté d'un Gandhi. Partager un sac de couchage? Avec Cash pelotonné contre elle? Comment ne pas craquer?

— Cool! se réjouit Marisol. Quand est-ce qu'on part?

Il sourit.

— Dès que tu auras nettoyé les toilettes.

Chapitre 20

Marisol soudoya Jacob pour qu'il se charge de cette corvée.

— Promis, je le ferai la prochaine fois.

Ce disant, elle lui tendit la serpillière, un balai-brosse et une bouteille industrielle de détergent promettant de chasser la crasse dans un nuage de mousse.

— Pour l'instant, il faut que je trouve de quoi m'habiller pour le camping, et tu voulais écouter un peu de musique, non ?

Le petit garçon hocha la tête en serrant tout l'attirail dans ses petites mains.

— Dans ce cas, je vais juste te mettre ça. Ne bouge pas.

Elle plaça les écouteurs de son iPod sur les oreilles de Jacob, régla le volume à un niveau moyen et lui donna l'appareil.

— Voilà ! Maintenant, tu as un iPod rien que pour toi.

Le petit loucha sur l'écran, le balai calé sur son épaule et le détergent à ses pieds.

— Trop bien ! Merci, Marisol !

— Regarde comment on change de chanson. (Elle lui fit une démonstration.) En ce moment, c'est réglé sur ma playlist pour le shopping – des morceaux qui me mettent dans les conditions psychologiques idéales pour trouver des cadeaux –, mais tu peux choisir ce qui te plaît.

Jacob passa son pouce sur la molette, qu'il maîtrisa immédiatement.

—Waouh ! Il doit y avoir des milliards de chansons là-dedans !

—Au moins des milliers. Et regarde-toi ! s'exclama la nounou. Tu es un vrai petit génie. Tu vas nettoyer les toilettes comme un chef.

—Tu crois ? cria-t-il par-dessus la musique en balançant la tête en rythme.

—Tu plaisantes ? Tu possèdes une grande dextérité, c'est évident.

—À ton avis, ça veut dire que je serai bon en sport aussi ?

—Absolument.

Marisol lui décocha un clin d'œil et le poussa dans la salle de bains. Il faudrait vraiment qu'elle convainque Cash de jouer au football avec son fils.

—On se retrouve dans quelques minutes.

Jacob la salua joyeusement de la main, et Marisol se retrouva libre de sélectionner sa garde-robe pour les prochains jours.

Que portaient les filles dans les grands espaces, exactement ?

Cash engagea la Range Rover sur la petite route en terre, cahotant sur les nids-de-poule laissés par l'écoulement d'un ruisseau de montagne. La forêt dense rendait la route à peine praticable. Les branches de pins fouettaient les vitres.

Cash fit une embardée, et les enfants rebondirent dans leur siège-auto en poussant des cris perçants. Les peluches tombèrent par terre.

— Papa ! Arrête de conduire comme un fou ! lança Hannah.

— Plus vite ! Plus vite ! hurla Emily. Accrochez-vous !

— « *I'm a motherfuckin' P.I.M.P. !* » chantait Jacob en simulant des coups de poing et en se balançant entre ses deux sœurs.

Marisol se fit toute petite sur son siège.

— N'essaie pas de te cacher, se moqua Cash avec un sourire. Je sais très bien que tu l'as acheté avec ce truc.

— Hein ? marmonna-t-elle avec un regard faussement innocent.

— La prochaine fois, trie tes chansons avant.

— Tu n'as qu'à le faire, toi, suggéra-t-elle en croisant les bras sagement sur son sac à main. Quand tu auras appris à Jacob à jouer au foot. Il y a un terrain, là où on va ? (Cash empoigna le volant et se concentra sur la route.) S'il y en a un, tu pourrais échanger quelques passes avec lui, insista-t-elle. Je pense qu'il se débrouillera bien en sport. Les filles aussi.

Cash plissa les yeux, toujours rivés droit devant lui, comme s'il lui fallait une concentration absolue pour retrouver leur lieu de camping.

On y est presque…

— Moi aussi, j'aimerais bien apprendre un ou deux trucs, ajouta Marisol.

Cela laissait entrevoir plein d'éventualités. Il imagina toutes sortes de choses à lui enseigner, sauf une, évidemment.

— Je ne joue pas au foot pendant mes jours de repos.

— Pourquoi? Si ça te plaît et que ça t'amuse…

— Ça ne m'amuse pas, c'est mon travail. Et on est arrivés, annonça-t-il en prenant un virage. Prête?

Les yeux écarquillés, Marisol releva la tête tandis que la voiture fonçait dans une clairière, où Cash l'arrêta. Celui-ci ouvrait déjà sa portière quand il entendit la voix étonnée de la jeune femme.

— Eh! Mais on n'est pas au milieu de nulle part! (Elle s'empressa d'ouvrir de son côté.) C'est le camping du *Lézard joyeux*, dit-elle en montrant les emplacements, les banderoles conviviales et les tables de pique-nique. Tu m'as fait trop peur! Je m'attendais presque à avoir besoin d'une machette et d'une boussole.

— Mais non! Les enfants ne sont pas encore tout à fait prêts pour le camping sauvage. On doit se contenter d'un lieu familial.

— La vache! Et moi qui m'étais préparée comme une dingue pour affronter Mère Nature!

Elle éclata de rire et contourna le véhicule pour rejoindre Cash et les enfants devant le coffre, ses sandales s'enfonçant dans la terre.

— Regarde! s'écria-t-elle en montrant une rangée de camping-cars. Ils ont même des caravanes. Où est la nôtre?

— Pas besoin.

Cash ouvrit le coffre et récolta une pleine bouffée d'odeur canine. Pato. Le berger allemand frétillait d'impatience. Il sentait la proximité d'un de ses terrains de jeux favoris, et certainement un ou deux écureuils.

— Personne n'approche pendant que je fais sortir Pato.

Il prit le chien dans ses bras en lui parlant d'une voix apaisante pendant qu'il assurait sa prise autour de ses quatre pattes. S'il n'y allait pas en douceur et avec fermeté, Pato risquait d'essayer de sauter tout seul et de se blesser. Cash aussi pouvait se faire mal s'il s'y prenait trop vite pour son claquage au tendon. Il inspira profondément.

— Bon chien. Allez, on y va, annonça-t-il en le posant par terre.

Pato vacilla avant de se redresser sur ses pattes. Comme s'il ne venait pas de chanceler comme le grand-père Simpson, le chien se mit joyeusement à trotter autour de la Range Rover, poursuivi par Hannah, Emily et Jacob, qui reprenaient possession des lieux.

— Ne lâchez pas sa laisse ! leur rappela Cash avant de se tourner vers Marisol qui le regardait d'un air interrogateur.

— Comment ça « pas besoin » ? Tous les autres ont des caravanes.

— Ce sont des camping-cars, pas des caravanes. Nous, on a une tente.

À l'université, Cash était sorti avec assez de starlettes pour comprendre la confusion de Marisol.

—Une tente ? répéta-t-elle, les yeux exorbités.

—Ouais.

Il regarda le sol de l'emplacement le plus proche pour s'assurer qu'il était bien plat. Le terrain semblait bon. De même que la grille de barbecue et le foyer cerclé de pierres.

—Une tente, reprit-il. Comme eux.

Il indiqua des campeurs installés plus loin. Ils se prélassaient allégrement dans des chaises longues à côté d'un drapeau aux couleurs vives du *Lézard joyeux* portant le numéro onze. Ils avaient planté leur igloo pour deux personnes juste à côté. Des maillots de bain mouillés séchaient sur un fil à linge tendu entre deux chênes.

Le lac se trouvait à quelques minutes de marche, mais Cash ne se souvenait pas s'il en avait parlé à Marisol. Il l'espérait.

—Tu as apporté un bikini ? s'enquit-il.

Elle ne marcha pas.

—Une tente ?

—Tu m'as vu la charger.

—J'ai cru que c'était pour Pato !

—Non. (Il sourit. Il aimait la façon dont ses joues rosissaient et ses yeux pétillaient.) C'est pour nous. En ce qui concerne le bikini…

—Oui, j'en ai apporté un. (Elle lança ses bras en l'air impatiemment, faisant tinter ses bracelets, puis elle posa ses mains sur ses hanches.) Tu crois que je ne suis jamais sortie de chez moi ?

Il regarda avec insistance sa minijupe, puis sa coiffure élaborée et sexy, et enfin son ventre en partie dénudé.

—En fait…

—Ne réponds pas, le coupa-t-elle en souriant. Indique-moi juste le bar. Je vais boire un cocktail pendant que tu installes tout.

Cash regarda en l'air. *Comment le lui annoncer en douceur?*

—À vrai dire, il n'y a pas de…

—Je t'ai bien eu! (En riant, Marisol se jeta à son cou et le secoua joyeusement.) Je sais qu'il n'y a pas de bar. Je vais t'aider.

Pendant quelques secondes, Cash fut tenté de se laisser glisser par terre. Ou contre un arbre. Peu importait, tant qu'elle restait là, près de lui. Les enfants étaient occupés, le soleil brillait, et les campeurs s'amusaient tous dans leur coin. Ils avaient suffisamment d'intimité.

—Non, pas la peine de m'aider. Je gère.

Pour le prouver, il attira Marisol tout contre lui, se délectant de son sourire quand il lui caressa le dos. Son nez retroussé était le plus joli qu'il ait jamais vu. Tenté au-delà du raisonnable, il pencha la tête et l'embrassa. Puis il recommença. Elle était aussi délicieuse que la première fois.

Marisol fut la première à interrompre leur baiser.

—Oui, je confirme : tu gères.

—Ne l'oublie jamais, l'avertit Cash sur un ton faussement sévère. (Son idée de partager le duvet le séduisait de plus en plus.) Maintenant, va donc enfiler ton maillot de bain.

Il lui donna une petite tape sur les fesses et lui indiqua le bâtiment en brique des sanitaires du camping. Elle poussa un petit cri.

— Non, vraiment. Je suis sérieuse. (En rougissant, Marisol se frotta le derrière.) Dis-moi juste ce que je dois faire pour t'aider… pour de vrai. Je suis là pour ça.

Il secoua la tête.

— Tu es là pour le plaisir des yeux. Tu es ma muse.

— Arrête ! Je peux le faire. (Avec une profonde inspiration, elle redressa les épaules.) De toute façon, il faut que quelqu'un tienne les rênes pendant que tu installes tout à la perfection.

— Très drôle. (Il réfléchit un instant.) Je préfère avoir une laisse.

Marisol parut presque vexée pendant un court instant. Alors, Cash céda. Il prit même la peine de détacher son regard de ses seins, que la position aguicheuse de la jeune femme mettait en valeur. La main sur le front pour abriter ses yeux du soleil, il chercha Jacob, Emily et Hannah. Les triplés ramassaient des pommes de pin tandis que Pato reniflait les aiguilles à côté d'eux.

— Tu veux te changer d'abord ? demanda-t-il.

— Pourquoi ? (Marisol regarda ses vêtements.) C'est ma plus vieille jupe vintage, donc ce n'est pas grave si je la salis. Et je peux décolorer ce débardeur, si besoin. C'est ça qui est cool, avec le blanc. Et ces tongs datent de la saison dernière, donc pas de problème pour faire des promenades avec. Tu vois !

Non, il ne voyait pas du tout.

— Tu ne portes jamais de pantalon ? Ou de baskets ?

— Euh… non, répondit-elle en haussant les épaules. Ma mère était toujours en jupe aussi. C'est bizarre, non ? Je n'y avais pas pensé depuis des années. Comme si je voulais lui ressembler, ou quelque chose dans le genre.

Elle éclata de rire.

— Pourquoi pas ? Qu'est-ce qu'elle a fait ?

— À part nous abandonner, mon père et moi ? Elle faisait les magasins, elle se tapait le maître nageur et elle a épousé un matador. Sinon, pas grand-chose.

— Ah !… Les réunions de famille doivent être bizarres.

— Pas vraiment. En fait, je ne l'ai pas revue depuis mes treize ans. Elle m'envoie une carte de vœux de temps en temps, mais ça s'arrête là.

Cash eut de la peine pour elle, mais il ne savait pas quoi dire de plus.

— C'est bon, lui dit Marisol avec un clin d'œil. Avant de partir, elle m'a appris à harceler les maîtres nageurs.

Maintenant, il était vraiment navré.

— Non, vraiment. (Voyant la mine maussade de Cash, elle posa la main sur son bras pour le rassurer.) C'était il y a très longtemps. Je m'en suis remise, je t'assure.

— N'empêche que ça a dû être difficile de grandir dans ces conditions.

Elle haussa les épaules.

— Parfois, mais j'ai eu le loisir d'auditionner plusieurs mamans en bonus. Tous les enfants ne

302

peuvent pas se vanter d'avoir eu cette chance. Et ma troisième belle-mère, Jamie, est géniale. Donc, si tu t'inquiètes pour l'impact de ton divorce sur tes enfants, dis-toi qu'ils peuvent s'en sortir, au bout du compte. J'en suis la preuve!

Elle fit une pirouette et une grimace comique.

— Je ne me faisais pas de soucis, répondit Cash. Jusqu'à ce que tu fasses ça.

— Ha! ha! ironisa-t-elle avant de rire pour de bon. Et tu es un père largement meilleur que le mien, donc tu pars avec un peu d'avance. Emily, Jacob et Hannah s'en sortiront bien.

Pour la première fois depuis longtemps, Cash s'autorisa à espérer qu'il en soit ainsi. Maintenant, si seulement il pouvait assurer son poste au sein des Scorpions, alors il vivrait dans un beau quartier, où les triplés viendraient lui rendre visite, il n'aurait aucun souci pour leur payer des études, et tout serait parfait.

— Coucou! lança Jacob.

De toute évidence, il venait de remarquer la proximité inhabituelle de leurs visages. Il fit signe à Emily et à Hannah.

— Je crois que papa et Marisol vont encore s'embrasser!

Des campeurs voisins tournèrent la tête et sourirent.

Les deux intéressés s'écartèrent l'un de l'autre.

— On plante la tente? proposa Cash.

— Tu m'étonnes, répondit-elle. C'est parti.

Quand la tente fut montée – avec l'aide de Marisol –, Cash rangea toutes leurs provisions à l'intérieur. Marisol doutait que cet endroit se distingue par son style, mais elle pourrait toujours y ajouter un peu de fantaisie plus tard. C'était sa spécialité. Tandis qu'elle observait le décor, les enfants déchargèrent leurs sacs à dos et leurs duvets avec la même expression que des bénévoles ayant déjà fait cela très souvent.

—On se remue !

Les bras croisés, Cash les supervisait depuis l'entrée de la tente dont le dessus formait plusieurs pointes. D'un geste, il indiqua aux triplés de passer par le rabat ouvert.

—Vous savez quoi faire. Allons-y.

Ils s'accroupirent pour entrer. Jacob se jeta dans la terre et rampa, façon G.I. Joe, en gloussant et en poussant des cris aigus. Cash le suivit, puis repassa la tête par l'ouverture.

—Détends-toi, dit-il à Marisol. On prépare tout.

—Vous êtes sûrs que vous n'avez pas besoin d'aide ?

—Tu en as déjà fait assez.

Il lui décocha un clin d'œil, certainement au souvenir de tous les moments où ils s'étaient « accidentellement » frottés l'un à l'autre en montant la tente.

—En plus, ici, tu es une invitée. Ne bouge pas.

Il referma le rabat. Marisol entendit des gloussements et des bruissements de nylon. Les parois colorées de la tente s'agitaient au rythme des gamins.

La jeune femme n'en revenait pas que l'installation ne s'effondre pas. Bizarrement, tout resta en place. Elle s'occupa en cherchant une bonne pierre plate pour s'asseoir près du foyer. Si seulement elle pouvait trouver quelque chose pour la nettoyer avant…

Elle fouillait dans les affaires restées dans le coffre de la Range Rover quand son portable sonna.

—Allô ?

—Marisol, c'est Adam.

—Ah ! Salut, Adam !

Elle écarta le téléphone de son oreille et le regarda. Rose. Une coque à paillettes. Pas de message en attente. C'était bien le sien. Étrange.

—Comment avez-vous eu mon numéro ?

—Je suis agent. J'ai des contacts. Est-ce que Cash est là ?

—Bien sûr, je vais vous le chercher.

—Non ! C'est à vous que je veux parler.

—À moi ? À quel sujet ?

Trouvant une bâche, elle envisagea de l'utiliser pour épousseter la pierre, puis elle abandonna l'idée, considérant la toile trop difficile à manipuler. Elle reprit donc ses recherches.

—Vous avez besoin de conseils déco ? Votre chambre d'hôtel est monotone ? (Adam avait mis fin à son séjour chez les Connelly et réservé une chambre à Flagstaff.) Essayez d'allumer des bougies parfumées. Et posez des cadres photo aussi. Ça aide à se sentir chez soi dans un hôtel.

—Merci pour les conseils, dit-il d'un ton amusé, mais ce n'est pas pour ça que j'appelais.

Marisol continuait à chercher. À ce moment précis, elle aurait vendu son sac Chanel préféré en échange de son plumeau.

Si j'avais su que je ressentirais ça un jour !

— Ah bon ! Eh bien, si vous vous sentez seul, venez donc nous rejoindre ! On est au camping du *Lézard joyeux*. Vous savez où ça se trouve ? (Elle plissa les yeux pour tenter d'apercevoir un panneau.) C'est à côté de… d'un bosquet de pins et de quelques montagnes.

— Marisol, Cash est blessé, l'interrompit Adam sur un ton professionnel. C'est pour ça que je vous appelle. Il ne sait pas que je suis au courant, mais je viens de discuter avec l'entraîneur de l'équipe, donc je…

— Quoi ? (Pétrifiée, elle agrippa son téléphone.) Qu'est-ce qu'il s'est fait ? (Cash lui semblait toujours tellement fort.) Vous devez vous tromper, Adam. Cash ne m'en a pas parlé et il a l'air d'aller bien…

— Parlez tout bas. Est-ce qu'il vous entend ?

Elle vérifia. La tente s'agitait encore.

— Je ne crois pas, murmura-t-elle. Qu'est-ce qui s'est passé ?

— Un claquage, répondit Adam. Aujourd'hui, à la musculation. C'est relativement bénin. Sa bagarre avec un défenseur juste après a certainement causé plus de dommages, mais…

— Cash s'est battu ?

Comment avait-il pu lui cacher ça ?

— Rien de grave. Ils se sont juste un peu bousculés, expliqua Adam d'une voix mesurée. Écoutez, Cash doit se reposer avant le début du camp d'entraînement lundi, donc ce petit séjour au camping est sûrement une bonne idée. Ça l'obligera à faire une pause, juste par mesure de précaution. À son âge, il ne peut pas se permettre de jouer avec une blessure.

Marisol leva les yeux au ciel.

—Il n'a que trente-quatre ans.

—Ça commence à faire vieux dans le football. Par comparaison, ce serait comme… Comment je pourrais expliquer ça ? Ah oui, c'est comme un mannequin de vingt-quatre ans.

—Oh !

La plupart des mannequins étaient dépassés à vingt et un ans. Inquiète, Marisol regarda vers la tente. Elle espérait que toute cette agitation n'aggravait pas la blessure de Cash. Elle aurait dû savoir que quelque chose n'allait pas dès qu'elle l'avait vu boiter dans la cuisine.

—Qu'est-ce que je peux faire ?

—Obligez-le à se reposer pendant un moment. Il faut qu'il évite d'en faire trop, l'avertit Adam. J'ai peur qu'il ne se montre très têtu, et peut-être hypersensible.

Dubitative, Marisol écouta les sons provenant de la tente : encore des rires. Connaissant Cash, il devait probablement chatouiller les enfants.

—Il a l'air d'aller bien pour l'instant.

—Bon, quoi qu'il arrive, occupez-le. Ne le laissez pas se morfondre ou s'apitoyer sur son sort. Et empêchez-le de se battre aussi.

—OK. Reçu cinq sur cinq.

Marisol se regarda. Certes, elle était la meilleure du cours avancé de Pilates avec Bjorn, mais cela ne signifiait pas grand-chose dans le monde réel. Surtout contre un footballeur professionnel deux fois plus gros qu'elle.

—Euh… et comment je suis censée faire ça ?

— Changez-lui les idées. Vous êtes douée pour ça.

Elle réfléchit en se mordant la lèvre.

— Sans que ce soit forcément classé X, hein, ajouta Adam d'un ton pince-sans-rire.

Dommage.

— Pas de problème. J'accepte la mission. (Marisol imita un salut militaire avant de jeter un autre coup d'œil à la tente.) Adam? Merci de me faire confiance. Je ne vous décevrai pas.

Chapitre 21

Cash ignorait quelle mouche avait piqué Marisol. Pendant les trois jours qui suivirent, au camping du *Lézard joyeux*, elle se montra énergique, responsable et d'une gaieté inébranlable. Malgré la nature environnante. En permanence. Sans esthéticienne ni draps de soie à l'horizon. C'était absolument surréaliste. Cash aurait presque cru qu'elle manigançait quelque chose. D'autant plus qu'elle le bichonnait d'une façon exceptionnelle. Elle l'obligeait à se détendre et à se reposer. Elle lui apportait des coussins gonflables et des boissons fraîches. Elle l'incitait même à rester dans son sac de couchage quand il essayait de se lever à l'aube, puis se rendormait sagement, comme Emily, Jacob et Hannah.

Marisol l'avait écouté avec attention quand il lui avait expliqué comment allumer et éteindre un feu dans le foyer. Elle parcourait inlassablement les bois avec les enfants à la recherche de pommes de pin et de pierres pour construire des châteaux forts. Elle plaisantait, elle mangeait des hot-dogs sur des bâtons et elle courait partout en minijupe et en haut de maillot de bain blanc, ce qui avait le don de le rendre complètement fou.

Elle dormait à côté de lui – avec un masque de nuit rose sur le visage –, dans leur double duvet. Elle blottissait tout naturellement ses fesses contre lui d'une façon plus qu'inconfortable en présence des triplés qui gigotaient à seulement quelques centimètres. Elle l'embrassait, le serrait dans ses bras et le faisait saliver de désir inassouvi.

D'une certaine façon, grâce à elle, le soleil brillait un peu plus chaque jour.

Au bout du compte, Marisol semblait heureuse de sa première expérience de camping en famille. Et Cash était heureux avec elle. Il aimait lui apprendre la vie en extérieur : nager dans un lac au lieu d'une piscine branchée de Los Angeles, regarder les étoiles plutôt que sa montre. Il aimait voir Marisol mettre son grain de sel si personnel dans tout cela.

En revanche, il n'aimait pas chanceler sur sa jambe endolorie… et se demander ce que serait sa vie quand le stage de Marisol pour *Dzeel* serait terminé.

— Hé ! Jean qui pleure !

Elle le poussa du coude et leva les yeux de son chamallow en train de griller. Son visage brillait à la lumière du feu.

— Ça ne va pas ? Tu as brûlé le tien ?

Cash secoua la tête. Il avait dû retirer la moitié de l'écorce du bout de bois avant qu'elle consente à le planter dans son chamallow pour le faire griller.

— Pas grave. Tu peux prendre le mien.

Elle lui tendit un chamallow gluant diffusant une odeur sucrée, déjà en sandwich entre deux cookies.

310

Ses doigts dégoulinaient de chocolat fondu. Elle les lécha en riant.

—Tu sais quoi? C'est vraiment bon. Qui aurait cru que j'y goûterais, il y a trois jours? (Elle passa sa main sur son ventre, que son accoutrement de camping – haut de bikini et minijupe –, laissait nu.) Maintenant, je suis une vraie experte.

Cash prit la brochette et l'avala en deux bouchées, trop préoccupé pour la savourer. Après trois nuits avec Marisol – à ne faire que dormir –, sa volonté commençait à s'élimer.

Le problème de ce séjour, c'était qu'il l'amenait à imaginer ce à quoi ressemblerait un avenir commun avec elle. Un avenir dans lequel il ne serait pas son patron, et où elle ne serait pas obligée de passer du temps avec lui…, mais resterait quand même. Il avait de plus en plus envie de ça. Et d'elle.

Mais elle, que voulait-elle?

—Tu t'amuses? s'entendit-il demander.

—Oui!

Marisol sourit aux enfants, agglutinés en rang d'oignons sur une branche cassée, au bord du foyer circulaire, la bouche pleine de cookies aux chamallows. Au-dessus d'eux, les étoiles scintillaient dans le ciel d'été.

—J'aime bien cet endroit. C'est paisible… un peu comme la côte amalfitaine au printemps.

—Oui, acquiesça-t-il en regardant autour de lui. Et tu es belle.

Elle en resta bouche bée et faillit lâcher son nouveau chamallow dans le feu.

— Tu te moques de moi ? Mes cheveux sont secs et pleins de frisottis, rétorqua-t-elle en tirant dessus. Je n'ai pas de rouge à lèvres, et mon vernis à ongles est tout craquelé. Je ne ressemble à rien. Heureusement que personne ne me voit. (Elle mordit allégrement dans son chamallow.) Ce serait la fête, pour la presse, si des paparazzis me trouvaient dans cet état.

Ah oui ! Pour le reste du monde, Marisol Winston était une héritière fêtarde à la mode, une personne à admirer, à traquer, à faire figurer dans les magazines et même à imiter. Pour lui, elle était simplement Marisol. Le plus souvent, Cash oubliait tout de son passé : sa fortune, sa célébrité et sa vie à Los Angeles.

— Est-ce que ça arrive souvent ? s'enquit-il.

— Qu'on me prenne par surprise ? (Elle hocha la tête.) À L.A., je ne peux pas boire un café sans que des photographes pètent les plombs et hurlent mon nom. Parfois, ils attirent toute une foule. C'est bizarre.

— Beaucoup de gens rêveraient d'être aussi célèbres, commenta-t-il en souriant. Bon sang ! Moi aussi, je suis presque aussi célèbre.

Du moins l'avait-il été à ses débuts.

— Peut-être, mais moi, je n'ai jamais rien fait pour ça.

Cash la dévisagea d'un air sceptique. Marisol sourit malicieusement.

— OK, peut-être que je suis pas mal sortie en boîte. Et il y a eu quelques rumeurs scandaleuses à mon sujet. Mais maintenant que j'ai vieilli, ces trucs ne m'intéressent plus. De toute façon, qui voudrait être connu juste grâce à son nom de famille ?

Cash haussa les épaules. Le passé de Marisol attisait exagérément sa curiosité. De plus, l'idée d'être avec elle le paralysait littéralement. Les pins devaient être imprégnés de magie noire, et il ne l'avait jamais remarqué.

—Ce n'est pas comme si j'avais choisi d'être une Winston, poursuivit Marisol en faisant tinter ses bracelets. Je suis arrivée là par hasard. Je n'ai encore rien fait pour le mériter. En plus, les Winston ne sont pas exactement tels qu'on les imagine, tu peux me croire.

—Hum, fit Cash pensivement. Je vois ce que tu veux dire. C'est comme le football.

Surpris de s'entendre reconnaître ça à voix haute, il jeta un regard noir vers sa jambe. Bien que son tendon soit presque guéri, il restait contrarié de devoir se ménager et se demander s'il survivrait au camp d'entraînement dès la semaine prochaine.

—Oui, j'y ai pensé. (Marisol appuya son menton au creux de sa main.) Au football, je veux dire, précisa-t-elle avec un regard sérieux. Quand tu recommenceras à jouer chez les pros, tu ne seras pas malheureux de ne plus voir les enfants aussi souvent ?

Un silence plein d'attente s'installa entre eux, uniquement interrompu par les crépitements du feu. Marisol patientait.

—Ils survivront, répondit Cash en fronçant les sourcils. Je partage la garde avec Stephanie. Les enfants ont leurs amis, leur vie. Ils…

—Je parle de toi. Tu ne seras pas malheureux ?

Cash claqua ses mains sur ses cuisses et se leva.

— Derniers chamallows, les enfants, annonça-t-il à Emily, à Hannah et à Jacob, qui levèrent vers lui des visages déçus. C'est l'heure d'aller au lit.

Frustrée, Marisol suivit le sentier qui partait des sanitaires des femmes, ses affaires de toilette et son portable à la main. Son téléphone collé à l'oreille, elle passa devant des campeurs qui riaient, des enfants qui jouaient, un groupe qui chantait et des feux de camp si hauts qu'ils semblaient faire naître de nouvelles étoiles dans le ciel. L'odeur des hot-dogs, des chamallows et des pins planait dans l'air. Aucun autre parfum n'existait dans cette nature-là.

Cet endroit ne ressemblait en rien à toutes ses autres expériences de la nature – c'est-à-dire les festivals de design de Capri, les centres commerciaux californiens en plein air ou les occasionnels marathons de marchés aux puces –, mais elle avait dit la vérité à Cash. Cela lui plaisait. Surtout parce qu'elle le vivait avec lui.

En tout cas, jusqu'à ce qu'il devienne exaspérant.

— Je ne comprends rien ! se plaignit-elle à Jamie au téléphone. On tissait de vrais liens, et, d'un seul coup, il a décampé sans me répondre. Pourquoi je n'arrive pas à le convaincre de se confier à moi ?

— C'est un homme, lui rappela sa belle-mère. Ça ne fonctionne pas pareil que quand tu papotes avec Caprice et Tenley. Certains hommes n'aiment pas parler.

— Est-ce que papa te parle ? s'enquit Marisol. Non, laisse tomber. (Elle haussa les épaules.) C'est trop

314

personnel. Je ne veux pas le savoir. Bien qu'il ne me parle pas beaucoup, à moi, en ce moment.

— Ton père est très occupé, c'est tout, lui assura Jamie avant de souffler longuement.

Elle devait être au milieu de sa séance de yoga. Encore une fois, Marisol constata avec quelle facilité la vie suivait son cours sans elle.

— Il ne veut pas te perturber pendant ta cure de désintoxication.

— De désintoxication au shopping, souligna Marisol. Dont je ne vois toujours pas bien l'utilité. Enfin, je reconnais que j'aimerais vraiment être à L.A. en ce moment pour qu'on puisse parler de tout ça en se promenant dans la boutique *Fred Segal*, mais je ne vois pas où serait le mal.

— S'il te plaît, Marisol. On a déjà parlé de tout ça à *Dzeel*…

— Vous me manquez, c'est tout.

Marisol s'arrêta sous un pin le temps de refouler ses larmes en regardant les étoiles. Le ciel était si vaste que c'en était presque écrasant. Elle se sentait minuscule.

— Je ne sais pas quoi faire avec Cash, j'avance à tâtons avec les enfants, et vous me manquez.

Jamie rit doucement.

— Mon cœur, tout le monde avance à tâtons. Tu as déjà vu quelqu'un qui sache vraiment ce qu'il fait ?

— Narciso Rodriguez sait très bien ce qu'il fait. (Marisol renifla et se remit à marcher.) Ses vêtements sont absolument superbes.

— Tu n'es pas Narciso, mais je lui dirai que tu penses autant de bien de lui, la prochaine fois que je le verrai. Ça lui fera plaisir. (Elle marqua une pause.) Nous autres, nous ne sommes que des gens normaux, ma chérie. N'importe qui ne peut pas devenir un célèbre designer.

—À ce propos…

Marisol retint son souffle. Allait-elle vraiment le dire ? *Oui*, décida-t-elle. Elle se lança tant qu'elle en avait le courage.

—Je me suis un peu remise à la décoration.

—C'est fantastique ! Oh, Marisol ! Comme je suis contente d'entendre ça !

—Ce n'est pas grand-chose, s'empressa d'ajouter Marisol pour couper Jamie dans son élan. J'ai juste un peu changé la disposition des meubles dans la maison que Cash loue et fait quelques expériences textiles. (Elle repensa au rideau de douche qu'elle avait fait avec les enfants. Ils s'étaient bien amusés, ce jour-là.) Mais tu sais, c'est le maximum que je puisse faire avec le peu de talent dont je dispose.

—Tu as beaucoup de talent. Si seulement tu t'y mettais et…

—Ce n'est pas ce que pense papa.

Silence. Marisol entendait presque les mouches voler.

En même temps, il y avait vraiment des mouches autour d'elle.

—Il faut que tu comprennes, reprit Jamie. Ne crois pas que ton père ne voit pas tes qualités, parce que ce n'est pas vrai. C'est juste qu'il faisait un peu le fou aussi quand il avait ton âge, et…

—Peu importe. Oublie ce que j'ai dit.

Son père si calme et responsable en train de «faire le fou» était bien la dernière chose qu'elle pouvait imaginer. Peut-être qu'un jour il avait oublié de remplir un formulaire de *The Home Warehouse* en triple exemplaire et qu'il n'avait jamais cessé de regretter cette indiscipline depuis.

Marisol soupira. Devant elle, elle avisa l'emplacement numéro sept – le leur – et ressentit une sensation troublante de retour à la maison. Pato vint à sa rencontre en trottinant et en remuant la queue. Apparemment, Cash et les enfants l'avaient laissé pendant qu'ils s'adonnaient à leur rituel du coucher et qu'elle fignolait son style hippie aux sanitaires. Elle caressa le berger allemand.

— Tu sais quoi? demanda-t-elle à Jamie. J'ai presque un chien.

— Toi? Un chien?

— Enfin, c'est le chien de Cash, mais il n'est pas comme les autres, roucoula-t-elle. Il est particulièrement doué pour le camping. Il protège notre emplacement.

Silence incrédule au bout de la ligne.

— Attends, je résume, reprit Jamie. Tu campes. Tu te promènes sans maquillage. Tu manges des trucs gras et tu le reconnais toi-même. Tu te remets à la déco après une pause d'un an. Et maintenant tu es amie avec un chien?

— Oui, confirma Marisol. Étrange mais vrai. Et je n'ai même pas peur de lui.

—Ça y est, annonça Jamie. Tu es amoureuse. Et ça aussi, c'est bon pour toi. Regarde comme tu es heureuse !

Marisol pouffa.

—Je ne suis pas amoureuse. Je ne suis que la nourrice. (Et la bonne, mais elle ne le précisa pas.) En plus, Cash et moi n'avons pas couché ensemble. (Elle s'assit sur sa pierre, bien nettoyée depuis sa découverte.) Enfin, on dort ensemble, mais on n'a pas couché ensemble. On partage le même duvet.

—Oh ! Pauvre chérie. Tu dois mourir d'impatience !

—Je t'en prie ! Essaie d'être un peu plus maternelle, au moins dans les formes.

—Les formes, c'est surfait, plaisanta Jamie. Il faut absolument que je rencontre cet homme. Ce faiseur de miracles. Cette merveille parmi les merveilles pour qui ma petite fille préfère aller camper que faire des séances d'UV.

—Non, il ne faut pas que tu le rencontres. Il t'exaspérerait.

Marisol se souvint de la manière abrupte avec laquelle Cash avait mis fin à leur dernière conversation concernant la prochaine saison de football. Elle ne savait toujours pas quoi faire. Cash ne lui faisait-il pas assez confiance pour lui parler de ses sentiments ? Cette pensée la blessait.

—Il me plaît vraiment beaucoup. En plus, il se fiche complètement que je sois une Winston ! Ça ne représente rien pour lui.

—Donc il pourrait assumer de sortir avec toi sans avoir peur ? s'enquit Jamie. C'est toujours bon à prendre. Tu as eu ta dose de chasseurs de fortune.

—Je sais, mais c'est compliqué. Je veux dire, je ne suis que la nounou et, techniquement, Cash est mon patron. Je… Oh ! Je ne sais pas. (Marisol soupira sans cesse de caresser le chien.) Il est très différent de moi, et ce n'est pas exactement la vie que j'envisageais.

—C'est vrai, acquiesça prudemment Jamie. Je parie qu'il n'y a pas de martini, de minibar ou de boutique *Prada* à des kilomètres à la ronde.

—Je sais ! (Voyant un insecte, Marisol recula et se décala sur le côté.) Mais qui sait s'il pense la même chose que moi ?

—C'est-à-dire ? demanda sa belle-mère.

—Que ça pourrait être du sérieux. Oh ! Mais qu'est-ce que je raconte ? Tout cet air pur me monte à la tête. (Elle se redressa d'un air décidé.) Je ferais peut-être mieux de terminer mon stage au mieux et de tirer un trait sur cette histoire.

—Non ! Ne renonce pas aussi facilement, lui conseilla Jamie. Tu sais que tu as cette fâcheuse habitude. Depuis toute petite. Tu te rappelles ? Ton relooking de la Maison de rêve de Barbie à Malibu.

—J'avais quatorze ans.

Sous la tente, une lumière vacillante projetait de vagues silhouettes sur la toile en nylon. L'atmosphère semblait chaleureuse à l'intérieur, avec Cash et les triplés.

—J'étais déjà trop vieille pour jouer à la Barbie.

— Tu ne jouais pas, tu redécorais. Tu te découvrais des talents exceptionnels! Créer, imaginer et réinventer. Bon, tu as pratiquement cassé la Maison de rêve. On a retrouvé des morceaux de plastique un peu partout, avant que…

— C'était une démo de préparation avant le réagencement.

— … avant que tu abandonnes le projet, termina Jamie. Ce que j'essaie de te dire, c'est que si ton Cash n'est pas comme les autres tu ne dois pas renoncer avant d'avoir tout donné. Même si ça complique la situation.

Subitement, un «chut» provenant de la tente attira l'attention de Marisol. Toutes les silhouettes s'étaient fondues en une seule. Elle tendit l'oreille tout en caressant Pato, qui posa son museau moucheté de gris sur son genou et la regarda avec adoration.

— Merci Jamie. Il se passe un truc. Je ferais mieux d'y aller.

Quand elles se furent dit au revoir, Marisol céda à la curiosité et posa son téléphone pour écouter plus attentivement. Le «chut» se répéta, et, cette fois, elle reconnut Cash.

Sa grosse voix rauque s'était radoucie pour raconter tout bas l'histoire quotidienne destinée à endormir les enfants. Marisol savait qu'il s'agissait pour lui d'une vraie tradition. Pourtant, elle ne l'avait encore jamais entendu faire : Cash trouvait toujours une corvée curieusement urgente à lui faire effectuer au moment de l'histoire. Celle-ci arrivait à son terme, donc Marisol n'en entendit que la toute fin.

— Voilà pourquoi les deux princesses et le prince héritier décidèrent de rentrer en skateboard, disait Cash. Ainsi, en deux *ollies* et un *nosegrind*, ils entrèrent tous les trois dans le château et vécurent heureux pour toujours.

— Avec le roi ? demanda Hannah, somnolente.

— Oui, lui assura son père. Ils vécurent avec le roi tout le temps qu'ils voulurent, parce que le roi les aimait aussi fort qu'un million de milliards de super balles rebondissantes...

— Eh ! J'en ai une ! s'exclama Jacob.

— ... et son amour était indestructible. Rien ne pouvait en venir à bout.

— Elle était bien, ton histoire, le félicita Emily en bâillant. Bonne nuit, papa.

— Faudrait qu'ils fassent du surf demain, proposa Jacob. Ce serait terrible !

— Peut-être, répondit la voix calme de Cash. Il faut dormir, maintenant.

— OK. Bonne nuit, papa.

Les murmures continuèrent un peu, mais Marisol n'entendait que Cash : lui et tout l'amour contenu dans chacune de ses paroles. C'était impressionnant. Cela ne retirait rien à sa virilité ni à la sécurité, à la fermeté et à la force qui émanaient de lui. Toutefois, l'affection inébranlable dont il faisait preuve le rendait également prudent, drôle et tellement vulnérable que Marisol avait du mal à croire qu'il s'agissait de l'homme qui avait coupé court si brutalement à la conversation, plus tôt dans la soirée.

Elle n'avait encore jamais été à portée de voix de Cash au moment du coucher des enfants. Elle n'avait jamais entendu comment cela se passait et se demandait à présent pourquoi il l'avait toujours tenue à l'écart. En effet, en l'entendant, elle éprouvait un nouveau sentiment qui ne laissait aucune place au doute.

Un sentiment auquel elle aurait dû s'attendre, mais auquel elle ne s'était pas préparée.

L'amour. Elle était amoureuse de Cash ! Elle aimait son entêtement et ses idées protectrices, même sa manie ridicule de faire griller les chamallows par trois. Jamie avait raison, et Marisol s'était trompée. Maintenant, un seul problème subsistait…

Que faire ?

Que faire quand on avait le cœur à l'envers pour un homme qui ne serait plus à votre portée dans un très proche avenir ?

Avant que Marisol ait le temps de répondre, le rabat de la tente s'ouvrit. Cash sortit en rampant, se releva avec agilité et s'étira de tout son long sans la remarquer. En souriant, il passa une main protectrice sur la tente.

Totalement attendrie, Marisol voulut le prendre dans ses bras. Peut-être aussi l'embrasser partout, mais surtout lui faire un câlin. Au fond, Cash était un cœur tendre ! Il était secrètement fleur bleue et racontait des histoires à ses enfants d'une voix douce qui hypnotisait les petits comme les femmes majeures et vaccinées.

Il se tourna… et remarqua qu'elle l'observait.

Amoureusement, elle lui fit signe du bout des doigts.

Cash fronça les sourcils. Caché par les ombres produites par le feu, il fouilla dans le sac à dos posé à ses pieds et lui lança quelque chose.

Un sweat des Scorpions. Marisol le rattrapa avec un regard curieux et le serra contre elle.

— Mets-le. Tu dois avoir froid avec seulement ton haut de maillot de bain.

— Non, ça va. (Elle fit un grand sourire.) Mais c'est gentil de ta part.

— Je vais chercher du bois, annonça-t-il sur un ton bourru en sortant sa lampe torche. Tu as besoin de quelque chose ?

— Juste de toi. Vite.

Une onde de chaleur passa entre eux, brûlant l'obscurité.

D'un signe du menton, Cash désigna son large sweat.

— Mets ça. Je reviens.

Sur ce, sous le clair de lune qui soulignait la carrure de ses épaules, il disparut entre les arbres.

Chapitre 22

Le matin de leur dernier jour au camping du *Lézard joyeux*, après avoir piqué une tête dans le lac, puis fait une petite promenade et un atelier de confection de colliers avec des pailles enroulées dans du papier d'aluminium, Marisol rencontra un obstacle qu'elle ne put ni écarter ni contourner.

—Je m'ennuie, se plaignit Jacob en donnant un coup de pied dans une pierre.

—Moi aussi, déclara Emily. Je m'ennuie trop, c'est grave horrible !

—Personne ne s'est jamais autant ennuyé que moi, gémit Hannah portant une main à son front. J'en ai trop marre du camping !

Marisol n'attendait que cette occasion.

—Eh bien, si on allait découvrir ce que fait votre papa sous la tente ? Peut-être qu'il sortira et trouvera quelques idées.

Emily secoua la tête.

—À mon avis, il fait la sieste.

—Ouais, acquiesça Jacob. Il en avait plus besoin que nous.

Possible. Cash s'était entraîné d'arrache-pied pour se préparer pour le camp et la prochaine saison de football. Il avait beaucoup de sommeil à rattraper. Les quelques jours de repos dont il avait bénéficié au camping ne représentaient qu'une goutte dans l'océan. Marisol le surprenait encore parfois en train de boiter, comme si sa jambe blessée était raide et ne guérissait que lentement.

— La sieste ? Pff ! On n'est pas des bébés, intervint Hannah en grimaçant. (Elle rajusta le diadème qu'elle avait fabriqué avec du carton et du papier d'aluminium.) Ça fait des années que j'ai pas fait la sieste, moi !

La lassitude blasée de cette gamine de six ans fit sourire Marisol.

— Je suis presque sûre d'avoir entendu quelqu'un ronfler là-dedans.

— C'était sûrement Jacob, accusa Emily en examinant ses ongles.

— Non ! protesta le garçon en tournant la tête, faisant voler ses écouteurs.

— Ouais, c'est lui le plus jeune, décréta Hannah en tirant la langue.

— De douze minutes ! rétorqua Jacob. Tu parles !

Ils continuèrent à se chamailler, et leurs voix montèrent rapidement dans les aigus.

— Eh ! (Cash, les cheveux ébouriffés, sortit la tête de la tente d'un air fâché.) Qu'est-ce que c'est que ce raffut ?

Les triplés se lancèrent dans trois plaidoyers simultanés, se plaignant qu'ils en avaient assez du camping, des pins et des hot-dogs.

Cash émit un sifflement strident. Jacob, Hannah et Emily se turent immédiatement. D'un air grincheux, Cash s'extirpa de la tente.

— Taisez-vous, tous les trois…, commença-t-il.

Hannah et Emily gloussèrent. Même Jacob ricana doucement.

Cash écarquilla les yeux. C'était lui, le chef de la famille. En général, les ricanements n'étaient pas permis. Il posa sévèrement les mains sur ses hanches…, ce qui faillit décrocher les deux autocollants *Bob L'éponge* fixés à son short. Marisol le balaya du regard et éclata de rire à son tour.

De toute évidence, Emily et Hannah n'avaient pas dormi pendant leur sieste. En revanche, elles avaient improvisé un atelier de collage, qui impliquait leur collection de stickers et leur papa.

— De mieux en mieux.

De mauvaise humeur, Cash se passa la main dans les cheveux. Un autocollant de *Clifford, le gros chien rouge* tomba de ses cheveux bruns en bataille et atterrit sur son épaule.

— Fini les chamailleries, gronda-t-il.

— Promis, dirent Emily et Hannah en chœur.

Elles donnèrent un coup de coude à Jacob et lui montrèrent une série de stickers *Dora l'Exploratrice* collés sur le torse de leur père. Un autre décorait son front, et elles en avaient éparpillé quelques-uns dans son dos. Ses jambes déclinaient les lettres de l'alphabet.

— Euh…, hésita Marisol avant de tendre le doigt aussi.

—Quoi?

Cash les fusilla tous d'un regard agacé.

—Tu as un petit… truc… juste là.

Marisol tourna le menton vers le sticker *Hello Kitty* collé sur son genou.

Cash baissa les yeux. S'attendant à une explosion, Marisol tressaillit.

Mais le père des enfants sourit.

—Ha! Ha! Vous m'avez bien eu, cette fois, les filles. Est-ce qu'il vous reste des autocollants?

Les fantastiques sœurs stickers secouèrent la tête.

—Beau boulot.

Cash leur ébouriffa les cheveux et s'assit à côté de Marisol sur la pierre plate. Il la poussa d'un coup de hanche, complètement à l'aise.

—Bien joué, continua-t-il.

—Tu n'es pas fâché? s'enquit Marisol. Tu avais l'air.

—Mais non.

Il détacha quelques autocollants et les contempla tous avant de faire un petit tas sur son pouce avec d'autres stickers. Il les tendit à Emily, puis regarda Marisol droit dans les yeux.

—C'est juste pour rire. En plus, je leur ai dit que s'ils arrivaient à m'attraper ils auraient le droit de t'embêter, la prochaine fois.

Il hocha la tête vers Emily, qui sourit malicieusement. Hannah et Jacob se ragaillardirent aussi. Un instant plus tard, Marisol courait dans les bois, les quatre autres à ses trousses, des autocollants volant dans l'air parfumé.

Cash comprit qu'il craquait totalement pour Marisol quand il envisagea vraiment de céder à sa dernière requête. Même si c'était idiot, mal avisé et à l'encontre de tous ses principes. Même s'il ne s'agissait pas réellement d'une activité de camping.

—S'il te plaît, supplia-t-elle en lui prenant les mains pour l'obliger à se lever. S'il te plaît, fais-le pour moi. Ça me ferait vraiment plaisir.

Juste à côté, Hannah, Jacob et Emily les observaient d'un œil avide. Il n'en revenait pas que Marisol l'ait piégé alors qu'ils étaient à portée de voix. Il secoua la tête en fronçant les sourcils.

—Je t'ai déjà dit « non ». Je ne ferai pas ça.

—Pourquoi ? Ce serait drôle. Je te promets que tu ne le regretteras pas.

—Jamais.

—S'il te plaît ! Si tu fais attention, tu ne te feras pas mal. Et, en bonus, tu pourras même m'apprendre, déclara-t-elle en le tirant par la main.

Cash ne bougea pas.

—Je ne joue pas au football pour m'amuser.

Jacob poussa un grognement désabusé et donna un coup de pied dans une pomme de pin.

—Je savais que ça marcherait pas, Marisol. C'est pas grave.

—Non, ça va marcher.

Marisol fit un signe de tête vers le garçon en regardant Cash avec l'air de dire : « Tu vois ? Il a besoin de toi ! » Elle rajusta le sweat des Scorpions qu'il lui avait prêté et elle lui décocha un coup d'œil plaintif.

—Regarde, Jacob. Ton papa va dire « oui » d'une minute à l'autre.

Mais Cash serra les dents en grommelant.

Hannah et Emily ricanaient tout en caressant Pato.

Marisol finit par s'impatienter et partit vers la tente. Elle ramassa le ballon de football qui traînait à côté des baskets de Cash depuis qu'elle s'était mis cette idée en tête, et elle lui lança un regard insistant.

Puis elle jeta la balle en l'air, mais ne parvint pas à la rattraper.

Marisol se claqua les cuisses en se renfrognant.

—Relâche tes mains, lui conseilla Cash.

Elle souffla sur une mèche de cheveux qui lui barrait le visage, puis réessaya. Elle manqua de nouveau une balle facile. Qui ne savait pas se faire une passe tout seul ? C'était pathétique. Cash préféra ne plus regarder. De toute évidence, elle cherchait à l'attirer dans une partie, mais il ne rentrerait pas dans son jeu.

—Venez, les copains. On va y arriver.

Brusquement, Marisol partit vers le centre du camping. Prenant une pose déterminée, elle indiqua à Jacob un emplacement libre à quelques mètres de là et lui lança la balle. Par-dessous, entre ses jambes pliées, comme une vraie amatrice. Pff !

—C'est du foot, pas du bowling ! se moqua Cash en lui faisant une passe courte en dedans. Essaie comme ça.

Hannah galopa derrière la balle et la ramassa dans un emplacement voisin. Malgré les instructions expertes de Cash, Marisol ne s'en sortit pas mieux au deuxième essai. Elle eut beau tenter un lancer sans fioriture elle échoua lamentablement : pas de spirale, pas d'équilibre. Elle tournait bizarrement ses épaules, et la position de ses pieds était horrible.

Cash mit ses mains en porte-voix.

— Tu n'accompagnes pas ta balle, Winston ! Fais faire un tour complet à ton bras.

Elle lui lança un regard grincheux avant de détourner la tête.

— Allez, les enfants ! s'exclama Marisol. Encore un !

Elle tapa des mains et se baissa pour réceptionner le ballon – que Jacob avait récupéré après un autre coup manqué. En se mordant la lèvre, le petit jeta la balle.

Celle-ci atterrit derrière lui. Cash gémit en se couvrant les yeux.

Pour sa part, Marisol commençait à s'échauffer.

— C'est bon ! Réessaie ! hurla-t-elle. Vise ici, Jacob. Juste ici.

Tandis que les tentatives s'enchaînaient, Cash sentait la terre remuée par les coups de pied, il entendait le bruit sourd de la balle tombant au sol et la voix de Marisol, plus forte que tout le reste.

— Les filles peuvent jouer au foot ! soutint-elle à Hannah. Et c'est bon pour le cœur. Lance-la à Emily. Le plus fort possible.

— Aïe ! Elle m'a cassé un ongle ! l'accusa Emily.

Oh non ! C'est le pire échange de balles du monde !

Cash ne se sentait même plus aucun lien de parenté avec ses enfants.

Ils continuèrent sous les encouragements de Marisol, Hannah et Emily l'imitant avec une gentillesse solidaire et Jacob s'efforçant de trouver des jurons.

— Ah ouais ? Eh ben, tu sais quoi ? T'es qu'une sale vilaine ! cria-t-il.

Cash grogna. Ce petit manquait de finesse.

Tout d'un coup, il crut entendre le bruit d'une balle reçue. Était-ce possible ? Prenant son courage à deux mains, il regarda.

Non. Le ballon gisait à terre. En revanche, Marisol avait retiré son sweat et jouait en minijupe et haut de bikini, avec un enthousiasme débordant et des sautillements désinhibés. Pas étonnant que les passants les encouragent. En la voyant, Cash aussi avait envie de tirer un feu d'artifice.

Ils avaient attiré une petite foule de spectateurs. Des adultes et quelques enfants observaient la scène en se donnant des coups de coude et en rigolant. La pression commençait clairement à atteindre Jacob. Les yeux plissés, il levait le menton d'un air têtu, comme chaque fois qu'il rencontrait un obstacle.

Il ne voulait pas faire la sieste ? Menton en l'air. Il était privé de télé ? Menton en l'air. Il devait apprendre à aller sur le pot ? Premier jour à la crèche ? Menton en l'air, menton en l'air.

— Essaie de l'attraper cette fois, bébé, se moqua un jeune spectateur.

Jacob plissa encore plus les yeux. Son menton tremblota, et ses sœurs levèrent les yeux d'un air compatissant. Le garçon hocha brièvement la tête à l'intention de Marisol en agitant ses petits doigts sales pour montrer qu'il était prêt.

La jeune femme jeta également un coup d'œil vers le perturbateur. Son dos se raidit quand elle le vit se moquer de Jacob avec sa bouche pleine de Skittles. Elle pivota et se positionna visiblement pour lancer doucement la balle par-dessous. Facile à rattraper.

— Ah! Je parie que t'es même pas cap' d'attraper une balle de fille, bébé!

Marisol hésita, de même que Jacob qui lui envoya un autre regard nerveux mais obstiné. Menton en l'air. Cash fronça les sourcils. Si cet odieux gamin avait été un adulte, il l'aurait étalé d'une droite en plein dans sa grosse tête et il lui en aurait fait voir de toutes les couleurs de ses Skittles. Comme ce n'était malheureusement qu'un abruti de mioche, à la tête d'une bande d'autres abrutis de mioches…

— Eh! (Cash se leva et partit à grands pas vers le terrain, la mâchoire serrée.) Celle-ci est pour moi.

Par miracle, Jacob attrapa la passe difficile que Cash lui envoya.

Pas la première ni la deuxième ; mais quand la troisième spirale fusa dans sa direction, son fils ouvrit les yeux et les bras en même temps, et arrêta la balle comme par magie. La joie éclata tout autour d'eux.

Marisol faillit déclencher une émeute parmi les campeurs en sautillant et en criant. Hannah et Emily braillèrent à tue-tête, au point de chasser les écureuils des arbres, puis elles tentèrent de soulever leur frère et de le porter tout autour du terrain improvisé, ce qui leur valut presque une hernie. Cash sourit, et Jacob lui tapa dans la main. À cet instant précis, tout allait pour le mieux dans le meilleur des mondes.

—Je lâcherai plus jamais ce ballon! scanda Jacob.

Cash se souvint avoir éprouvé le même sentiment au même âge. Soudain, il ne trouvait plus la moindre raison de ne pas jouer au football pendant un jour de repos. Surtout quand il pensait à la fierté et à l'admiration qu'il avait lu sur le visage de Jacob quand il avait attrapé cette balle. Si Cash réussissait à renouveler cette expérience, il passerait la journée à jouer. À partir de ce moment, plus rien ne put le faire sortir du terrain. À part les élancements occasionnels de son tendon.

Au coucher du soleil, dans les ombres qui s'allongeaient sur le camping, Cash vivait la meilleure partie improvisée de sa vie. Il ignorait comment ils en étaient arrivés là, mais il savait que cela avait un rapport avec Marisol et qu'il était heureux.

—C'est ça! hurla-t-il en souriant et en gesticulant à l'intention de Hannah avec une bonne humeur qu'il n'avait pas ressentie sur le terrain depuis des années. Tiens bien la balle! Maintenant, redresse le dos… et lance! Excellent!

Dans la foule croissante des enfants qui l'entouraient, des visages aux joues rouges lui souriaient. De tous âges, de toutes tailles, garçons et filles confondus, tous s'étaient joints à eux dès que Jacob avait rattrapé le ballon. Maintenant, cette bande de footballeurs en herbe courait après Cash qui s'affairait sur le terrain pour apprendre à un petit de neuf ans à améliorer ses passes.

Il s'accroupit pour se mettre au niveau du garçon. Il prit un moment pour discuter et lui donner des conseils, puis il lui tapa sur l'épaule.

—Accroche-toi. Tu vas y arriver.

—Merci, numéro sept.

On l'avait reconnu. Peu après sa première passe réussie à Jacob, deux garçons plus âgés qui s'étaient joints à la partie lui étaient tombés dessus avec des yeux émerveillés.

—Waouh! Cash Connelly! Qu'est-ce que vous faites là?

—Du camping, comme vous.

Il avait alors aidé Emily à travailler un lancer puissant pour une passe importante, en lui montrant comment tenir le ballon d'une poigne détendue pour moins trembler.

—J'ai réussi, papa! s'était-elle exclamée en souriant.

Et il avait été fier d'elle aussi.

Ici, sa célébrité ne comptait pas. Il n'était qu'un type qui courait à l'ombre des pins pour entraîner de plus en plus d'enfants à lancer, à sprinter et à se laisser devancer. Cash les rangea tous en file indienne, petits et grands, et leur envoya des passes courtes. Ensuite, il inversa les rôles et les encouragea à lui renvoyer la balle, en leur distribuant conseils et sourires. Pour ces enfants, tous ces exercices étaient un jeu. Pas du travail.

Ensuite, un grand adolescent en maillot des Scorpions s'accapara Cash. Il courut vers lui, tout rouge et souriant.

— Hé ! Merci pour votre aide sur le tir en sept coups. Je crois que je le tiens, maintenant.

— Suffit de s'entraîner un peu. Le drible ne vient pas naturellement chez tous les joueurs, surtout chez les grands dégingandés comme toi. Je sais que pour moi ça a été compliqué. (Cash but une grande gorgée d'eau dans la clameur agréable de la mêlée qui se déroulait devant lui.) Tu fais partie de l'équipe de ton lycée ? demanda-t-il à l'adolescent.

— Ouais. Je suis *quarterback* de réserve, mais je ne joue pas souvent. (Il regarda les pins, les épaules tendues.) L'entraîneur dit que je tiens mal la balle. Je suis là, dans ma zone, prêt à lancer…, mais on m'arrache la balle, et je me fais mettre sur la touche. (Il secoua la tête.) Je suis bon, mais ce n'est pas comme ça que je décrocherai une bourse.

Cash compatit d'un hochement de tête. Pour la plupart des joueurs de lycée, une bourse ouvrait la porte de l'université ou leur permettait de trouver directement un emploi pour aider leur famille. C'était la clé pour entrer dans les équipes des grandes facultés, et éventuellement pour se faire repérer par la NFL. Les joueurs ayant des projets à long terme, comme lui, ne prenaient pas à la légère leur mauvaise habitude de perdre la balle, et dès lors de se faire évincer par le coach.

— Rentre tes coudes, lui conseilla Cash.

Il lui donna d'autres trucs pour maîtriser la balle, des tuyaux glanés au fil des années auprès des Scorpions et pendant les stages d'entraînement.

—Ça t'aidera. Tiens, montre-moi comment tu fais, et je vais identifier ton problème.

Le visage de l'adolescent s'illumina. Ils répétèrent la manœuvre pendant un moment, Cash recrutant une file de défenseurs enthousiastes dans l'assemblée croissante. Hannah, Jacob et Emily attrapèrent quelques balles avec force cris d'encouragement, de même qu'une dizaine d'enfants. Les parents repoussèrent l'heure du barbecue pour s'attarder sur les bords du terrain délimité par des maillots de bains inutilisés et des cannes à pêche démontées.

Personne ne demanda d'autographe à Cash. Personne ne l'interrogea, ne lui réclama des places pour un match ou ne le prit en photo. En revanche, tout le monde apprit quelque chose. Ils jouèrent et firent les fous, ou ils regardèrent en souriant. Pour une journée de la fin de juillet, cela suffisait.

Au bout d'un moment, Cash se mit en retrait et regarda d'un œil satisfait les gosses jouer seuls. Il n'avait pas fait grand-chose ; il ne pouvait pas s'attribuer tout le mérite de cette journée, mais il en était tout de même heureux. Ces mômes n'avaient besoin que de quelques conseils, d'un peu d'encadrement et d'entraînement. Ainsi, ils finiraient par apprendre, et certainement en s'amusant. Même Marisol maîtrisait désormais l'art des bonnes passes ; bien qu'elle ait dû, pour cela, braver les sifflements des spectateurs.

D'ailleurs, il se demandait où elle était passée. Au début, elle se trouvait juste à côté de lui, à discuter et à rire. Maintenant…

Avant qu'il ait le temps de la retrouver parmi les campeurs, un homme trapu de type latino-américain s'approcha de lui et le salua du menton en lui serrant la main.

— Merci de faire tout ça, dit-il en tournant la tête vers les joueurs. Je m'appelle George Wade. Mon Hector – celui qui a du mal avec le tir en sept coups – n'a jamais joué aussi bien. Il n'a jamais été aussi concentré. Et j'ai vu des gosses qui rataient toutes leurs passes y arriver aujourd'hui, et avec le sourire du début à la fin. Vous êtes un super bon entraîneur, monsieur Connelly.

— Euh… merci, mais appelez-moi Cash. Et je ne suis pas entraîneur. J'ai chopé deux ou trois trucs au fil des années, mais entraîner pour de vrai…

Il s'interrompit en secouant la tête.

— C'est exactement ce que vous venez de faire ici. Croyez-moi.

Cash regarda les enfants d'un air dubitatif. Il ne put s'empêcher de lancer encore quelques directives pendant qu'ils continuaient le dernier exercice. Le petit mangeur de Skittles – ramené à un certain degré d'humilité par ses propres tentatives – lui répondit par un geste prouvant qu'il s'éclatait.

— Vous êtes à la retraite, maintenant, non ? demanda Wade. J'ai été très déçu que vous quittiez la NFL, mais si c'est une perte pour les Scorpions, c'est peut-être un gain pour ces enfants. Si vous vous mettiez à entraîner à plein temps, vous pourriez vraiment faire du beau boulot.

— Non, le contredit Cash en s'essuyant le front. Je suis un joueur, c'est tout.

— Enfin, insista le père de Hector, si jamais vous changez d'avis, je connais un lycée de Phoenix qui aurait bien besoin de sang neuf chez ses entraîneurs. Ou alors vous pourriez même travailler comme coach particulier. Vous pourriez aider les gens en les conseillant individuellement comme vous l'avez fait aujourd'hui, comme un consultant.

Entraîneur au lycée ? Consultant ? Bien que beaucoup d'anciens joueur de la NFL se soient reconvertis dans ces branches, Cash ne l'avait jamais envisagé. Toutefois, avant qu'il puisse répondre à Wade, Jacob, Hannah et Emily apparurent, essoufflés, couverts de poussière et les bras ballants. Ils tirèrent Cash par les poignets et la taille avec leur exagération habituelle.

— Pff ! On est épuisés ! déclara Emily.

— Ouais, confirma Hannah. Ça nous a trop fatigués, de jouer !

— Crevés ! renchérit Jacob en tirant la langue comme un personnage de dessin animé. Je pourrais dormir pendant des siècles ! Comme Rip Van Winkle, dans le livre, sauf que je serais Rip Van Connelly !

— Bon, répondit Cash. Ça veut peut-être dire que vous allez dormir ce soir.

Et que je serai un peu seul avec Marisol, pendant ce temps-là.

Sa longue expérience de père lui avait appris que, quand les enfants n'étaient pas là, les adultes dansaient. Il n'y avait aucun intérêt à perdre du temps.

Comme par magie, il trouva Marisol dans la foule et lui fit un clin d'œil. Alors même que les triplés s'accrochaient à lui et qu'un père tentait de le pousser vers une carrière d'entraîneur professionnel, Cash ressentait quelque chose de spécial. Un sentiment brûlant. Un sentiment d'urgence.

Puis la foule se dispersa, et il reconnut les personnes qui accompagnaient Marisol. Il aurait reconnu entre mille ces blondes surmaquillées à la cervelle de moineau et à la langue de vipère. L'ancienne bande de pétasses de son ex-femme lui fit signe. Il était certain qu'elles racontaient déjà des ragots.

En un instant, des années de souvenirs lui revinrent en mémoire : tout le temps où il avait été assez stupide pour croire Stephanie, une femme presque aussi superficielle que ces bonnes femmes. Il n'avait jamais rien regretté autant que son manque de jugeote à son égard. Il refusait de s'abaisser à ne plus faire confiance à Marisol par assimilation, mais quand même...

Qu'est-ce qu'elle fout avec ces quatre gonzesses ?

— Je dois y aller, dit-il brusquement à Wade.

Il lui serra la main et, pour pouvoir partir de là le plus vite possible, accepta une carte de visite que le père de Hector lui colla dans la main avec insistance. Cash la fourra dans sa poche.

— Venez, les enfants, appela-t-il. Il faut qu'on fasse nos bagages et qu'on soit partis avant la nuit.

Chapitre 23

Étonnamment satisfaite et détendue, surtout pour une femme n'ayant pas touché à un brillant à lèvres ou à des soins capillaires depuis plusieurs jours, Marisol s'installa sur le siège passager de la Range Rover. Elle accorda un dernier regard au camping du *Lézard joyeux*, regrettant de quitter cet endroit.

— Au revoir, feu de camp! lança-t-elle en agitant la main. Au revoir, camping! Au revoir, les pins! Au revoir, emplacement numéro sept!

À l'an prochain, voulut-elle ajouter. Toutefois, vu l'expression de marbre de Cash, elle décida de ne pas tenter le diable.

Cette attitude la surprenait, car elle pensait qu'il s'était amusé aussi.

— Au revoir, barbecue! Au revoir, le lac! Au revoir, les chamallows grillés! scandèrent les enfants engoncés à l'arrière de la voiture avec toutes leurs affaires.

D'un air bougon, Cash tira sa ceinture et regarda dans le rétroviseur.

— Tout le monde a tout?

Un chœur de «ouais!» lui répondit.

Il décocha un coup d'œil indéchiffrable à Marisol avant d'attacher sa ceinture. Il tendit sa main libre à l'arrière, et Emily, Jacob et Hannah reconnurent le signal. Ils posèrent tous leur main sur sa paume, et, courageusement, Marisol y ajouta la sienne.

—Allez, annonça Cash. À trois, on met sa ceinture. Un, deux, trois…

—Ceintures! crièrent les triplés.

Ils levèrent les bras en l'air, comme une équipe de football poussant son cri de guerre. Les attaches des ceintures cliquetèrent. Le sourire aux lèvres, Marisol se rassit à sa place. Elle était heureuse de faire partie de la famille. Même si cela ne durait qu'un temps. Même s'il ne s'agissait pas de sa vraie famille.

Une route sinueuse et des millions de pins plus tard, Cash prit enfin la parole après avoir vérifié dans le rétroviseur que les petits étaient occupés.

—Comment tu connais ces quatre girouettes?

—Qui ça? demanda Marisol en sursautant.

—Les blondasses avec qui tu parlais au camping, expliqua-t-il en pointant son pouce en arrière. La courte sur pattes, la grande ficelle, la saleté vivante et le nez refait.

—Tu veux dire Cassie, Amanda, Ashley et Lindsay? (Marisol ne comprenait pas le ton sarcastique de Cash.) On s'est rencontrées au supermarché. Ce sont des femmes de footballeurs. Elles m'ont donné des conseils pour rendre heureux un joueur de foot.

—Hum. (Il sourit.) Tu n'as pas besoin d'aide pour ça.

C'est gentil, mais…

—Quel est le problème ? Est-ce que j'empiète sur ton passé sordide ? Tu es sorti avec l'une d'elles ou quelque chose dans le genre ? le taquina-t-elle.

—Avec les quatre, pendant que tu y es, rétorqua-t-il en levant les sourcils d'un air incrédule. Pour qui tu me prends ?

Pour un homme capable d'avoir toutes les femmes qu'il veut. Un homme qui pourrait sûrement satisfaire ces quatre-là. Un homme que je voudrais garder pour moi.

Non, elle ne pouvait pas répondre cela. Surtout pas la dernière partie, et encore moins étant donné l'étrange humeur de Cash.

—Pour quelqu'un qui ne veut pas parler de son passé, répliqua Marisol.

Elle patienta, selon la technique commerciale de son père, laissant le silence s'étirer. Gary Winston jurait que la plupart des gens ne supportaient pas les blancs dans les conversations et qu'ils s'empressaient de les combler. Malheureusement, Cash semblait plus patient que la moyenne.

—En tout cas, j'étais étonnée de les voir, reconnut Marisol. Elles ne m'avaient pas dit qu'elles seraient au camping.

—Ah ouais ? Sérieux ? (Cash prit un virage devant des chênes rabougris et une maison apparemment abandonnée.) Et qu'est-ce qu'elles t'ont dit ? s'enquit-il après une minute de silence.

Marisol haussa les épaules.

—Pas grand-chose. Des trucs de filles.

—J'ai du mal à y croire. (Il crispa les mains sur le volant, sans quitter la route des yeux.) Elles n'ont jamais été du genre à tenir leur langue.

Marisol lui accorda un regard compréhensif. Il devait s'inquiéter de ce que ces femmes de footballeurs avaient pu lui raconter sur son passé. À propos de son divorce, de son ex-femme et de cet autre joueur, Tyrell. Personne n'aimait être au centre des rumeurs.

Cependant, Cash en personne lui avait déjà confié toutes ces choses, bien avant que ses nouvelles copines entrent en scène. De plus, la vérité sortait toujours de la bouche des enfants, se rappela-t-elle avec un sourire. Et Adam avait bien apporté de l'eau à son moulin lors de son séjour. Désormais, seul comptait pour Marisol le fait que Cash semblait avoir tiré un trait sur Stephanie et qu'il était prêt à aller de l'avant… et avec elle, en plus. Exactement comme Christy Turlington avec le beau mec et ses adorables enfants sur la plage.

—Eh bien… elles ont dit que ça leur avait fait plaisir de te regarder jouer cet après-midi.

Décidant de changer de sujet – et de ne pas discuter de son déjeuner prévu la semaine suivante avec Cassie, Amanda, Ashley et Lindsay – Marisol posa la main sur le genou de Cash.

—À moi aussi, d'ailleurs. Tu m'as impressionnée.

Elle vit son reflet se renfrogner dans le pare-brise. Seules les lumières du tableau de bord éclairaient son visage. Sous la paume de Marisol, il crispa sa jambe.

—Tu aimes les enfants. Ça se voit comme le nez au milieu de la figure, ajouta Marisol.

Cette tension soudaine la fit sourire. Une telle réaction pouvait-elle être due à leur simple contact ? Elle l'espérait. Elle cligna des yeux innocemment tandis qu'ils filaient toujours sur la sombre route de campagne.

— Tu as le chic avec eux. Ils se sont beaucoup amusés.

— Je ne deviendrai pas entraîneur, affirma-t-il avec emphase.

— Qui te parle de ça ? Cela dit, tu serais certainement génial.

Marisol se pencha vers lui en caressant de façon suggestive le bas de la cuisse de Cash et, se réjouissant qu'il ne porte jamais de pantalon, elle suivit l'ourlet de son short.

— Je dis juste que j'aime te voir bouger. D'autres hommes devraient prendre exemple sur toi.

Il esquissa un sourire, du coin de sa grande et belle bouche, mais cela suffisait à Marisol.

Elle serra plus fermement sa cuisse nue, aussi dure que du granit. Dure, chaude et ne fléchissant que pour appuyer sur l'accélérateur.

Le contact de cette cuisse près de la sienne toutes les nuits dans leur duvet double – et le contact chaud de Cash étendu de tout son long contre elle – l'avait rendue folle. Cet homme était un sex-symbol en baskets. Elle ignorait pourquoi ils perdaient leur temps en palabres au lieu de se déshabiller directement en arrivant à la maison.

Enfin… chez Cash. Sa maison temporaire.

Bon sang ! On aurait pu croire qu'elle mourait d'envie d'avoir sa propre maison, à force de faire ce genre de lapsus. Sa maison. Ses enfants. Bien sûr, elle aimait décorer de nouveaux espaces, mais ce n'était que pour l'esthétique. Rien à voir avec une envie profonde et désespérée.

—En fait, reprit-elle en essayant de garder un semblant de conversation pour le bien des enfants, en te regardant cet après-midi, j'ai regretté de ne jamais t'avoir vu jouer au foot avant. Mis à part tes boitillements et tes grimaces, tu étais parfait aujourd'hui. Donc je ne peux qu'imaginer comment tu devais jouer à tes débuts.

—Je vais bien.

—Je sais, mais… enfin, tu es quand même blessé, et…

—Je vais bien.

Il planta son regard décidé et brûlant dans celui de Marisol, puis baissa les yeux jusqu'à ses genoux, l'incitant à lui accorder toute son attention.

—À part une petite gêne momentanée.

Elle regarda, puis inspira profondément sans réussir à détourner les yeux. Aucun short de sport n'avait jamais autant piqué sa curiosité.

—Ça a plutôt l'air d'une grosse gêne.

Il sourit avec assurance.

—En effet. Donc, quand je te dis que je vais bien, je le pense. Quand on arrivera à la maison, je te montrerai.

Oh ! Elle ne désirait rien autant que cela, mais…

Marisol hocha le menton vers la banquette arrière, où Hannah, Jacob et Emily étaient absorbés par un dessin animé diffusé par le lecteur DVD de la voiture.

— Et les enfants ? Ils ne vont pas tarder à s'endormir, mais…

— Ils ne dormiront pas assez profondément pour ce que j'ai en tête, déclara Cash en lui décochant un autre regard entendu. Ça pourrait prendre plusieurs jours.

Les jambes flageolantes, Marisol le dévisagea. Il devait plaisanter.

— Il va vraiment te falloir un peu de Gatorade, annonça Cash en hochant la tête. Économise tes forces et ton équilibre électrolytique.

Nom d'un chien ! Il est sérieux !

Une vague d'impatience déferla sur elle. Après tout ce temps passé ensemble, après tout ce qu'ils savaient l'un de l'autre, après les heures qu'elle avait perdues à se demander quel couple elle formerait avec Cash, cela allait-il réellement se produire ? Allait-elle enfin le découvrir ?

La Range Rover s'engagea dans un virage, glissant doucement devant le paysage crépusculaire. Ses phares éclairèrent un panneau : « Lake Mary, 2 km ». Sans détourner son regard de la route, Cash composa un numéro sur son téléphone et le porta à son oreille.

— Salut, Darrell, dit-il en souriant. Tu te souviens de ton invitation pour les enfants ? On est sur la route avec les sacs de couchage et pas loin de chez Sheryl et toi. Est-ce que ça te va, ce soir ?

Marisol serra les cuisses et s'accrocha à la poignée de sa portière en maudissant chaque bosse et chaque nid-de-poule qui faisait tressauter la Range Rover. Toutes ces irrégularités les retardaient davantage. Maintenant qu'ils avaient enfin déposé Jacob, Hannah et Emily chez leurs amis pour la nuit, le trajet jusqu'à leur maison lui paraissait interminable.

— Tu crois que ça va aller, pour les enfants ? s'enquit-elle en regardant Cash dans le 4x4 éclairé par la lune. Ça fait déjà tellement longtemps qu'ils dorment dans leurs duvets, ils n'avaient peut-être pas envie de découcher cette nuit. Après tout, c'était ton idée.

— Tu as vu leur tête ? Tu étais là quand ils se sont jetés sur Darrell et Sheryl ? demanda Cash en lui tapotant le genou. Ils nous ont presque obligés à prendre leurs affaires et à rentrer. J'ai à peine eu le temps de leur faire un câlin pour leur dire au revoir.

— Ah oui ! C'est vrai.

Marisol se mordit la lèvre. La main de Cash lui brûlait la cuisse et propageait un fourmillement dans tout son corps. Elle se demanda ce qu'elle ressentirait quand il la toucherait… ailleurs. Embarrassée, elle remua légèrement.

— Mais… et si les autres enfants se moquent de leurs loutres en peluche ? Et si Jacob oublie de brosser une partie de ses dents ? Et si Hannah se fâche avec tout le monde en voulant les commander ? Et si Emily arrive à amadouer Darrell et Sheryl pour qu'ils les laissent veiller toute la nuit et qu'ils reviennent tellement fatigués demain que…

—Ce sont des enfants. Ils sont résistants. Ne t'inquiète pas.

Tenaillée entre l'inquiétude et le désir, Marisol prit une grande inspiration.

—Personne ne va forcer Jacob à manger la croûte du pain, hein ? Tu sais qu'il n'aime pas ça. Je devrais peut-être appeler Darrell et Sheryl pour les prévenir de ne pas coiffer Emily et Hannah avec un peigne fin, sinon elles risquent de pleurer.

—On n'a pas abandonné les enfants à une horde de hyènes. Ça va bien se passer. (En souriant, Cash caressait sa cuisse nue, diffusant en elle des ondes d'une nature nouvelle.) C'est pour toi que tu devrais te faire du souci. Tu es sûre que tu vas réussir à gérer ça ? Nous ?

Marisol se sentit tout de suite plus légère.

—Bien sûr. (*Qu'est-ce qu'il est en train de faire avec sa main ?* s'interrogea-t-elle en lui jetant un coup d'œil furtif.) Tu n'as que cinq doigts, hein ? Parce que ce n'est pas l'effet que ça me fait.

—Hum. Et quel effet ça te fait ?

La voix grave et envoûtante de Cash la fit presque trembler. Marisol s'estimait relativement expérimentée, mais là… Rien n'aurait pu la préparer à cela. À Cash Connelly, résolu à la séduire.

—C'est euh… très agréable.

Sa voix enrouée se cassa.

Cash rit tout en raffermissant ses caresses.

—Ça me plaît. Tu trouveras bientôt ça incroyablement bon. Plus que quelques kilomètres…

Marisol déglutit. Cash tenait toujours le volant de l'autre main et ne détournait pas son attention de la route, pourtant elle ne se sentait ni en sécurité ni patiente. Elle voulait garer la voiture, retirer les vêtements de Cash, arracher sa minijupe, son sweat et son haut de maillot de bain, et sauter sur le siège du conducteur pour en venir au fait.

— Dépêche-toi, réussit-elle à dire.

De nouveau, Cash rit doucement. Au milieu des pins qui défilaient autour du 4x4, la route déjà sombre paraissait encore plus reculée que d'habitude. La seule présence de la forêt agaçait Marisol, tout d'un coup. À quoi servait la nature – et un lieu aussi calme et isolé – si on ne pouvait pas en profiter ?

— Là, dit-elle en tendant le doigt. Droit devant. Range-toi derrière les arbres. Il n'y a personne à des kilomètres à la ronde. On peut se garer juste là.

Cash ne daigna même pas regarder.

— Je te ramène à la maison. On a attendu tout ce temps, ce n'est pas pour que je te saute dessus dans une voiture sur le bord de la route.

— Ah bon ? Eh bien moi, Marisol Winston, j'obtiens toujours ce que je veux. Range-toi, s'il te plaît.

— Non. Tu mérites mieux, décréta Cash sans ralentir. En plus, ce n'est pas toi qui commandes.

D'ordinaire, Marisol éprouvait du respect pour le self-control de Cash, son intégrité à toute épreuve et son inflexibilité. En revanche, pour l'heure, tandis qu'elle vibrait de tout son être, que son cœur tambourinait et qu'elle commençait à haleter, elle se fichait éperdument du caractère de Cash.

— Gare-toi. (Elle leva le menton et gigota sur son siège.) J'enlève ma culotte.

Cash la dévisagea.

— Non. Pas question.

Elle remua encore. La manœuvre se révéla plus compliquée qu'elle ne s'y attendait. Et, finalement… victoire ! Avec toute l'assurance dont elle était capable, Marisol lâcha son bas de bikini sur les genoux de Cash.

Celui-ci regarda le petit bout de tissu blanc, puis Marisol. Dix secondes plus tard, la Range Rover freinait bruyamment derrière un bosquet de pins. Pas un écureuil ne traînait dans les parages, et encore moins de maisons ou de voitures en vue. Le moteur cliqueta, puis se tut. Seuls les criquets chantaient dans la nuit.

Marisol baissa sagement sa jupe et replia ses mains sous ses genoux.

— Je t'avais prévenu que j'obtenais toujours ce que je voulais.

— Tu n'imagines même pas, lui promit Cash avec un sourire carnassier.

Il l'attira contre lui en couvrant ses lèvres d'un baiser à la fois impitoyable, passionné et craquant. Combiné à ses mains qui lui serraient les épaules et glissaient dans son dos, il devenait incroyablement bon. Marisol gémit et attrapa son tee-shirt à deux mains, s'y accrochant avant de tout oublier quand Cash approfondit leur baiser avec un râle qui ébranla Marisol. Elle en voulait encore…

— Oh ! Attends, deux secondes…

Marisol se débrouilla pour se lever, décidée à parvenir à ses fins. Elle remarqua la buée sur les vitres, le clair de lune et le tee-shirt de Cash. Elle se tourna et le lui arracha sauvagement. Le vêtement atterrit sur la banquette arrière en un vague rouleau blanc.

— Eh ! Tu ne perds pas de temps, dis donc, murmura Cash.

Ses cheveux noirs étaient tout ébouriffés, et il lui souriait effrontément.

— Toi non plus, répliqua-t-elle contre sa bouche.

Elle aimait sentir le contact de leurs lèvres, de leurs langues, de leurs mains. Elle le saisit par les cheveux et le plaqua contre elle.

— Mais j'en veux plus.

Le souffle court et succombant à son envie de se rapprocher, elle l'embrassa. Cash se plia à son désir en glissant adroitement ses mains sous son sweat, lui caressant les tétons à travers son bikini. Saleté de maillot de bain qui ne faisait que lui barrer la route ! Elle devrait s'en débarrasser, et vite, mais d'abord…

— Recule ton siège, ordonna Marisol. J'arrive.

Et hop ! Elle n'eut pas à le lui dire deux fois. Cash s'exécuta d'une main, dégageant de la place entre lui et le volant – pour elle. Cette manœuvre les sépara un instant ; un contretemps qui parut bien trop long à Marisol. Sans cesser de l'embrasser, elle grimpa sur le tableau de bord. Cash l'y aida en la tenant par la taille. Prise d'un sentiment d'insouciance et de légèreté, elle détacha ses cheveux.

— Euh… attention à tes genoux, dit-il en la serrant.

— Ne t'inquiète pas. Je sais ce que je fais.

Lentement, méthodiquement, impatiemment, elle descendit sur lui, à califourchon. Le short de Cash était doux sur sa peau nue, mais ce qu'il couvrait était chaud, dur et plein, en parfaite adéquation avec ce que Marisol avait imaginé. Elle se positionna confortablement, savourant sans plus réfléchir l'ajustement de leurs corps maintenant extrêmement proches, vibrants, prêts. Ils s'entendraient à la perfection… et bientôt.

—Comme tu es chaude! (Avec un râle de plaisir guttural et absurde, Cash la dévora du regard.) Je te sens… C'est merveilleux.

Il resserra ses mains sur la taille de Marisol, trahissant son besoin de se maîtriser. Il ferma les yeux et inspira profondément.

—J'ai envie de faire ça depuis plusieurs kilomètres, confessa Marisol avec un petit coup de reins pour le lui prouver.

—Je n'attends que ça depuis plusieurs kilomètres.

Cash rouvrit les paupières, et son sourire illumina la nuit.

Aussi heureuse que lui, Marisol planta ses genoux dans le siège en cuir et se plaqua totalement contre lui. Elle appuya ses seins, toujours couverts par son sweat, sur le torse de Cash, et le serra entre ses cuisses. Il avait la peau aussi brûlante qu'elle; elle s'étonnait d'ailleurs que la voiture n'ait pas littéralement fondu. Les poils des jambes de Cash lui chatouillaient l'intérieur des cuisses, mais cela lui importait peu. Tant qu'ils restaient tous les deux ainsi, uniquement limités par l'étroitesse du lieu et un short de sport.

— Ne t'en fais pas, le rassura-t-elle. Je suis très souple.

Tandis qu'elle le prouvait, Cash écarquilla les yeux, et son visage entier se crispa d'envie. Il prit la joue de Marisol au creux de sa main en la caressant du pouce. Un geste en désaccord avec leur empressement presque maladroit à assouvir leur désir dans un 4x4 garé au bord de la route. Les traits de Cash se teintèrent d'une tendresse qui réchauffa le cœur de Marisol. Elle la sentait dans son regard, dans son toucher…, même dans ce qu'il lui offrit en passant de nouveau ses mains sous son sweat.

— Mmm… Parfait.

Touchant son haut de maillot de bain, il parut déconcentré par ce qu'il trouva en dessous, mais reprit ses esprits en passant ses doigts sous les fins cordons. D'un coup sec, le bikini se libéra.

— Encore mieux, commenta Cash.

Impatiemment, il retira à Marisol son sweat et son bikini, puis prit un sein dans sa bouche. Mmm ! Divin ! Elle se cambra pour lui faciliter la tâche. Elle aurait fait n'importe quoi pour qu'il continue… encore. Haletante, elle sentit le volant derrière elle, mais n'y prêta pas attention. En fait, cette position inconfortable accentuait son excitation.

Elle passa sa main derrière la tête de Cash et le retint contre elle en respirant bruyamment. Comme il suçait son téton, un fourmillement se propagea dans sa poitrine et diffusa une onde de désir sur toute la surface de sa peau nue. Les cheveux ébouriffés de Cash la chatouillaient, et les picotements dus à sa barbe de quelques jours ajoutaient une dimension animale à la situation. En émoi, Marisol l'encouragea en gémissant, mais cela ne suffisait pas. Elle n'en avait jamais assez.

Elle passa les mains sur le torse nu de Cash. Oui ! Il était chaud. Solide comme le roc. Parfait. Mmm ! Ses larges épaules valaient également le détour. Avec extase, elle promena ses doigts sur ses muscles et ses bras nerveux, puis elle referma sa main sur son sexe tendu. Il était dur, fort, parfait. Hors de question qu'elle arrête de le toucher.

—J'en ai envie depuis tellement longtemps.

—Moi aussi, réussit-il à répondre. Ah !

Leurs halètements embuaient les vitres, et la voiture remuait à leur rythme. Cash passa une main calleuse sur la cuisse de Marisol et, découvrant que sa minijupe était remontée à une hauteur presque indécente, il poussa un grondement. Il descendit son autre main, empoignant les fesses de Marisol pour l'amener à lui.

—Dernière chance, déclara Cash d'une voix rauque. Dernière chance de rentrer à la maison pour faire ça bien.

—Ce sera bien, assura Marisol en l'embrassant et en donnant un coup de reins. Ici et maintenant. N'arrête surtout pas.

Enhardie, elle remua davantage. Cash gémit et lui serra les hanches pour la maintenir en place, en vain. Marisol ne désirait qu'une chose : s'appuyer contre lui, le sentir en elle, faire cesser la douleur qui la rongeait. Son membre en érection semblait énorme. Sagement caché sous son short, il tentait de se libérer, et elle savait exactement quoi faire pour que cela se produise. Elle le voulait, et elle l'aurait. Se le promettant autant à elle-même qu'à Cash, elle se pencha en avant et posa son front contre le sien, plongea son regard dans le sien, comme dans une oasis de désir.

Elle connaissait très bien Cash, mais pas cet aspect-là. Pas encore. Pas suffisamment. Et pourtant elle en avait terriblement envie.

— Ça va être bon, annonça-t-elle. On a tellement attendu.

Cash hocha la tête et avala sa salive sans quitter Marisol des yeux.

— Depuis trop longtemps. Ah ! Marisol, tu es incroyable.

Sa voix douce l'émut, de même que le sourire aimant qu'il lui accorda ensuite. Ils ne s'apprêtaient pas à tirer un coup vite fait sur le siège avant de la voiture. Marisol comprit que, malgré leur empressement et leur désir, il s'agirait d'une union. Cela marquerait le commencement d'une relation nouvelle, spéciale et unique.

Avec le même sentiment d'affection et de tendresse, elle dégagea doucement les cheveux qui barraient le visage de Cash. Elle s'arrêta quelques instants, le temps de se délecter du lien qui les unissait. Elle aimait son visage. Elle aimait ses yeux, son nez, sa bouche…, son sens de l'humour, sa virilité et son attitude protectrice.

Avec Cash, elle se sentait en sécurité. Elle se sentait aimée. Grâce à cela, elle était pleinement elle-même.

—Je ne veux plus attendre, décida-t-elle. Peu importe où on est. Je veux juste être avec toi. C'est tout ce qui compte.

—Tu ne m'aides pas à rester galant.

—Tu seras galant demain. Pour l'instant… sois toi-même.

Cash la dévisagea. De toute évidence, il vit qu'elle était sincère et l'attira vers lui pour l'embrasser.

Marisol avait trouvé ses autres baisers délicieux, mais celui-ci… celui-ci les éclipsa tous. Étonnamment, sa tête se mit à tourner, ses cuisses à trembler, et ses genoux s'enfoncèrent dans le siège dans l'espoir de trouver un appui sur ce monde sens dessus dessous. Les mains de Cash étaient partout à la fois, et Marisol ne parvenait qu'à gémir. Son sweat tomba sur le frein à main, suivi de son haut de maillot de bain vaincu. Une seconde plus tard, elle était de nouveau dans ses bras et sentait l'air frais sur sa peau nue.

Cash la caressait toujours. Il passait les mains dans ses cheveux, sur sa poitrine découverte et sur ses cuisses, en remontant sa jupe. Il regarda longuement et sans scrupule ce qu'il venait de dévoiler, et son expression ne trahit que la plus pure dévotion. D'un geste assuré, il toucha Marisol à cet endroit, et elle se cambra. Le souffle court, elle s'avança contre lui. Elle n'avait jamais rien connu d'aussi agréable. Rien ne lui avait jamais semblé aussi juste.

Se sentant défaillir sous l'effet du désir, elle agrippa le bras de Cash.

—Attends. Attends, ça va trop vite. (Elle hoqueta en s'agitant désespérément.) J'ai envie de…

Cash comprit. Il l'embrassa de nouveau et baissa son short des deux mains, d'un geste aussi rapide qu'efficace. Marisol se souleva pour l'aider. Sa jupe n'était plus qu'un morceau de tissu entortillé autour de ses hanches, mais elle s'en moquait. Tant qu'elle se rapprochait de lui. Tant qu'elle… *Ah!*

Bon sang! Comment s'était-il introduit en elle aussi vite en ayant le temps de se protéger? Quoi qu'il en soit, Marisol ne s'en plaignait pas.

Elle lui étreignit passionnément les épaules en écarquillant les yeux en réaction à cette sensation fantastique. Brûlant d'excitation, le corps de Marisol se tendit, et elle glissa plus bas, avidement. Cash se joignit à son mouvement d'un coup de bassin qui la fit crier de plaisir.

Heureusement, il lui laissa quelques secondes – pas plus – pour reprendre un peu ses esprits. Basculant sur lui, elle secoua la tête.

— Rien ne pourrait être aussi bon, dit-elle, haletante.

— Et ça va être encore meilleur, lui promit Cash.

Il tint sa promesse. Comme il s'efforçait de se maîtriser, il serra les doigts sur les hanches de Marisol en respirant par à-coups, au même rythme qu'elle. Transportée, elle rejeta la tête en arrière et synchronisa ses mouvements avec ceux de Cash, tout en gémissant d'une voix enrouée qu'elle reconnut à peine. Elle savourait la force de chaque pénétration, la douceur de chaque glissement, chacun des baisers qui les rapprochaient. La buée couvrait de plus en plus les vitres ; Marisol s'en aperçut lorsqu'elle passa une main sur un carreau froid, laissant une empreinte irrégulière.

C'était parfait. Cash était parfait. Il fermait les yeux et s'abandonnait au balancement de leurs corps, grognait de désir, mais restait avec elle. Il la fit accélérer, prenant autant de plaisir dans la satisfaction de Marisol que dans la sienne. Peut-être même plus, car Marisol le supplia de ne pas arrêter…, et il obéit.

—Oui. Oui ! s'écria-t-elle. (Elle n'avait presque plus de voix, mais elle ne put s'en empêcher.) Oh, Cash ! Continue. Je…

Les prémices d'un extraordinaire orgasme l'interrompirent. À cet instant, le temps sembla ralentir. Elle vit le visage de Cash, tendrement attentif. Elle sentit les battements de son cœur, aussi rapides que les siens. Elle perçut l'union de leurs corps, puissante, rapide et sans retenue.

C'en fut trop. Un râle échappa à Marisol, et elle serra confusément les genoux autour des cuisses de Cash, qui la retint fermement. Sa peau perlée de sueur dégageait des vagues de chaleur tandis qu'il la pénétrait encore plus fort, se délectant de l'orgasme de Marisol, qui déclencha le sien.

—Aaah !

Son rugissement de libération ébranla le 4x4 avec une intensité qui électrisa Marisol. Les yeux grands ouverts, Cash se laissa aller en elle, ralentissant progressivement, mais sans la lâcher. Il serra ses hanches, souffla longuement et laissa retomber sa tête sur l'appui-tête de son siège.

Il était magnifique. Il était épuisé.

Il était à elle.

Décidée à ne pas bouger – ou incapable de bouger –, Marisol s'affaissa sur son torse. Son corps comblé palpitait, lui signalant la présence de terminaisons nerveuses dont, jusque-là, elle ne soupçonnait pas l'existence. Ses oreilles sifflaient, et son cœur battait la chamade. À bout de souffle et en nage, elle posa les mains sur les épaules de Cash et resta ainsi.

Ils se tinrent immobiles pendant un moment, Cash la serrant contre lui et Marisol savourant chaque seconde de ce contact. Elle ne voulait plus s'éloigner de lui. Plus jamais. Elle ferma béatement les yeux et se détendit complètement, doutant presque que cela venait de se produire. Elle s'était donnée à Cash. Il s'était donné à elle. Et ils avaient passé un moment absolument merveilleux.

Cash poussa un soupir de contentement. Il étreignit Marisol le temps que leur pouls ralentisse. Avec un sourire – qu'elle sentit contre sa joue – il déposa un baiser sur son front.

— Tu me donnes envie de passer au deuxième round, avoua-t-il.

Comme pour appuyer ses paroles, son sexe se tendit de nouveau.

— Déjà ? (Marisol sourit. Cette idée l'enchantait réellement.) D'accord, mais, cette fois, c'est toi qui prends le volant.

— Cette fois, c'est toi qui prends ton pied.

— Ah bon ? Et, à ton avis, qu'est-ce qu'on vient de…

—C'était l'échauffement, la coupa Cash avec un sourire éblouissant malgré l'obscurité. Tous les sportifs savent qu'il est impératif de bien s'échauffer.

Une vague de chaleur la mit au supplice.

—Ah! Donc tu veux dire que…

— … c'est loin d'être fini, acquiesça-t-il en se blottissant contre sa joue. Donc, prépare-toi.

Marisol avait hâte de voir cela.

Chapitre 24

Ils réussirent à atteindre le perron avant d'engager le deuxième round. Cash envoya Marisol devant, avec les clés de la maison, en lui disant de faire comme chez elle, puis il se dépêcha de sortir Pato de la voiture. Pour ce faire, il dut réveiller le berger allemand – heureusement, le vieux chien n'avait rien entendu de leurs ébats dans la Range Rover – et le porter dans l'allée.

Ensuite, Cash fit volte-face. Marisol, débraillée et décoiffée, l'attendait dans la lumière de l'entrée. Elle lui sourit. À ce moment, son cœur se gonfla, et l'ampleur de ses sentiments pour elle le fit chanceler.

S'il avait été plus naïf, il aurait pu croire qu'il s'agissait d'amour.

Toutefois, Cash s'était juré de ne plus tomber amoureux ou éprouver des sentiments similaires. Par conséquent, il savait qu'il ne se laisserait pas embobiner par les papillons qui virevoltaient dans son ventre, par son estomac noué, par la sensation de chaleur et de fourmillement qui se répandait en lui. C'était une nuit de folie, et ces éléments n'en étaient que les caractéristiques physiques, les effets secondaires de l'incroyable moment de passion qu'il venait de vivre avec Marisol.

En tout cas, jamais un 4x4 n'avait été aussi érotique.

Marisol, dont la silhouette se dessinait dans la lumière, passa son bras derrière elle et ouvrit la fermeture Éclair de sa jupe. Celle-ci tomba par terre en un tas informe. Pieds nus, elle en sortit, puis retira son sweat. Cash adorait sa façon de le porter – de porter les couleurs de son équipe et son numéro –, mais il aimait encore plus qu'elle ne le porte plus. Elle était…

Nue. Putain de merde !

Où est passé son bas de maillot de bain ? Et le haut ?

Il pensait qu'ils s'étaient tous les deux complètement rhabillés – à la va-vite, certes – pour rentrer à la maison, mais il s'était tellement concentré pour reprendre ses esprits qu'il n'avait pas regardé Marisol remettre ses vêtements.

Il devrait fouiller la voiture le lendemain pour s'assurer qu'ils n'y avaient laissé aucune preuve. En attendant… Marisol l'appela d'un signe de l'index.

Feignant la surprise, Cash se montra du doigt.

Elle hocha la tête et disparut dans la maison.

Cash claqua le coffre de la Range Rover et saisit Pato par le collier.

—Viens là, bonhomme. J'ai une promesse à tenir.

Cash trouva Marisol sous la douche, au milieu de volutes de vapeur. Le rideau de douche redécoré voilait ses gestes langoureux – un bras par-ci, une fesse par-là – offrant des images terriblement excitantes de la femme qu'il cachait. Cash ne s'attendait pas à cette vision. Pas ici. Ni maintenant.

Lorsqu'elle l'entendit, Marisol ouvrit le rideau et sortit la tête. Ses longs cheveux étaient plaqués en arrière, et même ses cils étaient bordés de gouttes d'eau ; un détail qu'il trouva ridiculement adorable.

—Alors, tu te mouilles ? s'enquit-elle.

—Oui, acquiesça Cash. Et dans deux minutes, toi aussi.

—Très drôle.

Elle promena son regard de façon provocante sur les habits que Cash avait enfilés en hâte, puis elle s'arrêta au niveau de son abdomen. De son torse. De ses épaules. Elle se pencha vers le jet à multi-angle qui coulait derrière elle.

—Viens. Cette douche est géniale. Je me suis dit que ça nous ferait du bien de nous laver un peu après le camping.

Ouais. C'est sûrement le camping qui nous a fait transpirer.

—Reprends d'abord des forces, dit-il avec un sourire malicieux en levant deux bouteilles de Gatorade qu'il avait attrapées dans le frigo au passage. Tu vas en avoir besoin.

Marisol regarda derrière lui en haussant les sourcils.

—Si tu cherches le plateau et les verres, il n'y en a pas. Je suis un homme simple. Tiens.

Il lui tendit une bouteille. Marisol la regarda d'un air dubitatif, puis elle la déboucha d'une main trempée. L'eau dégoulinant sur ses épaules lisses et glissant sur son bras tendu, elle hésita.

— Tu es sûr que j'ai besoin de ça ?

— Oh oui.

Sans la quitter des yeux, Cash vida son Gatorade d'une traite, puis il posa la bouteille et se dévêtit.

Marisol avala de travers et plissa les yeux en toussant.

— Qu'est-ce qui se passe ?

Elle pointa sa bouteille à moitié vide vers lui et le désigna de la tête aux pieds en écarquillant les yeux.

— Je ne t'avais jamais vu aussi nu. Il me faut le temps de m'y habituer.

Pantoise, elle s'essuya la bouche avec son avant-bras, en un geste qui ne lui ressemblait tellement pas qu'il amusa Cash. Le regard de Marisol ne quittait toujours pas son corps.

— Tu viens de me voir, dans la voiture. Il faut que je te rappelle ce qui s'est passé ?

Il s'avança vers elle, le sexe dressé.

— Oui, je sais. (Elle baissa les yeux au niveau de sa taille.) Mais c'était différent. Cette fois, tu es… tu es… Enfin, tu es juste là. (Elle hoqueta et rougit.) Tout nu. Tout entier. Tout le temps. Partout.

— Mmm. Une fille comme toi, c'est bon pour l'ego.

— Euh… j'ai peut-être eu les yeux plus gros que le ventre.

— Parce que tu veux me manger ? (Cash prit le rideau, empoigna la main fermée de Marisol pour l'écarter, puis entra dans la douche.) Tant que tu ne mords pas une partie sensible… imagine tout ce que tu voudras.

— C'est ce que je fais. Tu peux me croire.

Cash rit. *Bon sang!* La compagnie de Marisol l'emplissait d'un bonheur presque trop lourd à porter. Cette sensation n'était comparable à aucune autre. Elle surpassait la joie de marquer des points, de jouer au football. Elle surpassait tout.

— Allez, bois ça, insista-t-il en hochant le menton vers le Gatorade et en s'armant de patience. J'attends que tu aies fini.

Avec un rapide coup d'œil, Marisol vida sa boisson d'un seul coup.

— Parfait.

Cash prit la bouteille, la jeta hors de la douche et ferma le rideau. Des cascades d'eau chaude provenant de plusieurs pommes de douche se déversèrent sur lui, formant des perles cristallines sur les carreaux et tourbillonnant à ses pieds.

— Mais tu ne t'es pas bien savonnée.

— Ça y est, tu recommences à jouer les petits chefs ?

— Tais-toi et ne bouge pas.

Contrôlant à peine la réaction qu'elle provoquait en lui, il prit la savonnette mousseuse et s'en frotta les mains. Marisol l'observa avec de grands yeux, soudain légèrement moins sûre d'elle. Pourtant, sa posture n'en laissait rien paraître. Elle se tenait parfaitement droite et fière sous la pomme de douche la plus proche. Quant à sa voix, elle restait calme, ferme et forte. Ses yeux, en revanche, la trahissaient : ils exprimaient à la fois sa prudence et son excitation. Cash se promit d'être doux avec elle, de lui donner tout le plaisir qu'elle méritait.

Il commença par les épaules de Marisol en glissant ses mains savonneuses sur ses trapèzes, d'où il remonta juste assez haut pour caresser sa nuque. Il déposa un baiser sur sa joue, puis sur sa bouche, et l'eau s'infiltra entre leurs lèvres avec un parfum de shampoing.

—J'ai déjà fait ça, protesta Marisol. Je suis toute propre.

—Chut !

Il descendit les mains sur ses seins et s'appliqua à savonner leur rondeur parfaite. Puis il prit ses tétons rosés entre ses doigts et se réjouit de les sentir durcir juste pour lui.

—Si je perds le fil, il faudra que je reprenne tout de zéro.

Avec un petit gémissement, Marisol ferma la bouche. Elle appuya sa tête contre les carreaux, ses cheveux mouillés se balançant sur ses épaules. Des bulles moussaient sur sa peau, rehaussant son teint sexy et effaçant toute trace de leur séjour – complice, heureux et sage – au camping.

Cette nuit ne serait pas sage. Cash en aurait mis sa tête à couper.

Il fit glisser sa main jusqu'au ventre de Marisol. Il se régala de ses courbes, de sa douceur, de sa féminité et de sa rondeur, qui lui rappelaient un autre endroit doux de son anatomie. Il sourit en allant explorer ses hanches. Le léger tremblement de ses mains trahit presque l'importance que cela – qu'elle – revêtait pour lui.

Cash s'obligea à réprimer ses émotions naissantes et se concentra sur le plaisir qu'il souhaitait offrir à Marisol. Il lui caressa le dos, et ses doigts mousseux trouvèrent les deux fossettes de ses reins, où il s'attarda avant de lui empoigner les fesses. Ses paumes s'ajustèrent parfaitement à leur courbe. Il avait beau lutter pour contenir son désir, la toucher ne le faisait pas moins trembler et aspirer à accélérer le mouvement. Pour poursuivre tranquillement, il dut remonter le long des bras de Marisol, puis redescendre sur ses seins, autour desquels il fit mousser le savon avant de s'occuper de ses cuisses et de ses mollets.

— Oh, Cash ! s'exclama-t-elle en agrippant ses bras et en secouant la tête. Ce n'est pas juste. J'ai envie de te toucher aussi.

— Ça va venir, promit-il. Bientôt.

Il s'agenouilla sur le carrelage trempé, le jet d'eau tombant sur son crâne et gouttant dans ses oreilles, puis, des deux mains, il lui écarta les cuisses. Il repoussa les cheveux mouillés qui tombaient sur son visage et baissa la tête pour s'empresser de satisfaire l'autre pulsion érotique qui l'avait torturé tout au long du voyage de retour.

Sa bouche entra en contact avec la partie la plus brûlante du corps de Marisol. Cette dernière poussa un cri aigu et s'arqua vers lui en tremblant, dans un abandon total. Puis elle plaqua bruyamment ses mains contre les carreaux.

— Oh, mon Dieu ! gémit-elle.

— Je sais. C'est délicieux, réussit à dire Cash.

La réaction de Marisol l'ébranla. Elle était totalement désinhibée, douce et parfaite. Tellement qu'il ne prêta pas attention à son érection persistante et maintint en place les cuisses tremblantes de Marisol pour continuer à lui procurer du plaisir.

— Si tu te sens faiblir, retiens-toi à moi.

Pour seule réponse, elle laissa échapper un rire étouffé, puis un râle de plaisir accompagné d'un frisson. Les secondes s'étirèrent, comblées uniquement par elle. Par lui. Par la chaleur de la douche et l'envie irrépressible que cette nuit dure éternellement.

Bientôt, bien trop tôt, Marisol se mit à trembler sous les doigts de Cash, succombant à sa promesse de la satisfaire encore plus. Tout en s'appuyant contre sa bouche, elle emplit ses oreilles de gémissements et se mit à tressauter de façon incontrôlable. Cash se régalait. Avec un plaisir sauvage, il l'accompagna pendant qu'elle redescendait du septième ciel en la tenant fermement jusqu'à ce qu'elle se détende totalement dans ses bras.

À cet instant, il ne voulait plus qu'elle. Il souhaitait non seulement la faire frémir de plaisir, mais aussi la faire sourire, rire, afin qu'elle le regarde encore avec la tendresse qu'il avait aperçue ce soir dans la voiture. Se sentant étrangement vulnérable, Cash contempla son long corps souple et mouillé.

Il sourit bêtement.

Les joues roses, toute tremblante, Marisol gloussa, éclata de rire et porta sa main à sa bouche.

— Je suis désolée, s'excusa-t-elle. C'est juste que… (Elle soupira.) Je n'ai jamais aimé ça à ce point. Jamais.

Moi non plus, voulut répondre Cash, mais il se tut. *Il faudrait vraiment être naze pour sortir une connerie pareille. Surtout en étant à poil dans une douche avec une femme magnifique.*

Elle venait de crier son nom, de lui tirer les cheveux et de gémir de plaisir. Sous aucun prétexte, il ne devait tout gâcher en jouant les cœurs tendres avec elle.

Cash préféra lui sourire encore.

— Tu veux te sécher avant le troisième round, ou je t'emmène toute mouillée dans le lit ?

Il la dévora du regard. Heureusement pour eux, Adam lui avait refilé une boîte de préservatifs avant de partir à l'hôtel en début de semaine : une plaisanterie qui se révélait sérieusement utile. Cash avait bien fait de garder le paquet à portée de main et d'en glisser dans son portefeuille.

Un homme digne de ce nom envisageait toujours toutes les éventualités.

— Oh non ! rétorqua Marisol en se redressant et en le pointant du doigt. Cette fois, c'est ton tour, monsieur. Sinon, ce n'est pas juste. Je ne te laisserai pas sortir de cette douche tant que je ne t'aurai pas savonné aussi.

— OK. Comme tu voudras. (Cash haussa les épaules et la plaqua contre le mur en lui tenant les bras au-dessus de la tête pour l'embrasser.) J'ai envie de te prendre ici.

— Tu n'oserais pas.

— Oh si ! Tu veux que je te le prouve ?

Marisol hocha timidement la tête.

— Oui.

Il la souleva sur les carreaux glissants, elle enroula rapidement ses jambes autour de lui et lui prouva qu'il n'avait pas peur d'oser… pour leur plus grand plaisir à tous les deux.

—Bon, je ne m'en suis pas sortie équitablement dans la douche, déclara Marisol.

Ils étaient assis côte à côte à l'îlot central de la cuisine, en peignoir, pour manger un en-cas bien mérité.

—Mais tu peux être sûr que je vais m'occuper de toi après, continua-t-elle.

—Ah bon ? Tu crois ça ?

Cash prit une autre cuillerée de glace, défiant toutes les règles qu'il s'était imposées pour son entraînement…, défiant toutes ses règles, tout court.

—Ouvre. Tu en as encore besoin.

Il approcha la cuillère de la bouche de Marisol.

—J'en ai déjà trop mangé.

Pourtant, elle reprit de la glace et sourit à Cash en penchant la tête d'un air malicieux, le temps de savourer la cuillerée. Elle était encore plus belle que d'habitude, avec ses yeux pétillants et ses joues roses encadrées par des cheveux mouillés et décoiffés.

—Et j'insiste : dès qu'on sera dans la chambre, je m'occuperai de toi.

Cash y réfléchit un instant.

—Tu as pas mal supervisé les opérations dans le bois, tout à l'heure. Si ça, ce n'était pas s'occuper de moi, comment tu appelles ça ?

—Des préliminaires. C'est aussi un terme de sport, non ?

Son sourire insolent provoqua en lui des bouffées de chaleur. De même que sa façon de lécher la cuillère de Cash en la retournant pour ne rien perdre.

—C'est un terme de boxe, oui, confirma Cash. Mais le foot est le seul sport qui compte vraiment. Et je te préviens : il faut que tu prennes plus de forces si tu as l'intention de me choper cette nuit. Je ne suis pas sûr que tu sois prête à m'affronter.

—Ah! Monsieur joue les durs ?

Il acquiesça sérieusement.

—Jusqu'au bout.

—Mmm !

Marisol joua avec sa cuillère dans son bol. Tragiquement, elle avait décidé de ne pas essayer le mélange breveté par Cash : glace à la menthe aux pépites de chocolat, avec du coulis de framboises et des mini-bretzels.

—Je pense que je peux t'avoir, et j'y travaille.

—J'aimerais bien voir ça, se moqua-t-il.

Tu n'imagines même pas à quel point !

—OK, mais d'abord…

Marisol préleva un échantillon du mélange préféré de Cash. Elle fit une grimace, puis se détendit en croquant, avant de se lécher les babines.

—Mmm ! Miam ! Je ne m'attendais pas à ce que ces ingrédients aillent bien ensemble, pourtant c'est vraiment bon.

—On pourrait dire la même chose à propos de nous.

Elle écarquilla les yeux, puis un sourire se dessina sur ses lèvres, et son visage afficha un air étonné.

Il s'agissait de la même expression que lorsque Cash l'avait surprise en train d'espionner son rituel du coucher avec les enfants.

— Ou tu pourrais arrêter de parler et passer un peu à l'action, dit-il.

Sur ce, il dénoua son peignoir et le laissa tomber à ses pieds. En un rien de temps – comme il l'avait prévu –, ils coururent dans la chambre, et sa gaffe sentimentale tomba aux oubliettes.

D'accord, j'ai peut-être un peu exagéré, se dit Marisol en arrivant dans la chambre et en découvrant Cash debout à côté de son lit, lui offrant un regard lubrique et une nudité ahurissante. *Je ne suis peut-être pas de taille contre lui, mais je vais lui montrer de quel bois je me chauffe.*

En vérité, elle aurait dû être épuisée, mais, dès qu'elle regardait Cash, quelque chose se produisait en elle. Une part d'elle, primitive et incontestable, prenait le contrôle, et elle était tout simplement incapable de se retenir.

Marisol ne pouvait pas davantage s'empêcher de toucher Cash – ou de le laisser la toucher – qu'elle ne pouvait arrêter de respirer. Ou de faire les boutiques avec Caprice, Tenley et Jamie. Ou d'offrir des cadeaux empaquetés avec le papier et le ruban les plus sophistiqués, juste pour voir quelqu'un sourire.

À cet instant, Cash souriait, mais pas grâce à l'un de ses cadeaux. Parce qu'elle s'avançait vers lui en dénouant son peignoir, qu'elle laissa traîner derrière elle, puis tomber.

—Tu es fantastique, déclara-t-elle en allant droit au but. (Elle s'approchait toujours, l'air frais sur sa peau nue lui donnant la chair de poule.) Tu sais à quel point tu es spécial ?

—Je ne suis qu'un homme, répondit-il en indiquant son corps nu comme pour prouver ses dires. Je n'ai rien de fantastique.

—Si. (Marisol lui toucha l'épaule sans réussir à réprimer un grondement sourd quand elle rencontra ses muscles fermes et sa peau rugueuse.) Tu es fantastique à tout point de vue. Tu es comme une œuvre d'art. Ici, par exemple.

Des deux mains, elle effleura ses biceps, et ses doigts épousèrent ses muscles saillants, noueux et dessinés. Cash n'était pas énorme – *du moins, pas partout*, songea-t-elle avec un sourire coquin –, mais il était sculpté d'une façon terriblement excitante.

Quand elle le regardait, elle avait l'impression qu'il pourrait soulever un camion se trouvant en travers de sa route ou même déplacer une montagne sur simple demande de sa part. Sa musculature, sa force et sa virilité suffisaient à éveiller tous les sens de Marisol. Il sentait le savon, son sourire constituait à lui seul une tentation, et il savait lui faire tourner la tête rien qu'en la touchant. Marisol ne comprenait pas qu'il ne mesure pas son pouvoir d'attraction sur elle.

—Et ici. (Elle glissa ses paumes sur son torse chaud. Ce simple contact la fit trembler.) J'adore te toucher. Tu es ferme, fin et… Mmm !

Elle venait d'atteindre ses abdominaux, dont elle suivit les moindres contours du bout des doigts. Elle ne put s'empêcher de laisser son regard s'y attarder.

— Je n'arrive pas à te quitter des yeux, laissa-t-elle échapper. Comment tu fais pour ne pas passer ton temps à te regarder dans un miroir?

Cash sourit d'un air confus.

— Ce corps n'est qu'un outil, dit-il en se donnant un coup de poing dans les côtes. Il fait ce que je lui demande, c'est tout.

Incrédule et momentanément immobilisée, Marisol le dévisagea.

— Tu plaisantes?

— Mon travail est physique. Je suis physique. (Il haussa les épaules.) J'ai autre chose à faire que de me regarder dans un miroir. J'ai des résultats à produire.

— Oui, j'ai vu ça aussi, rétorqua-t-elle en souriant.

Puis elle recommença à parcourir son corps. Cash ne savait sincèrement pas à quel point il était incroyable. Marisol trouvait cela touchant.

— Pour l'instant, je suis assez fan de tes résultats.

— Je voulais dire sur le terrain. Pas au lit.

Il ferma les yeux et déglutit avec difficulté. Manifestement, il luttait pour résister à l'examen de son corps, pratiqué par Marisol.

— Au lit? répéta-t-elle en levant les sourcils. Ce serait original.

Pour appuyer sa déclaration, elle le poussa vers le matelas.

Cash ne bougea pas d'un pouce, mais rouvrit les paupières. Puis Monsieur Dur-à-Cuire pencha la tête en souriant.

— Tu essayais de faire quelque chose, là ?

— Ne m'oblige pas à aller chercher le costume de soubrette. (Marisol fit un signe de tête vers sa chambre en se remémorant l'intérêt que cette tenue avait suscité chez Cash.) J'en suis capable.

Un éclair de curiosité passa sur le visage de Cash.

Marisol profita de ce moment de déconcentration pour le pousser. Cette fois, il bascula comme un gros lourdaud et atterrit avec un « ouh ! » de surprise. Victorieuse, elle le rejoignit sur le lit. Il s'allongea sur son édredon d'un noir d'encre contrastant avec sa large silhouette, étendu et offert.

Se parant d'un air séducteur, Marisol empoigna son érection. Pour sa satisfaction, Cash réagit immédiatement par un soubresaut. Elle le sentit palpiter dans sa paume et aurait juré qu'il grossissait encore tandis qu'un râle lui échappait.

— Je ne sais pas comment tu fais ça, commenta-t-elle en espérant que son désir transparaissait moins dans sa voix qu'elle n'en avait l'impression. Tu devrais être épuisé. Crevé. En avoir marre, dit-elle en appuyant chacune de ses remarques d'une caresse.

— Aaah ! Mmm !

— Mais vu que ce n'est pas le cas… je pense que je vais continuer à t'examiner.

Elle joignit le geste à la parole, se délectant de la chaleur de son sexe, de l'abandon de ses hanches et de ses gémissements de plaisir tandis qu'elle le découvrait d'une nouvelle manière.

—Je t'en prie. N'hésite pas, dit-il en empoignant l'édredon des deux mains.

Son corps tout entier en réclamait davantage.

Marisol ne se posa pas de questions. Elle continua de le toucher avec passion, lui donnant tantôt un baiser tantôt une caresse, ou glissant la langue sur toutes les parties fascinantes qu'elle rencontrait. Lorsqu'elle retint les mains de Cash contre le matelas, il grogna, et elle sourit en parcourant toute sa longueur du bout des lèvres.

—Bon sang, Marisol !

Clairement sur le point de craquer, Cash donna des coups dans le matelas. Son corps entier frissonnait.

—Tu me tues. Viens là.

Il tendit la main vers elle, sans réussir à l'attraper.

—Non, je t'aime, refusa-t-elle.

En souriant, elle glissa sur le côté pour le toucher encore. Elle éprouvait une envie insatiable de sentir sa peau contre elle, de l'entendre prendre du plaisir et de croiser son regard troublé par le désir.

—Tu ne peux pas m'empêcher de t'aimer, et je ne suis pas sûre que tu veuilles vraiment que j'arrête.

Cash se figea un instant. S'immobilisant aussi, Marisol se mit à paniquer en repensant à ce qui venait de se dérouler. Venait-elle vraiment de lui dire qu'elle l'aimait ? Avait-elle réellement prononcé ces mots ?

Oui, je l'aime, se rappela-t-elle avec un vertige, *mais ce n'est pas tout à fait le bon moment pour…*

—J'ai envie de toi, déclara Cash. Viens.

Par cette simple assertion, claire et précise, tout rentra dans l'ordre. Tremblant de soulagement, Marisol se laissa attirer vers lui, dans ses bras, sous lui et en travers des draps. D'un baiser, il coupa court à tout ce qu'elle aurait pu ajouter…, et, quand il eut fini de l'embrasser – un million d'années plus tard, sembla-t-il –, elle n'éprouvait plus la moindre envie de parler.

En revanche, elle posa ses mains sur les joues de Cash pour s'assurer qu'il la regardait droit dans les yeux, puis elle hocha la tête.

Il comprit. L'instant d'après, il les unissait d'un simple coup de reins, plus éloquent que des mots. Heureuse, Marisol leva le bassin pour épouser son mouvement, faisant tomber un autre emballage de préservatif qui élimina tous ses doutes sur les raisons de l'immobilité soudaine de Cash.

Elle l'aimait réellement. Quant à lui, il l'aimait aussi, au moins au lit. Cela faisait toute la différence. Dans un nouvel orgasme, elle s'étonna qu'ils aient encore l'énergie de se sentir aussi merveilleusement bien, et elle comprit que rien ne serait plus pareil entre eux après.

Cette nuit, Cash l'avait faite sienne. Et inversement. Marisol avait baissé sa garde et s'était entichée d'un homme qui savait tout d'elle – le meilleur et le pire – et qui détenait son énorme dossier de *Dzeel* en guise de preuve.

Si ce n'était pas le véritable amour, Marisol ignorait de quoi il s'agissait… Elle se demandait aussi pourquoi elle avait attendu aussi longtemps pour y goûter.

Beaucoup plus tard et beaucoup plus tranquillement, elle se retourna dans le lit, détournant son regard des étoiles qui brillaient derrière la fenêtre, pour contempler l'homme étendu à côté d'elle. Elle resserra le drap contre elle.

— Je t'aime, murmura-t-elle en passant son doigt sur la silhouette endormie de Cash avant de sourire intérieurement. Je t'aime vraiment. J'espère juste que… que je suis assez bien pour toi et pour mériter ton amour.

Chapitre 25

Dès que Cash se réveilla, il sut que quelque chose clochait. Il se lança dans un rapide inventaire afin d'identifier le problème. Le lit ? Présent. Le sentiment de repos ? Présent. Son pyjama ? Bien sûr que non, voyons ! Cependant, un calme étrange régnait sur cette matinée d'été. En général, les enfants étaient déjà debout et en train de crier. De plus, l'atmosphère était vraiment différente aujourd'hui.

Réfléchissant toujours, il tendit ses bras et attrapa la tête de lit, qui grinça. Le bois cogna bruyamment le mur quand il le lâcha pour saisir son triceps en grimaçant. Étrange. Il se sentait anormalement ankylosé et dans une forme physique différente de celle dont il avait l'habitude après chaque période de remise en forme depuis ses débuts dans le football.

Qu'est-ce que j'ai foutu cette nuit ? Qu'est-ce qui s'est passé ?

Il se sentait… merveilleusement bien.

Ah oui ! se souvint-il soudain avec un sourire enfantin. *Marisol.*

Il se tourna pour admirer la première femme qu'il accueillait dans son lit depuis des années. Elle dormait à côté de lui en serrant son oreiller. Elle était échevelée

379

et affichait un air de contentement absolu. Les cheveux emmêlés, les joues roses, la bouche ouverte sans aucune retenue, elle restait magnifique. Cette nuit, déjà, elle n'avait eu aucune retenue.

Bon sang! Ce qu'il aimait être avec elle. Il ne savait pas d'où il tirait tant de vigueur, d'enthousiasme et d'endurance, mais, pour l'heure, Cash ne s'en plaignait pas. Ils avaient tous les deux passé une bonne nuit. Ce matin, il voyait la nounou interdite sous un tout nouveau jour.

Somnolent, il caressa la hanche de Marisol à un endroit où les draps ne la couvraient pas, puis effleura doucement sa cuisse. Il valait peut-être mieux la laisser dormir. Après la nuit qu'ils venaient de partager, il aurait dû la laisser se reposer, par galanterie. Seulement, Cash n'était pas galant.

Pas dans ces circonstances.

Il joignit son autre main au mouvement, caressant Marisol entre son cou et ses seins, lentement, du bout des doigts. Cette fois, elle s'agita et remua les lèvres en marmonnant dans son sommeil quand il prit son téton dans sa bouche. Ah! Que c'était bon!

Marisol posa la main sur la tête de Cash pour lui caresser les cheveux, les ramenant sur ses paupières fermées.

—Mmm!… Qu'est-ce que tu fais?

—Chut! Tu fais un rêve. Profite.

—Un rêve? (Son visage se fendit d'un grand et beau sourire.) Je ne fais jamais ce genre de rêve. Sauf une fois…

Sa voix se perdit dans un murmure incohérent. Elle bougea dans un bruissement de draps, se tourna vers lui et, enfin, ouvrit les yeux. Son sourire s'épanouit encore.

—Eh! Mais tu es réel! l'accusa-t-elle.

—Je plaide coupable.

Cash empoigna vigoureusement ses fesses. Quand leur chaleur lui parvint, il ne put réprimer un gémissement. Elle était si douce!

—Bonjour.

—Oui, je confirme que c'est un bon jour, répondit Marisol en l'attirant vers elle.

Elle l'embrassa sur la joue, dans le cou…, sur l'épaule. Ah non! Là, elle le mordilla.

—Je n'arrive pas à croire que tu sois encore là.

—Je n'irai nulle part.

—Tu ne vas peut-être pas avoir le choix.

Elle allongea les jambes autour de Cash et passa les mains sur ses épaules. Encore un sourire, puis un baiser.

—Je crois qu'on est à court de préservatifs.

—C'est une boîte grand format, lui assura Cash. On a tout ce qu'il faut.

Mmm! Je pourrais rester là toute la journée, à lui faire l'amour…

—Non, sérieusement.

Marisol tourna la tête sur l'oreiller, vers la table de chevet. Elle attrapa la boîte et la secoua.

—Tu vois? Il n'y a plus rien, Don Juan.

—Nooon!

Avec une plainte de déception, il s'apprêta à lui prendre la boîte. Le seul fait qu'ils ne puissent pas aller jusqu'au bout ne signifiait pas qu'elle ne pouvait pas prendre du plaisir. Cash en avait les moyens.

—Dans ce cas, on va devoir improviser.

Ce disant, il sourit et, d'une chiquenaude, il jeta le paquet. Au même moment, son regard tomba sur le réveil, et il se figea.

—Et merde! Ça craint. Il faut que j'y aille.

—Quoi? Maintenant? s'étonna Marisol tandis qu'il sautait hors du lit. (Elle s'accrocha au drap et s'assit.) Mais on… tu… je me fiche qu'on n'ait plus de préservatifs. Juste des câlins, ça me va très bien!

—Pas le temps. Désolé.

C'est nul. Merde, merde, merde! Cash déposa un baiser furtif sur la bouche de Marisol et fonça vers la douche.

—Va chercher les enfants cet après-midi. On discutera ce soir.

Après un rapide coup d'œil au visage stupéfait de Marisol, Cash ferma la porte et se dépêcha de se préparer. Son avenir l'attendait. Que le diable l'emporte s'il se plantait encore!

Aujourd'hui, plus que jamais, il avait une raison de réussir.

Après tout, une Winston pure souche ne devait pas envisager une vie moyenne en banlieue. Or, il comptait offrir à Marisol – sa Marisol – exactement ce qu'elle voulait.

Un quart d'heure plus tard, enroulée dans un peignoir, Marisol regardait par la fenêtre la voiture de Cash s'éloigner sur la longue route qui bordait la forêt. Elle n'avait pas pu résister à l'envie de l'apercevoir une dernière fois – et de se remémorer avec quelle douceur érotique il l'avait réveillée.

Pas en fanfare. Pas avec un bouquet d'orchidées. Pas avec le service de chambre irréprochable d'un hôtel cinq étoiles et la promesse de la rappeler après son prochain rendez-vous d'affaires, l'ouverture de sa boîte de nuit ou son voyage en Europe. Il l'avait réveillée avec un tendre baiser et un sourire admiratif capable de faire glousser comme une gamine même la plus blasée des héritières de magasins de décoration d'intérieur. D'ailleurs, Marisol avait bien eu cette réaction.

Contrairement aux autres hommes avec qui elle était sortie – qui avaient tout fait pour l'impressionner –, Cash n'avait rien eu d'autre à faire que de rester lui-même. Il s'était contenté de l'aimer. Pour cette simple raison, elle l'aimait aussi. C'était une vérité indéniable… surtout maintenant.

Si seulement il n'avait pas dû partir aussi rapidement… Toutefois, un seul regard sur le grand calendrier crayonné de la famille expliqua la raison de ce départ précipité. Un grand cercle vert entourait la date de ce jour, dont la case indiquait la mention «CE» écrite d'une main d'enfant.

«Camp d'entraînement.» Cette journée marquait officiellement le début de la deuxième chance de Cash en football. Il ne restait plus à Marisol que peu de temps avec lui et les enfants. Quoi qu'il arrive, elle ne devait pas en perdre une miette.

En établissant rapidement un plan, elle laissa retomber les rideaux. Elle parcourut le salon de long en large pour dresser la liste de tout ce qu'elle voyait. Grâce à l'absence de Jacob, Emily et Hannah, une vraie opportunité se présentait à elle pour la première fois. Une chance de montrer à Cash qu'elle savait faire autre chose que préparer des sandwichs au beurre de cacahouètes et à la confiture, exécuter des trajets en voiture et retirer des chewing-gums collés dans les cheveux. Une opportunité de rendre son amour pour lui réciproque.

Toutefois, il faudrait qu'elle ait de la chance… et qu'elle se débrouille extrêmement bien.

« Vous êtes venue, vous. Ça suffit amplement », lui avait dit Leslie le premier jour. Marisol espérait plus que jamais qu'elle avait raison.

Allez ! Au boulot !

Son sac de sport à la main et le visage fermé, Cash traversa à la hâte le campus de la NAU. En arrivant dans la zone réservée à l'entraînement des Scorpions, il accéléra. Quelques instants plus tard, la porte de la salle de réunion se refermait derrière lui.

Dans le silence soudain, des dizaines de joueurs, quelques intellos de la direction et une ribambelle d'entraîneurs pour attaquants, pour défenseurs et pour grandes équipes le fusillèrent du regard.

Tête baissée, Cash fila vers un siège inoccupé.

—Tu es en retard, beugla Ed, l'entraîneur en chef de l'équipe, en croisant les bras. Tu ne vas pas encore nous créer des problèmes cette saison, Connelly?

Il ne lui restait plus qu'à assumer.

—Désolé, coach.

Cash prit son manuel de stratégie de trois centimètres d'épaisseur, qui contenait au moins cinquante techniques de passes et plus de deux cents techniques de course, qu'il devrait toutes apprendre par cœur avant la pré-saison. Il posa le livre sur ses genoux et lâcha son sac à côté de sa chaise, prêt à démarrer.

—Ça ne se reproduira pas.

—Tu m'étonnes! Tu as plutôt intérêt à ce que ça ne se reproduise pas! Putain, c'est le premier jour, numéro sept!

Ed se déplaçait à grands pas en agitant les bras et pivota pour lancer un regard noir à Cash. Sous ses cheveux gris, ses traits étaient tirés par la colère.

—C'est quoi, ton problème, bordel? On te donne une seconde chance, et tu te permets de déconner?

Tous les joueurs tournèrent la tête pour suivre Ed qui lui tombait dessus à bras raccourcis. Certains se recroquevillèrent dans leur siège. À quelques chaises de lui, Darrell affichait une expression indéchiffrable. Le football était un sport d'équipe. Un membre incapable de se prendre en main représentait un handicap.

La tête haute, Cash regarda son entraîneur droit dans les yeux.

—Je suis prêt.

—Ah oui? Sans blague? (Chacune des paroles d'Ed transpirait de sarcasme.) Eh bien! On était tous prêts à commencer il y a quarante-sept minutes.

Un muscle se crispa dans la mâchoire de Cash. Pour réprimer son envie de tout envoyer valser, il tapotait son manuel avec son crayon. Il devait se contenir pour ses coéquipiers. Il s'était déjà pris des soufflantes, et pires que celle-ci. Il se consola en songeant que sa nuit avec Marisol en valait la peine.

—Tu n'as rien à dire? le piqua Ed.

Cash serra les lèvres et garda le silence.

—OK. Mais tu as utilisé ton premier joker avec ta petite bagarre de l'autre jour.

D'un œil mauvais, Ed examina l'arrière avec qui Cash s'était battu, puis il reporta son attention sur lui.

—Tu viens d'en griller un deuxième. Un de plus et tu dégages. Garde ça en mémoire. (Se retournant vers l'assemblée, Ed leva le menton.) Juste pour être sûr que notre *quarterback* de réserve est opérationnel, on arrête la réunion ici. Par contre, ce sera deux séances par jour toute cette semaine. Et ça commence maintenant.

Toute l'assemblée grommela en chœur. Ces doubles séances quotidiennes seraient en fait deux entraînements exténuants durant lesquels ils travailleraient leur résistance, le matin et l'après-midi. Il s'agissait d'exercices difficiles, d'où l'on sortait dégoulinant de sueur. Tous les joueurs du monde les détestaient.

—Foutez-moi le camp sur le terrain, bande de branleurs! hurla Ed.

Quatre-vingt-cinq gaillards, des nouveaux et des vétérans à côté de qui Cash avait sué pendant des années, ramassèrent leurs affaires. Les chaises grincèrent au sol, qui trembla sous leurs pas quand ils partirent tous se changer…, mais pas un seul d'entre eux ne posa les yeux sur Cash.

—Alors, qu'est-ce que tu en penses ? demanda Marisol à Tenley.

Elle l'avait appelée pour leur causette habituelle sur la route de Lake Mary en allant chercher les enfants. Les arbres défilaient, et le lac, peu profond à cette époque de l'année, scintillait juste derrière eux. Marisol commençait vraiment à maîtriser ces trajets en voiture qui constituaient une habitude purement banlieusarde selon elle.

—Tout a été génial jusqu'à ce matin, et puis Cash est parti super vite…

—Tu sais bien que le sexe change tout, lui rappela son amie.

Pour une fois, Tenley n'était pas en plein shopping. Elle se rendait à un entretien d'embauche dans l'événementiel. Une preuve de plus que la vie suivait son cours à Los Angeles sans Marisol.

—Cash a peut-être flippé de se sentir aussi proche de toi, et il a eu besoin de prendre un peu de distance. Et il allait vraiment travailler, donc…

—Ouais.

Sur la troisième ligne de leur appel multiple, Caprice grogna. Elle se trouvait au salon de coiffure

Jonathan, à Beverly Hills : elle tenait aux fréquentes recolorations et aux lissages de son coiffeur préféré.

— Ou alors, dit-elle allégrement, Cash est parti aux urgences pour se remettre de son UAP.

— UAP ? répéta Marisol en même temps qu'elle voyait la maison de Darrell et de Sheryl.

— Utilisation abusive du pénis, précisa Caprice très sérieusement, provoquant des gloussements chez son coiffeur. J'ai entendu parler d'un type qui s'est retrouvé avec la bite en forme de touillette à cocktail parce qu'il avait fait trop de galipettes au B&B de Napa.

— Le mec de Marisol est juste allé à un entraînement de foot, l'interrompit Tenley d'une voix sensée. C'est tout. Je suis sûre qu'il n'a rien d'une touillette, hein Marisol ? (Tenley poursuivit sans attendre sa réponse.) Bon, je suis arrivée. Désolée, mais je dois y aller. Souhaitez-moi bonne chance pour mon entretien, les filles. Je suis hypernerveuse.

— Bonne chance ! dit Marisol. Tu me diras comment ça s'est passé.

— Tu vas assurer, ajouta Caprice avec un bruit de papier d'aluminium. Marisol ? Ne t'inquiète pas pour Cash. Tant que tu ne vois pas de touillette dans son caleçon, tu n'as certainement pas de quoi t'inquiéter.

— La vache ! C'est super rassurant. Mon copain est un accessoire pour cocktail.

Mmm !… « Copain ». Ou peut-être plus. Elle aimait cette idée. Son ex, Chad, n'en reviendrait pas de voir ce qu'elle était devenue. Marisol entra dans l'allée et se gara juste au moment où Tenley raccrochait.

—Il faut que je file aussi. Je dois aller chercher les enfants. C'est bizarre : je suis carrément pressée de les revoir.

—Hum. Bizarre, c'est clair ! confirma Caprice. Mais tu sais, même avec une touillette, ça peut bien se passer. (Elle continua ses bavardages sans respirer.) On peut toujours se débrouiller. Je te jure, pour les positions du Kama-sutra, il faut parfois une bite en forme de touillette.

—OK, répondit Marisol jovialement. Maintenant, il faut que j'y aille. Salut !

—Salut, Marisol, répondit gaiement Caprice. Bonne chance !

En nage, épuisé et sûrement couvert d'hématomes à force de se prendre des coups pendant le *scrimmage* et après d'innombrables exercices de passes et de raffuts, Cash fonça aux vestiaires. Il lâcha son casque sur le banc, près de son emplacement, sans prêter attention aux regards noirs causés par son arrivée. Après tout, il les méritait.

Autour de lui, des joueurs se déshabillaient pour se doucher, se débarrassant de leurs protège-tibias, de leurs maillots et de leurs chaussures. D'autres sortaient des douches avec une serviette autour de la taille et reprenaient leurs vêtements de ville. Certains, surtout des vétérans, discutaient, chahutaient et riaient. Les bleus observaient le vestiaire d'un œil circonspect ; ils étaient crasseux et fatigués à force d'apprendre de nouvelles techniques, d'essayer de s'intégrer et de tout donner pour devenir titulaires des Scorpions.

La NFL représentait une étape importante à la sortie de l'université. Certains seraient recalés au cours des sélections des semaines à venir. Sur plus de quatre-vingts joueurs, seuls soixante-cinq passeraient la première étape. À la fin, ils seraient cinquante-trois – nouveaux et vétérans confondus – à constituer l'équipe, plus huit joueurs pour grossir le groupe d'entraînement. Le football n'était pas fait pour les faibles. Cash ne le savait que trop bien.

La porte de dehors s'ouvrit quand des joueurs sortirent. Un tourbillon de voix et d'animation retentit depuis l'extérieur : la presse.

— Ils ont pas tardé, cette année, remarqua Darrell.

— Ouais. (Cash releva le menton pour accueillir l'attaquant.) Comme s'ils avaient un vrai événement à couvrir, à part nos pauvres bagarres d'abrutis.

— La routine, numéro sept. Toujours pas fan des médias, hein ?

— Au contraire, je les adore. (Cash jeta ses protège-coudes dans son casier.) Tant qu'ils ne s'approchent pas de moi.

Son ami acquiesça d'un air compréhensif. La plupart des rumeurs concernant sa retraite, sa rupture avec l'équipe, sa rivalité avec Tyrell et même son divorce avec Stephanie avaient été alimentés par les médias. Les dirigeants des Scorpions s'étaient vite lassés de cette mauvaise presse.

De même que Cash, qui n'avait pas l'intention de tenter le diable encore une fois.

« Tu viens d'en griller un deuxième. Un de plus et tu dégages. Garde ça en mémoire. »

— Tu vas y aller ? demanda Darrell en montrant la porte.

L'anneau à son petit doigt étincela. En civil, ce gros balèze était toujours bien sapé : il portait principalement des costumes, de belles cravates et des chaussures anglaises. Il se démarquait, surtout lors du camp d'entraînement dans la petite ville de Flagstaff.

— Non.

La bouche pincée, Cash prit un tube de pommade. Son tendon lui faisait toujours mal. S'il survivait aux doubles séances quotidiennes, il devrait sûrement consulter un des médecins de l'équipe. Aujourd'hui, en revanche, une visite soulèverait trop de questions. Surtout avec les légères marques de morsures sur certaines parties sensibles – et généralement intimes – de son anatomie.

Il verrait un médecin s'il souffrait encore demain. Pour l'instant, il devait surtout se sortir entier de cette journée. Ses exercices improvisés au camping du *Lézard joyeux* lui avaient certes redonné le goût de jouer au football pour le plaisir, mais le programme d'entraînement punitif et les réunions de la journée en avaient en partie anéanti les effets. Maintenant, ce n'était plus que son travail. Comme d'habitude.

— Je rentre chez moi, déclara Cash sans lever les yeux du baume qu'il s'appliquait. Marisol et les enfants m'attendent.

Le silence tomba. Du moins, autant que cela se pouvait dans cette atmosphère électrique chargée de testostérone, au milieu des casiers bruyants et des échos de la presse nationale et locale qui attendait dehors.

— Content pour toi, numéro sept, répondit Darrell. Plutôt sympa, hein ?

Cash leva les yeux. L'expression de son ami ne prêtait pas à confusion. Cet homme généreux avait le sens de la famille. La sienne ne quittait jamais ses pensées – surtout sa femme.

— Ouais, reconnut Cash. J'avoue.

S'il parvenait à ne pas tout gâcher, il serait aux anges, mais il devait d'abord récupérer les bonnes grâces de la direction. Pour cela, il fallait qu'il assure.

Avec un sourire, il se rappela que Cash Connelly avait toujours excellé à la fois sur le terrain et en dehors. Et si son assurance hors du terrain se transformait en atouts sur le terrain… la saison s'annonçait plus que bien.

Il prit sa serviette et partit dans les douches. Il voulait se faire tout beau, tout propre pour exposer ses talents à Marisol. Maintenant qu'il avait commencé à craquer, il ne voyait plus pourquoi il se refuserait à croquer la vie à pleines dents.

Chapitre 26

—J'ai l'impression que vous faites beaucoup de progrès, Marisol. (Imelda Santos rangea toute sa paperasse dans un dossier de *Dzeel* étiqueté « Oniomanie ».) Vos formulaires d'évaluation de stage sont excellents, comme toujours… bien que sommaires sur la question du ménage. (Elle sourit.) Mais je m'inquiète un peu à propos de votre relation naissante.

Oh, oh ! Ravivée par cette remarque, Marisol se redressa sur son siège.

Depuis plus d'un mois, elle se présentait une fois par semaine au centre de désintoxication pour participer à des évaluations, à des exercices et à des groupes de parole. Elle réussissait à intégrer tout cela dans son programme de nourrice et de femme de ménage, et à passer la plupart de son temps avec Cash et les enfants. Toutefois, Imelda ne l'avait encore jamais convoquée pour un entretien privé depuis sa fausse alerte au Jake Gyllenhaal lors de l'épisode du sac à main.

—Comme nous l'avons évoqué pendant les séances, poursuivit la conseillère d'un air gentil, il arrive souvent que les pathologies de nos patients évoluent en lutte contre un sentiment omniprésent d'inadaptation ou en carapace destinée à se protéger de la peur de l'abandon. Je suis ravie que vous appréciiez cette phase d'échange interpersonnel, Marisol, mais nous ne préconisons pas les nouvelles relations durant la cure.

— Ce que vous êtes rabat-joie, Imelda !

— Ce n'est pas mon intention, répondit la conseillère en haussant les épaules.

— C'est parce que Cash est mon patron ? s'enquit Marisol. Parce que si c'est le cas… c'est trop ringard, sérieux ! Je ne sais pas comment ça se passe ici, chez les péquenauds, mais, dans le reste du monde, les couples se rencontrent souvent au travail. Sans blague ! Je veux dire, sinon, où voulez-vous rencontrer quelqu'un ?

— Ce n'est pas parce que M. Connelly est votre « patron », la contredit Imelda de sa voix pondérée. Il se trouve que je le connais personnellement, et je lui fais confiance pour gérer cette situation avec intégrité. C'est pour vous que je me fais du souci.

Marisol la dévisagea d'un air suspicieux. Elle prit une statuette d'Indien sur le bureau de la conseillère et la tourna dans tous les sens en admirant sa facture. Un objet de ce genre irait merveilleusement bien sur le manteau de la cheminée de Cash. À ce jour, elle avait redécoré toute la maisonnette – en partie pour impressionner Cash avec son unique talent ne requérant pas une carte Visa Platinum –, mais elle peinait à résister à l'envie de racheter des accessoires et des meubles, son domaine d'expertise.

— Pour moi ? Je vais bien. Je ne me suis jamais sentie aussi bien, insista Marisol.

— Je suis ravie que vous soyez heureuse. Vraiment.

Avec un sourire gêné, Imelda retira ses lunettes. Elle se massa l'arête du nez et replaça ses montures d'écaille avec un geste de vieux savant.

— Toutefois, je me dois de vous rappeler l'importance – surtout pour une personne en pleine guérison comme vous – de ne pas puiser chez quelqu'un d'autre votre confiance en vous et votre satisfaction personnelle.

— Non, non, ce n'est pas mon cas. (Marisol reposa la sculpture.) Enfin, oui, nos rapports sexuels sont absolument incroyables, mais je sais que les femmes bien dans leur peau n'ont besoin de personne pour être satisfaites. Ce ne sont pas les hommes qui me rendent désirable ou sexy. J'y arrive très bien toute seule, croyez-moi.

Imelda fit une moue étrange.

— C'est admirable, Marisol. À *Dzeel*, on accorde de l'importance à toutes les formes d'expression personnelle, tout comme à une pratique saine de la sexualité, bien sûr. Toutefois, ce n'est pas vraiment ce que je voulais dire par…

— Et, honnêtement, même si Cash est le meilleur amant que j'aie jamais eu, il faut reconnaître que j'y suis aussi pour beaucoup ! lâcha Marisol.

Elle n'avait jamais tenu de conversation aussi grisante avec cette vieille coincée d'Imelda, mais cela lui plaisait. Après tout, la conseillère connaissait tous ses autres secrets.

—Avec Cash, je me sens très inspirée, se confia Marisol en s'accoudant au bureau, qu'elle se mit à tapoter. En seulement quelques semaines, j'ai exploré des zones de ma sexualité dont je ne soupçonnais même pas l'existence. Je ne savais pas que j'étais capable de…

—C'est bon, la coupa Imelda. (Elle s'éclaircit la voix en tripotant le badge attaché à son chemisier, puis regarda Marisol avec franchise.) Ce que j'essaie de dire, c'est qu'il est merveilleux d'être aimé, mais ce n'est pas une garantie de réussite.

—D'accord.

Marisol sentit ses sourcils se froncer. C'était moins drôle que de parler de sexe.

—Ça ne peut pas se substituer à une vraie solidité personnelle, reprit Imelda. Tout comme le shopping n'est pas une panacée contre l'inadaptation socio-affective. Tous les achats du monde ne pourraient pas combler ce vide. Tout l'amour du monde non plus. Il faut d'abord faire en sorte de le combler soi-même.

Marisol s'accorda un moment de réflexion. Elle s'appuya contre son dossier, reproduisant la posture guindée d'Imelda, et inhala le parfum tonifiant des pins et du détergent.

Bravo ! Tu reconnais cette odeur, maintenant !

Elle hocha la tête. Cela tenait la route.

—Bon, dit-elle lentement. Je pense que je peux essayer de satisfaire mes envies toute seule. En fait, de temps en temps, Cash est fatigué en rentrant du camp d'entraînement, donc il apprécierait peut-être que je… donne un coup de main, si je puis dire.

Au souvenir de leur dernier tête-à-tête, elle se ragaillardit. Elle n'avait toujours pas essayé le costume de soubrette. Peut-être cette nuit, après leur dose habituelle de vie nocturne à Flagstaff – à savoir, regarder les étoiles.

Marisol s'étonnait d'être devenue aussi mature. Quel bonheur !

— Mon amie Caprice ne jure que par son canard vibrant, reprit-elle en revenant au sujet. Dommage que je n'aie pas le droit d'acheter…

— Je ne parle pas de plaisirs solitaires ! (Imelda parut exaspérée, et peut-être aussi un peu troublée. Elle rajusta ses cheveux courts.) Même si je n'ai rien contre. Vous savez quoi ? Nous devrions peut-être reparler de ça un autre jour. En attendant, souhaitez-vous me confier autre chose ? (Patiemment, elle posa les mains sur son bureau en joignant ses doigts.) Je vous en prie.

— Eh bien…

Cette invitation coupa la chique à Marisol. Elle avait raconté ses dernières semaines avec Cash et les enfants, décrit ses activités de redécoration de la maison de Bulldozer, les explications qu'elle avait fournies à Cash et à Adam, et son goût pour les meubles uniques de créateurs.

— Quand je vivais à L.A., dit-elle à Imelda, je n'aimais que les objets avant-gardistes. Vous savez, les designers obscurs à tendance ultramoderne… Rien à voir avec le style esthétique de *The Home Warehouse*. Pas du tout pour les enfants, non plus. Mais ces derniers jours… Je ne sais pas, c'est bizarre.

Je commence à apprécier les tissus qui supportent les éclaboussures de jus de raisin.

Imelda hocha la tête.

— Je vous ai déjà dit que j'avais eu le projet d'ouvrir ma propre boutique de décoration d'intérieur ? J'ai même tenté une approche pour que mon père la finance, mais… (Elle s'interrompit en souriant.) Peu importe. À part ça, hier, j'ai gagné au trouduc'.

Elle décrivit le jeu et fit rire Imelda en parlant de la compétitivité extrême de Hannah, des flatteries d'Emily pour la convaincre de lui montrer ses cartes et de l'incapacité de Jacob à tenir en place plus de deux parties d'affilée sans aller jouer avec son nouveau ballon. Fière de tous les changements qui s'étaient opérés en elle, Marisol raconta à Imelda ce qu'elle préparait pour le dîner, quelles passes de football elle avait apprises et sa nouvelle amitié avec Cassie, Amanda, Ashley et Lindsay.

— Ce sont mes informatrices personnelles, dit-elle à toute vitesse. On se retrouve pour prendre un café, pour déjeuner, ou pour que les enfants jouent ensemble plusieurs fois par semaine, maintenant que les leurs sont rentrés. Ce sont des femmes de footballeurs aussi et…

Marisol s'interrompit et plaqua sa main sur sa bouche.

« Des femmes de footballeurs aussi. »

Aussi !

Face au regard pénétrant d'Imelda, elle se sentit encore plus gaffeuse. Sa conseillère ne semblait pas mal intentionnée, mais son air entendu dégageait plus de sagacité et de sérénité que Marisol ne pouvait espérer en avoir un jour. Surtout en apprenant autant de choses à la fois.

— Enfin…, se hâta-t-elle de rectifier. Bien sûr, Cash et moi ne sommes pas mariés, mais…

— Mais ça pourrait arriver, termina Imelda à sa place d'une voix enjôleuse et d'un air compréhensif. C'est bien d'espérer ça. Tout le monde rêve d'un avenir. C'est comme ça que les êtres humains essaient les différentes voies qui s'ouvrent à eux.

— Eh! C'est comme ça que je fais aussi! Du moins, c'est ce que je faisais avant, se réjouit Marisol. Quand je faisais du shopping, je prenais des habits farfelus et j'allais les essayer juste pour rigoler. Comme pour me déguiser.

— Vous voyez, il n'y a pas de mal à faire des expériences.

— Tout à fait. Sauf quand vous avez pris un bustier en cuir, corrigea Marisol en grimaçant. C'est abuser.

— C'est vrai, il est important de connaître ses limites, acquiesça sagement la conseillère. Pour qu'une relation fonctionne, il faut avant tout être bien dans sa peau.

— Comme faire les magasins en étant coiffée et maquillée, renchérit Marisol. Au moins du mascara. Si vous ne commencez pas par soigner la base, rien de ce que vous porterez ne vous ira.

Imelda sourit.

— Je crois que vous commencez à comprendre.

— Vous savez quoi? Je crois bien que vous avez raison, confirma Marisol en souriant.

Étonnamment, Imelda lui tendit la main.

— Nous n'avons jamais reçu quelqu'un comme vous ici, Marisol. Plus qu'une semaine ! Vous allez nous manquer, quand ce sera fini.

Marisol lui sourit chaleureusement.

— Vous me manquerez aussi.

Les deux femmes gardèrent le silence durant quelques instants. Elles avaient tissé un lien grâce au pouvoir de la liberté sexuelle et des cabines d'essayage.

Puis Marisol tendit le doigt.

— Est-ce que je dérogerais à la règle si j'achetais cette statuette après ma cure ? Je pense qu'elle plairait beaucoup à Cash.

— Oh ! Incroyable ! (Cash recula sur sa chaise et afficha son air le plus triste… et le plus exagéré.) C'est encore Hannah qui gagne !

— Oui ! Des sous, des sous, des sous, des sous !

Avec jubilation, la petite tendit les mains pour ramasser une pleine brassée de billets multicolores. Dressée sur ses genoux, elle en préleva une poignée et l'embrassa bruyamment.

— Je vous ai eus, bande de gros nuls ! Youpi !

— Y a rien à faire, grommela Jacob. C'est toujours elle qui gagne.

— Il va falloir t'y habituer, mon bonhomme. (Adam poussa des restes de monnaie de Monopoly Junior vers la gagnante.) Les femmes sont comme ça.

— Eh ! Objection ! protesta Marisol en lui donnant un coup de coude. Peut-être que les femmes que vous rencontrez sont comme ça, Monsieur J'Extrapole, mais certaines d'entre nous s'intéressent à d'autres attributs que la taille du portefeuille.

Le regard pétillant qu'elle lança à Cash en dit long sur les attributs auxquels elle faisait allusion. Il lui serra joyeusement les doigts, et ils restèrent main dans la main à la vue de tout le monde. À son grand soulagement, les triplés n'avaient eu aucun mal à accepter leur nourrice dans son nouveau rôle de… camarade de jeu? Petite copine? Future épouse… qui sait? Pour l'instant, Cash n'avait pas défini la nature de leur relation, mais cela ne l'empêchait pas de s'en réjouir. Et il était heureux que cela convienne aussi aux enfants.

Adam jeta un coup d'œil vers leurs mains jointes et s'étira.

—Bon, on s'est bien amusés, les copains, mais il me reste des mutations à négocier pour les joueurs qui sortiront demain, et une énorme pile de programmes de matchs d'exhibition à gérer, donc je crois que je vais vous souhaiter une bonne nuit.

Le sourire aux lèvres, il baissa un chapeau imaginaire à l'intention de Marisol.

—Il faut vraiment que tu partes déjà? (Elle fit la moue sans cesser de remettre le jeu en ordre.) J'ai l'impression que tu viens d'arriver.

—Le temps joue des tours, dans les bleds paumés comme ici, répondit-il avec un clin d'œil. Quand tu retourneras à L.A., tu te rendras compte que seulement trois jours se sont écoulés depuis ton départ. Salut, les enfants! lança-t-il en se levant.

Les enfants l'encerclèrent dans un tintamarre d'adieux étourdissants. En riant, Jacob, Emily et

Hannah lui offrirent leur spécialité du moment : des câlins dignes de ventouses visant à aspirer toute trace de vie chez les adultes, les enfants, les chiens ou les peluches qui se trouvaient sur leur chemin.

— Ouh ! (Adam entra dans leur jeu et tituba jusqu'à la porte, les trois petits accrochés à lui.) Je… dois… ramper… à… ma… voiture. Je… dois… sortir. Ah ! fit-il avec des yeux exorbités.

Les enfants s'écroulèrent de rire. À ce jour, jamais une de leurs manœuvres ne les avait autant amusés.

— On t'a eu ! cria Jacob.

— Allez, arrêtez d'étrangler Adam. (Cash pointa son doigt sévèrement vers l'étage.) Mettez donc la même énergie à vous brosser les dents et préparez-vous à aller au lit. Il se fait tard.

— Oh non, papa ! se plaignirent-ils en chœur. On est obligés ?

Ensuite, ils traîneraient des pieds, il insisterait, puis il leur raconterait une histoire, tard. Cash regarda Marisol avec appréhension. Connaissant le rituel aussi bien que lui, elle haussa les épaules.

Cash soupira.

Tant pis. On n'a qu'une vie !

— Si vous vous dépêchez d'enfiler vos pyjamas, vous pourrez rester un peu pour regarder les étoiles avec Marisol et moi, céda-t-il.

— Ouais ! s'exclamèrent-ils en fonçant à l'étage.

Comme ils disparaissaient, la voix d'Emily chantant « on a le droit de se coucher tard », accompagnée de pas de danse, s'évanouit aussi.

Cash pivota en souriant et remarqua qu'Adam l'observait.

— Qu'est-ce qui t'arrive ? demanda-t-il.

— Rien. (Avec un air entendu, presque suffisant, Adam empoigna ses clés de voiture.) Bonne nuit, Marisol. Merci pour les beignets.

— Ça m'a fait plaisir, répondit-elle en souriant. On a de la chance que Bulldozer ait une friteuse dans le placard. Demain, je fais des Snickers frits. Jacob m'a dit que c'était « terrible ». Il en a mangé à la foire avec Tyrell.

Tyrell. Il était arrivé au camp d'entraînement depuis quelque temps. Même les joueurs vedettes devaient apprendre les tactiques de la saison à venir, et Tyrell avait également demandé à voir les enfants – une visite à laquelle Cash avait consenti à contrecœur. Depuis l'arrivée de Tyrell à Flagstaff – sans Stephanie, qui prolongeait son séjour à Venise par quelques semaines à Paris avec des amies –, Cash sentait plus que jamais les regards curieux de ses coéquipiers et de ses entraîneurs peser sur lui.

Tout le monde s'attendait à ce qu'il mène la vie dure à Tyrell et qu'il règle ses comptes avec lui sur le terrain. Cependant, grâce à la présence de Marisol, Cash n'éprouvait pas d'autre besoin que de rentrer à la maison le plus tôt possible chaque jour. Le cabotinage de Tyrell ne l'atteignait plus. Pas plus que les piques d'Adam. Il savait parfaitement que son manager prenait à cœur son relâchement récent avec les enfants, mais quoi ? C'était l'été, non ?

Marisol lui avait montré combien cette période pouvait être amusante, et Cash ne voulait plus que cela s'arrête.

— Salut, tout le monde. À plus, lança Adam avec un signe de la main avant de regarder Cash droit dans les yeux. Eh, je crois que tu as laissé des documents dans ma voiture, prétendit-il en tournant le menton vers la porte.

— Je ne suis pas monté dans ta voiture.

Cash se pencha vers Marisol et passa joyeusement le bras autour de ses épaules. À l'étage, les enfants chahutaient en claquant les tiroirs et les portes. Satisfait, leur père caressa le bras nu de la jeune femme en baissant les yeux vers le plateau abîmé du Monopoly.

— Fais attention sur la route, nullard.

Cash songea tout à coup que, ce soir, il réussirait peut-être à convaincre Marisol de porter la tenue de soubrette. Il lui déposa un baiser dans le cou.

Adam se racla la gorge.

— Si, je suis quasiment sûr que tu as oublié quelque chose là-bas.

— Alors, va le chercher. Je t'attends ici.

— Je ne peux pas, insista Adam. Je euh… je ne sais pas où c'est.

— Alors, arrête de m'enquiquiner avec ça.

Marisol lui enfonça un doigt dans les côtes en riant.

— Cash, apparemment, Adam veut que tu l'accompagnes dehors. Regarde, il remue les sourcils comme quand il a quelque chose en tête.

—Hum. (Le manager croisa les bras d'un air amusé.) Rappelle-moi de ne jamais jouer au poker avec toi, dit-il à Marisol. Allez, Cash, tu viens ?

—Quoi que tu veuilles me dire, tu peux le dire devant Marisol. (Il embrassa son nez retroussé et la serra contre lui d'une façon dont il avait de plus en plus besoin.) On est une équipe. On n'a pas de secrets l'un pour l'autre.

Adam laissa traîner son regard entre eux pendant qu'il pesait le pour et le contre.

—OK, accepta-t-il. Donc, voilà : je t'ai observé toute la soirée, et tu es visiblement amoureux de Marisol. Fou amoureux. Je suis content pour toi. Donc, ne le prends pas mal quand je…

—D'accord. On sort. (À la vitesse de l'éclair, Cash retira son bras des épaules de Marisol et poussa son manager sur le perron.) Dis-moi ce qui te trotte dans la tête.

Le sourire aux lèvres, Marisol ramassa le Monopoly Junior et le rangea à sa place. C'était la première fois qu'elle jouait à un jeu de société. En effet, ses diverses belles-mères s'intéressaient plus à collectionner les invitations à des soirées qu'à leur belle-fille, qui s'ennuyait. Ainsi, Marisol n'avait jamais eu la chance de sillonner le Jeu de l'Oie ou le plateau des Petits Chevaux. Quand Jamie était arrivée, Marisol avait définitivement fait une croix dessus. Toutefois, même lors de ses sorties en boîte à Los Angeles, elle ne s'était jamais autant amusée que ce soir.

Il devait y avoir un rapport avec les partenaires de jeu.

Des pas descendirent l'escalier.

— Marisol ! Jacob, il m'a fait gicler du dentifrice dessus, rapporta Emily en tirant sa chemise pour montrer les dégâts.

— C'est même pas vrai ! s'exclama Jacob qui la suivait de près. C'est Hannah ! Elle était en train de nous montrer que c'est elle qui met le plus de dentifrice sur sa brosse à dents, et puis ça a giclé partout dans la salle de bains.

— C'est pas moi ! (Outrée, Hannah dévala l'escalier, un pied chaussé et l'autre nu.) C'est pas ma faute si t'es qu'un gros bébé qui sait même pas mettre du dentifrice sur sa brosse à dents. Et puis si Emily, elle avait pas chanté sa chanson débile, on…

— OK, temps mort ! lança Marisol en joignant le geste à la parole comme elle avait vu Cash le faire. Arrêtez tout de suite. Vous êtes tous les trois des rapporteurs. Vous savez ce que deviennent les rapporteurs en grandissant ?

Sans un mot, ils secouèrent la tête.

— Des journalistes de magazines à scandale. (Marisol hocha la tête pour s'assurer qu'ils mesuraient bien sa consternation.) Vous voulez passer le restant de vos jours à écrire des articles sur les exploits de Mary-Kate et Ashley Olsen ?

Un silence d'horreur tomba.

Puis…

— C'est quoi, des exploits ? demanda Jacob.

— Peu importe. Faites-moi confiance : vous n'aimeriez pas ce travail.

— Mais…, commença Emily sans lâcher sa chemise tachée.

— Non, la coupa Marisol d'une voix douce mais ferme. Va frotter ça avec le stick détachant dans la buanderie et mets ta chemise dans le panier à linge sale. Ça ira.

— Je suis pas un bébé, protesta Jacob. Je suis un grand !

— T'es pas plus grand que moi, argumenta Hannah.

— Si ! Parce que je suis un garçon, et même que les garçons, ils sont plus grands !

— Même pas vrai. Regarde !

Hannah se colla dos à dos avec lui, son unique chaussure collée au sol. Elle leva sa main entre leurs deux têtes, l'inclinant nettement plus haut de son côté.

— Tu vois, je suis plus grande.

— Tu as peut-être raison, Hannah, plaisanta Marisol. Ça veut dire que tu es assez grande pour atteindre toutes les éclaboussures de dentifrice et les nettoyer. Ça ne devrait prendre qu'une minute. Utilise les lingettes pour les vitres, que j'ai rangées sous le lavabo de la salle de bains.

La petite lui décocha un regard consterné. Jacob jubilait.

— Est-ce que tu as essuyé les toilettes avec les lingettes antibactériennes ? lui demanda Marisol. Je les ai mises là pour toi.

Ils en étaient arrivés à ce compromis, maintenant qu'elle lavait régulièrement la salle de bains dans le cadre de son stage. Elle avait appris à brosser, à frotter et à polir autre chose que ses ongles de mains et de pieds.

— J'y vais, j'y vais.

Le garçon suivit sa sœur à l'étage.

Satisfaite, Marisol regarda les triplés s'éloigner. Elle commençait vraiment à devenir une bonne nourrice. Si elle avait fait preuve de la même diplomatie dans sa vie normale, elle aurait pu soutirer plus d'argent à son père. Elle aurait même pu ouvrir la boutique de ses rêves et montrer au monde entier ses fantastiques trouvailles.

Toute à ses pensées, elle prit une bouteille de jus de raisin-canneberge pétillant dans le réfrigérateur et alla chercher cinq gobelets en plastique dans le placard. Ce n'était pas comme un bon vin dans des verres en cristal, mais Marisol avait appris à l'apprécier.

Elle se rendit à l'entrée de la maison afin de regarder si Cash et Adam avaient fini de discuter. Juste au moment où sa main touchait la poignée, elle entendit la voix du manager.

— Écoute, il faut que je mette les choses à plat. Tu es sur un terrain glissant avec l'équipe. Ta bagarre, ta blessure au tendon, ton retard...

— Je me suis fait pardonner pour ça, répondit Cash avec agacement. Tu peux me croire.

Marisol souleva le rideau pour regarder dehors. Les deux hommes se tenaient sur le perron dans une posture raide et avec une expression dure, qui indiquaient clairement leur désaccord. Elle ne voulait pas écouter, mais ce qu'elle entendit ensuite l'empêcha de s'éloigner.

— On peut se passer de toi. (Adam cogna le torse de Cash.) Tu m'entends ? Ce n'est pas plus compliqué que ça. Tu divises l'équipe, exactement comme avant, et les autres joueurs ne sont pas contents. Ils parlent dans ton dos. Tu n'es pas mon seul client, tu sais. J'ai aussi rencontré Ed et les dirigeants des Scorpions. Leur position ne pourrait pas être plus claire : au premier incident…

Cash jura.

— Il n'y aura plus d'incident.

— Au premier incident, tu dégages, insista Adam. Si ça dégénère entre Tyrell et toi, tu sais qui ils choisiront.

Un silence lourd de sens s'instaura. Les implications étaient catastrophiques.

— Va te faire foutre ! (Cash fit volte-face avec une expression peinée. Les épaules crispées, il abattit sa paume sur un pilier du porche.) Ce n'est pas une compétition entre Tyrell et moi. Pas cette fois.

— Et la direction ne tolérera pas de division. Certains membres de l'équipe pensent que tu as été con de prendre ta retraite après une saison réussie. Ils ne te soutiendront pas.

— Et alors ? Je n'ai pas besoin d'eux. Ni maintenant ni jamais.

— Mais tu pourrais. Ne t'isole pas, Cash. (Adam s'approcha de lui avec un regard sérieux.) Je te parle en tant qu'ami. Si tu veux jouer une autre saison chez les pros…

— Tu sais bien que oui, lâcha Cash en serrant les dents.

— … il faut que tu te colles au boulot. Ne t'attire pas de problème. Fais bonne impression à Ed et aux dirigeants. Fais attention pendant le *scrimmage* demain, parce que tu peux être sûr qu'ils t'auront à l'œil. Et les journalistes aussi. Ils veulent retrouver le Cash Connelly qu'ils adorent.

— D'accord. J'embrasserai les bébés. Ça m'est égal. C'est bon, tu as fini ?

— Tu ne prends pas ça au sérieux, répondit Adam avec un regard insistant.

— Putain, bien sûr que non !

— Super, lâcha le manager en levant les mains. Je vois. J'ai fait tout ce que je pouvais. Tu ne diras pas que je ne t'avais pas prévenu.

— Non, confirma Cash avant de retourner vers la porte.

La poignée tourna. Prise de panique, Marisol regarda son jus de fruits, sa main pleine de gobelets et sa position. Elle allait être prise en flagrant délit d'écoute aux portes.

Même les yeux de Pato semblaient crier « comment as-tu pu ? » quand le chien s'approcha d'elle. Marisol fonça au milieu de la pièce au moment précis où Cash revenait avec une expression sombre et obstinée.

Il la regarda… et comprit. Il sut qu'elle avait entendu.

Pourtant, il ne dit rien. Il se contenta de lui prendre les gobelets et la bouteille pour s'en occuper, comme d'habitude, avant de partir vers le porche de derrière.

— Prête à regarder les étoiles ?

— Cash… (Marisol s'empressa de le rattraper et elle le saisit par le bras.) Est-ce que ça va ? Tu as besoin d'aide ?

— Non, ça va.

Ce qui ne voulait rien dire. Il répondait toujours cela.

— Même si on te dévissait la tête, tu dirais que ça va. (Elle le dévisagea avec exaspération.) Et, ensuite, tu tenterais de la remettre en place tout seul, à chaud.

— Ça va, répéta-t-il avec un sourire fade.

— Mais… (Marisol courut dans le sillage de Cash.) En fait, sans faire exprès, j'ai entendu ce que t'a dit Adam. (Elle jeta un coup d'œil à l'étage pour s'assurer que les enfants ne l'entendraient pas.) On dirait que tu as des ennuis.

— Ça va.

Cash ouvrit la porte et sortit.

Marisol resta sur ses talons.

— Le *scrimmage* dont Adam parlait…, qu'est-ce que c'est ?

— Un match d'entraînement : les attaquants contre les défenseurs de la même équipe. Les attaquants marquent des points avec des essais et des *touchdowns*. Les défenseurs marquent des points en faisant rater trois essais de suite aux attaquants, en interceptant le ballon et en le récupérant.

Pour Marisol, c'était du chinois.

Il y avait plus important.

— C'est ouvert au public ?

Cash acquiesça d'un air distrait.

411

—Sur le terrain de la NAU.

Il s'allongea sur son transat habituel en regardant les arbres noirs au lieu du ciel. Il semblait avoir complètement oublié l'existence des gobelets et du jus de fruits.

Marisol les lui prit doucement et ouvrit la bouteille.

—Donc, tu vas jouer. (Il hocha la tête.) On peut venir, avec les enfants?

—Les enfants ne viennent pas aux matchs. Ils regardent parfois à la télé…

—Stephanie ne les a jamais amenés? Pas étonnant que tu ne te sois jamais senti soutenu! s'exclama Marisol, indignée. Emily, Hannah et Jacob adorent te voir jouer!

Cash répondit par un grognement évasif. Il s'étira et, pour la première fois depuis qu'ils étaient dehors, regarda autour de lui.

—Allez, viens par ici, l'invita-t-il en tapotant la chaise longue que prenait toujours Marisol. Assieds-toi à côté de moi.

Elle s'exécuta, avant de leur servir du jus de fruits et de poser la bouteille en attendant que les enfants les rejoignent. La tête tournée vers le ciel, elle contempla ce magnifique tissu étoilé, digne d'une vitrine de bijouterie.

Au bout d'un moment, Cash soupira.

—Ça pourrait être chouette que vous veniez.

Exactement ce que Marisol avait besoin d'entendre.

—Un jour, peut-être, répondit-elle simplement.

Chapitre 27

À l'instant où Marisol entra sur l'autoroute en direction de Flagstaff, elle sut qu'Adam avait raison.

Ce truc, le *scrimmage*, n'était pas n'importe quoi.

Manifestement, d'autres personnes comprenaient le charabia que Cash lui avait pondu la veille au soir. En effet, la route bordée de pinèdes et de quelques hameaux était noire d'embouteillages. Tout le monde se rendait à la NAU. D'habitude, Marisol aimait conduire dans les méandres de cette ville : une bouffée d'air frais comparativement à la circulation congestionnée de Los Angeles, qui donnait envie de s'arracher les cheveux. Aujourd'hui, en revanche, cette route ressemblait davantage à un parking.

— Qu'est-ce qui se passe ? s'enquit Hannah en regardant à travers le pare-brise. Pourquoi il y a autant de voitures aujourd'hui ?

— Je crois que ça a un rapport avec le *scrimmage* de votre papa.

Marisol se mordit la lèvre en avançant au pas. Elle n'avait pas prévu ce retard. La plupart du temps, cet itinéraire était rapide.

— À moins qu'il n'y ait un accident plus loin.

—Non. C'est à cause du *scrimmage* de papa, déclara Jacob avec l'assurance d'un gosse de six ans. Regardez!

Il montra du doigt la voiture qui les précédait. Elle arborait trois autocollants des Scorpions sur son pare-choc, un étendard de l'équipe, un fanion à son antenne – qui pendait mollement dans l'immobilité des bouchons – et toute une panoplie de figurines à tête mobile, alignées le long de la vitre. Le chauffeur et les passagers portaient tous la tenue des Scorpions.

Émerveillée, Marisol regarda autour d'elle. Dans son rétroviseur, un pick-up affichait les mêmes gadgets, et ses occupants portaient le maillot des Scorpions. En avançant d'une distance équivalant à deux voitures – oui! Ils avançaient de nouveau –, elle vit une décapotable peinte aux couleurs de l'équipe. D'autres avaient inscrit « Super Bowl cette année! » sur leur carrosserie.

—Waouh! Ces gens aiment vraiment les Scorpions! s'exclama Emily.

—Nous aussi, souligna Marisol.

Elle pointa son menton vers leur équipement des Scorpions: casquettes, maillots pour enfants, pompons, banderoles, fanions, gourdes et autres.

—Je dois dire que vous êtes tous les trois géniaux. Votre papa va être fou de joie!

—C'est toi la plus géniale, la complimenta Emily. J'ai jamais vu quelqu'un d'aussi gentil, et avec autant de style et d'aussi beaux cheveux.

— Tu le penses vraiment ? demanda Marisol en se regardant dans le rétroviseur. Aujourd'hui, j'ai opté pour le look football chic. Je crois que ça le fait.

— Oh oui ! confirma Hannah de sa voix fluette. Très joli.

Dans le miroir, Jacob fit la grimace.

— Eh, Marisol ? Jusqu'à quand tu vas être notre nounou ?

— Euh… encore un peu.

Elle avança en serpentant et avisa des policiers assignés à la circulation plus loin, qui guidaient les automobilistes dans plusieurs directions menant à la NAU.

— Je voudrais que ça dure toujours.

— Jusqu'à notre anniversaire ? demanda Emily.

— C'est exactement dans vingt-trois jours, l'informa Hannah.

— On va faire une énooorme fête ! cria joyeusement Jacob. Ce sera chez papa, cette année, et y aura des *monster trucks* et des combats de boue.

— Pas du tout ! Ce sera une réception avec du thé, protesta Emily.

— Ouais, surenchérit Hannah. Avec des fleurs et des grands chapeaux.

— Beurk ! C'est nul ! critiqua Jacob. Les chapeaux, ça craint.

— Mais non, c'est cool ! insista Emily. Hein, Marisol ?

Frappée par l'idée qu'elle ne serait plus la nounou des Connelly vingt-trois jours plus tard, celle-ci se concentra sur la route et suivit l'accélération de la circulation. Comme d'habitude, elle n'avait pas du tout anticipé l'avenir.

— Hein, Marisol ? répéta Hannah.

— Euh… je pense que vous pourriez avoir des *monster trucks* et des chapeaux.

Les triplés grommelèrent et se lancèrent dans un recensement houleux des pour et des contre des goûters d'anniversaire.

— En tout cas, il faut que Marisol, elle, soit là, conclut Hannah quelques minutes plus tard sur un ton grave. Pas vrai ?

Le silence se fit. La nourrice sentit leur regard rivé sur elle tandis qu'elle sillonnait les rues pour se garer près de la NAU. Autour de la voiture, des flots de spectateurs se rendaient au match en short et en vêtements de sport. Certains transportaient des glacières et des couvertures, créant une atmosphère de festival.

Devant cette foule, Marisol se félicita doublement d'avoir décidé de venir avec les enfants. Cash serait terriblement content de voir des visages connus dans les tribunes. Il avait beau soutenir que tout allait bien, elle n'en démordait pas : il avait besoin d'aide. Et pas qu'un peu. Il suffisait de voir l'avertissement qu'Adam lui avait donné la veille.

Percevant l'attente de Hannah, Jacob et Emily, Marisol réfléchit. Leur anniversaire aurait lieu dans presque un mois. Il pouvait se passer beaucoup de choses dans cet intervalle. Elle ne voulait pas faire de fausses promesses.

D'un autre côté, tout se passait vraiment bien entre elle et Cash, et avec les enfants. Où serait le mal ?

— Tu m'étonnes ! répondit-elle en hochant la tête. Je serai là pour votre fête d'anniversaire, quoi que vous décidiez. C'est promis.

Sur ce, le sourire aux lèvres, elle rassembla leurs affaires et suivit la foule dans le stade.

Cash se tenait devant un lavabo des vestiaires, sa brosse à dents à la main. Avec un air de chien battu, il montra ses dents et recommença à se les laver. Un, deux, trois…

— Quatorze, vingt-deux, six, dit Darrell. *Go, go, go !*

— Ah, merde ! Pourquoi tu as fait ça ? se plaignit Cash.

Il avait perdu le compte et devait tout recommencer.

Résigné, il se brossa les dents sous les rires de son ami, parfaitement conscient de ce qu'il venait de faire. Les autres joueurs s'affairaient autour d'eux, chacun à son rituel d'avant-match. Ils étaient tous échauffés, habillés et prêts à jouer, mais cela n'empêchait pas les plus superstitieux de procéder à leur cérémonie porte-bonheur.

Certains priaient, d'autres faisaient les cent pas, écoutaient une chanson particulière ou mangeaient quelque chose de spécial. Par exemple, le botteur des Scorpions boulottait toujours une merguez avant les matchs.

Le *scrimmage* n'entrait pas dans le cadre des événements officiels de la saison. Ce n'était même

417

pas reconnu comme un match d'exhibition, mais ce n'en était pas moins une tradition. Il s'agissait de la première confrontation annuelle des joueurs avec le public, et tous prenaient cela très au sérieux. De même que les fans qui avaient fait la route depuis Phoenix et ailleurs, juste pour les voir.

La clameur de la foule filtrait à travers les portes du vestiaire. Tout d'un coup, un grondement de satisfaction retentit. Les pom-pom girls avaient dû entrer sur le terrain pour l'ouverture, survolant les supporters. Depuis son arrivée, ce matin-là, Cash avait déjà dû esquiver plusieurs assauts de journalistes. Il avait évité les camionnettes équipées de paraboles et s'était faufilé entre les reporters de l'ESPN en ne leur parlant que par monosyllabes. Les avertissements d'Adam l'avaient effrayé, même s'il refusait de l'admettre.

Cash recracha son dentifrice et se rinça la bouche.

— C'est bon ? Tu es fin prêt ? demanda Darrell en souriant.

— Fous-toi de moi. (Il pointa du doigt le sternum de l'attaquant.) Je sais très bien que tu portes un pendentif avec la photo de tes enfants là-dessous.

— Touché, répondit Darrell en riant franchement avant de taper sur l'épaule de Cash. Prêt pour le comité d'accueil ?

Il parlait de la masse des reporters, des caméramans et des journalistes de presse, qui attendaient sur le terrain que les joueurs émergent. Le processus commencerait par des salutations cordiales, incluant des photos et des autographes avec les fans, puis le *scrimmage* commencerait, interrompu par la mi-temps avec son habituelle remise de prix, suivie de la fin de la partie.

L'après-midi s'annonçait rude.

— Et comment que je suis prêt ! répondit Cash en prenant son casque.

— Vous le voyez ?

Marisol fonçait devant les gradins, équipée de sa casquette et de ses lunettes de soleil, heureuse d'avoir choisi des chaussures plates. Avec des talons, elle se serait sans aucun doute enfoncée dans la terre.

— Ce n'est pas lui, là ?

Elle indiqua un coin du terrain où l'on apercevait les joueurs au milieu d'un attroupement.

— Je ne sais pas. (Hannah se protégea les yeux pour observer les fans qui les entouraient.) C'est dur de voir derrière les journalistes.

— Des journalistes ? Ici ?

Marisol se figea. Elle ne s'y attendait pas. Tellement occupée à localiser Cash pour s'assurer qu'il sache qu'ils étaient venus le soutenir, elle n'avait rien remarqué d'autre. Maintenant qu'elle regardait autour d'elle, elle voyait les logos, les caméras, les blocs-notes, les dictaphones, et elle entendait les conversations sérieuses et pseudo-privées. Tout ce qu'elle s'efforçait d'éviter.

D'un autre côté, il était peu probable qu'on la reconnaisse dans cet accoutrement tout droit sorti du catalogue du fan-club des Scorpions, avec sa casquette et tout le tralala. Elle n'était jamais apparue en public dans une tenue aussi peu stylée, c'était certain.

Cela dit, c'était pour la bonne cause. Pour Cash. Sans ralentir, Marisol rajusta son maillot numéro sept trop grand pour elle, en tenant la main d'Emily.

— Levez bien la banderole, les copains, leur recommanda-t-elle en agitant son pompon accroché à un bâton. Il faut que tout le monde la voie !

Avec enthousiasme, les enfants brandirent leur drapeau « Cash Connelly n° 1 » et traversèrent le terrain en courant, poussant les autres fans et la mascotte des Scorpions en cherchant Cash. Marisol voulait lui montrer qu'ils étaient là. Leur démonstration de soutien représenterait beaucoup pour lui, mais s'ils ne le trouvaient pas…

Jacob se dressa.

— Eh ! Y a Tyrell, là !

— On va lui dire bonjour, dit Emily. On revient dans deux minutes.

Ils filèrent vers le colosse souriant qui servait de cible à plusieurs caméras. Tous les journalistes paraissaient émerveillés par ses fanfaronnades.

— Revenez ici dès que vous aurez fini ! leur cria Marisol.

Elle ne les quitta pas des yeux, sans vouloir interférer dans leurs retrouvailles avec Tyrell. Hannah et Emily le rejoignirent en premier, avec des sourires et des câlins sautillants. Jacob arriva en dernier, mais non moins bruyamment, en lui sautant dans les bras.

C'était adorable. Marisol savait qu'il valait mieux pour eux qu'ils l'aiment aussi. Après tout, il était presque déjà leur beau-père. Leur mère ne manifestait aucune intention de le quitter, comme elle l'avait fait avec Cash.

À propos de lui… Elle se tourna et finit par le remarquer.

Cash se trouvait à seulement quelques centaines de mètres de là, son attention rivée sur ses enfants et Tyrell. Un air triste traversa son visage, effaçant le sourire qu'il affichait un instant plus tôt pour une photo avec une fan, qu'il salua d'un signe de tête.

Il n'avait pas remarqué Marisol. Elle s'apprêtait à le rejoindre – pour le rassurer sur le fait que les enfants l'aimaient, lui, plus que tout – quand quatre femmes accoururent vers elle en un assaut étourdissant accompagné d'un nuage de parfum.

— Ohé ! Marisol ! On est là.

Cassie, Amanda, Ashley et Lindsay l'encerclèrent et tournèrent sur elles-mêmes pour lui montrer leur tenue. Chacune portait au moins un accessoire aux couleurs des Scorpions : une casquette, un tee-shirt, une imitation du maillot ou, dans le cas de Cassie, un haut pailleté non officiel qui mettait en valeur ses faux seins.

— Ça, c'est ce que j'appelle du *high low*, déclara Lindsay en montrant son jean design et ses chaussures Gucci. Je vaux 1 000 dollars en bas et 37,50 en haut. (Elle gloussa.) Tu es chou aussi, Marisol. Tu as vraiment tout sorti !

— Oui, c'est énorme ! Où est-ce que tu as trouvé tout ça ?

—À l'étage de la maison, répondit Marisol en prenant la pose. Deux cartons pleins d'accessoires des Scorpions encore emballés.

—Hum… Bulldozer a dû ranger tout ça quand il a été vendu aux Chargers. (Amanda fit signe à son mari, un *running back*.) Mais c'est un coup de chance pour toi, hein ?

—Oui, confirma Marisol. (Elle n'avait même pas dérogé à son programme de désintox, et elle en était fière.) Maintenant, si vous permettez, je vais récupérer les enfants pour qu'on puisse y aller…

La présentation des joueurs officiels commença. Cash attendait son signal à la sortie des vestiaires, en regardant ses coéquipiers courir sur les pelouses sous un tonnerre d'applaudissements. D'une nervosité inhabituelle, il serra les poings et essaya de garder une démarche légère.

—Et maintenant, le numéro sept… le *quarterback* Cash Connelly !

Il sortit au pas de course et sentit l'adrénaline s'activer en lui. Au même instant, quelqu'un d'autre courut sur le terrain. Une banderole aux couleurs éclatantes, agitée par le vent, attira son regard.

Une seconde… Ce ne serait pas…

Si. Marisol et ses enfants traversaient le terrain en diagonale, criant à tue-tête et se donnant totalement en spectacle. Habillés de la tête aux pieds en tenue des Scorpions, ils agitaient leurs pompons en l'air. Marisol s'arrêta et fit la roue en minijupe. Les enfants l'acclamèrent et reprirent leur course, un grand sourire illuminant leur visage : ce sourire caractéristique des moments de folie.

Dans leur loge, les commentateurs bégayèrent et se turent. Ils devaient certainement se demander de quoi il s'agissait. Puis l'un d'eux commença à narrer les déplacements des « fans descendus sur le terrain ».

Marisol, Emily, Jacob et Hannah agitaient leur banderole en sautillant et en secouant leurs pompons. Les soubresauts ne facilitaient pas la lecture du drapeau, mais Cash aurait juré y voir son nom. Sa photo, aussi.

Oh, bon sang !

N'ayant pas le choix, il courut jusqu'à sa place sans prêter attention aux murmures et aux bousculades de ses coéquipiers. Il salua la foule, mais la plupart des spectateurs suivaient le parcours d'une jolie brune aux longues jambes et de trois enfants exubérants gambadant sur le terrain. La sécurité se lança à leur poursuite dans leurs voiturettes poussées à plein régime.

Sans s'en rendre compte, le fan-club miniature de Cash arriva sur la ligne de touche en agitant frénétiquement ses pompons. Marisol et les triplés sautaient sur place et brandissaient toujours leur banderole.

« Cash Connelly n° 1 », lut-il.

Oh non !

Deux agents de sécurité les arrêtèrent sous les huées de la foule. Profitant de cet instant, deux quadragénaires gonflés de bière sortirent des gradins et se ruèrent sur la mascotte des Scorpions, qu'ils saisirent à bras-le-corps avant de se mettre à sauter de joie.

La foule rugit. Les flashs scintillèrent. La mascotte se redressa et leva les bras d'un air de dire : « Mais qu'est ce qui vous prend ? »

Marisol envoya un baiser à Cash et lui fit un signe de la main.

Abasourdi et trop furieux pour répondre, Cash baissa la tête. Ne voyait-elle pas quelle pagaille elle semait ? Dans le sport professionnel, personne ne tolérait vraiment les bouffonneries de ce genre. Cash s'étonnait que Marisol n'ait pas encore été interceptée et escortée hors du stade avec les enfants.

Putain ! Mais qu'est-ce qui lui prend ?

C'était la seconde chance de Cash. Sa dernière chance. La liste de ses boulettes s'allongeait alors qu'il ne pouvait plus se le permettre. Si cela s'était produit pendant la saison officielle – et il doutait que Marisol saisisse vraiment la différence –, son équipe aurait déjà récolté une énorme pénalité à cause de ses acrobaties.

Car Cash en aurait été tenu pour responsable.

Ed entra en trombe sur le terrain et fit signe aux arbitres. Il s'arrêta à côté de Cash, un masque de mécontentement sur le visage.

— Connelly ! C'est quoi, ce bordel ? gronda le coach en désignant Marisol. Encore un de tes exploits à la con ? Tes putains de « fans » sont incontrôlables.

— Non ! Nom d'un chien, Ed ! Je n'ai rien à voir avec ça.

Sceptique, le coach regarda Marisol et son trio.

—Si tu as les boules que Tyrell récolte toute l'attention des médias aujourd'hui, grandis un peu, merde! Laisse tomber tes petites querelles. Il est temps de penser au jeu.

—Je sais. Je suis prêt.

De toute évidence, l'entraîneur en chef était énervé par le *scrimmage* et prêt à se battre. Tout comme Cash. Trop de choses se jouaient. Agacé, le *quarterback* tendit la main vers Marisol et les enfants.

—Je ne savais même pas qu'elle viendrait.

Son coach lui décocha un regard accusateur.

—Donc, tu la connais vraiment.

Cash ferma la bouche sur cette bourde. Puis il se souvint de ce qu'il avait dit à Marisol la veille au soir.

« Ça pourrait être chouette que vous veniez. »

Qu'est-ce que j'avais dans le crâne ?

Qu'il éprouve ce sentiment, d'accord, mais qu'il le formule à voix haute devant une femme… Quel idiot !

Ed secoua la tête d'un air dégoûté.

—J'aurais dû m'en douter. Cette fille est tout à fait ton genre. (Il regarda Marisol qui faisait du charme aux agents de sécurité, certainement pour tenter de se libérer.) Une cruche avec des longues jambes : tout ce qu'il faut pour te retourner le cerveau. (Cash entendit presque « comme ton ex-femme ».) Écoute, Connelly. Tu es un bon joueur, et j'étais content de te laisser revenir chez les pros, mais tu as intérêt à régler ça tout de suite.

—C'est comme si c'était fait.

Il devait trouver un moyen de rejoindre Marisol et de lui enjoindre de ficher le camp avant qu'elle lui crée encore plus d'ennuis. Cash n'avait vraiment pas besoin de cela maintenant, alors qu'il avait l'esprit concentré sur son jeu et que toute son équipe – ainsi que les dirigeants – le surveillait.

— Occupe-toi de ça, ordonna Ed. On a un match à jouer.

Cash hocha la tête, et le coach partit à grands pas. L'ordre enfin restauré, la présentation des joueurs reprit son cours. Cash risqua un coup d'œil vers Marisol et les enfants : elle lui adressa un grand sourire en levant le pouce et en indiquant les caméras qui rôdaient.

Mais quel boulet ! Elle croit que j'aime me faire gueuler dessus par mon entraîneur, et devant les caméras en plus ? Ou que ça me plaît de voler la vedette à mes coéquipiers ? Qu'est-ce qu'elle fout, à ramener mes enfants et ma vie privée sur le terrain ? C'est une catastrophe !

Il faut que ça cesse.

Chapitre 28

—C'est génial! Il faut absolument qu'on remette ça, s'exclama Marisol en serrant les enfants contre elle.

Les agents de sécurité les avaient escortés à leurs places, à côté de Cassie, Amanda, Ashley et Lindsay, et les avaient mis en garde rapidement avant de partir s'occuper en urgence des plaqueurs de mascotte.

—Vous avez vu la tête de votre papa quand on a couru sur le terrain? Il était littéralement abasourdi!

—Ouais, acquiesça Emily. Je suis pas trop sûre qu'il ait aimé.

—Moi non plus. Je t'avais bien dit que les spectateurs étaient pas censés descendre sur le terrain, lui rappela Hannah, toujours à cheval sur les règles.

—Personne ne va oublier que mon papa est de retour! se réjouit Jacob.

—C'est vrai, confirma Marisol avec fermeté. Et, maintenant, ils savent aussi qu'il a des super fans. Même le chef des entraîneurs l'a constaté. Vous l'avez vu parler à votre papa?

Jacob hocha la tête de façon exagérée, et ils se tapèrent dans la main.

—En fait, votre papa a juste besoin d'améliorer son image publique. Il n'est pas assez sous les projecteurs.

Pas étonnant que les dirigeants de l'équipe aient peur de travailler avec lui. Il faut qu'il leur en mette plein la vue.

Caprice et Tenley auraient sûrement pensé la même chose.

— Je ne suis pas sûre, Marisol, intervint Cassie tandis que le match débutait. Les dirigeants et les propriétaires des Scorpions sont assez conventionnels. Ils n'aiment pas les controverses ou la mauvaise presse.

— En tout cas, ils aiment la presse en général, vu la tonne de journalistes qu'il y a ici, décréta Marisol en indiquant les médias postés derrière la ligne de touche non loin de leurs places. C'est « faites ce que je dis et pas ce que je fais »… Oups ! Mon portable.

Elle décrocha, et la voix d'Adam beugla dans son oreille.

— Ça va pas la tête ? hurla-t-il. Qu'est-ce que tu fous ?

— J'aide Cash. (Marisol couvrit le récepteur avec sa main pour essayer de garder leur conversation privée.) J'ai entendu votre discussion, hier soir, et j'ai décidé de venir soutenir Cash… pour montrer aux dirigeants de l'équipe que le public l'aime beaucoup trop pour qu'il se fasse virer.

— C'est mignon, Marisol, mais arrête.

— Je ne peux pas, Adam. (Marisol sourit.) Je l'aime, et il faut toujours soutenir les gens qu'on aime. C'est Cash qui m'a appris ça, tu sais. Il est toujours là pour ses enfants… et pour moi aussi. C'est mon tour, maintenant.

— Marisol…

—Au fait, tu es où ? Tu devrais venir avec nous. Avec les filles et Jacob, on est aux premières loges.

—J'ai du travail. C'est du travail pour moi, et pour Cash aussi.

Quel imbécile !

—Je sais, mais c'est aussi un jeu. Allez, viens ! insista-t-elle en scannant la foule. Tu tiendras la banderole.

—Plus d'exploits, l'avertit Adam. Je te retrouve après.

—OK, salut !

Marisol raccrocha gaiement. Quand Adam se rendrait compte de toute l'aide qu'elle venait d'apporter à Cash – en lui remettant du baume au cœur, en l'aidant à mieux jouer et en montant sa cote auprès de ses fans – il comprendrait tout.

Pendant ce temps, la partie prenait de la vitesse, menée par des joueurs qui concentraient toute leur énergie dans des manœuvres incompréhensibles. Après s'être alignés, ils se mettaient à courir et à se bousculer pour attraper un ballon, parfois encouragés par les cris de la foule, puis ils s'arrêtaient tous pendant que les arbitres s'activaient sur la touche. Le pire était que, malgré la durée infinie du jeu, Cash n'y participait pas.

Marisol se renfrogna tandis que le deuxième quart-temps continuait et qu'un autre *quarterback* effectuait un *snap* – un terme qu'Ashley venait de lui apprendre. Cela ne menait Cash nulle part. S'il ne jouait pas, comment pourrait-il impressionner les

429

coachs ? Marisol mit ses mains en porte-voix et imita les huées des supporters qui l'entouraient.

— Hé ! Faites entrer Connelly ! Faites entrer Connelly ! hurla-t-elle en se levant.

— Ouais ! renchérit un type dodu à côté d'elle. Faites entrer Connelly !

D'autres fans se joignirent bientôt à eux, ainsi que les enfants et les femmes des footballeurs. Ils furent même à l'initiative d'une ola, s'asseyant et se relevant, les bras au-dessus de la tête. Marisol adora.

— Faites entrer Connelly ! cria-t-elle encore en souriant.

Cela fonctionnait. Elle faisait bouger les choses. Elle aidait Cash en ralliant les fans à sa cause !

Une corne sonna. Un instant, Marisol crut qu'elle avait gagné et que l'entraîneur faisait entrer Cash, mais tous les joueurs sortirent du terrain, et les pom-pom girls prirent leur place.

— Qu'est-ce qui se passe ? s'enquit Marisol, confuse.

— C'est la mi-temps, expliqua Cassie. La partie s'arrête à la moitié du temps réglementaire pour un spectacle et sûrement d'autres interviews depuis la touche.

— Mais Cash n'a même pas joué ! Ils ne nous ont pas entendus crier son nom tous ensemble ? se plaignit-elle en indiquant les fans qui l'entouraient.

Emily haussa les épaules.

— Peut-être que les entraîneurs, ils s'en fichent.

Marisol fronça les sourcils. Elle n'en revenait pas que personne ne l'écoute. Tout le monde écoutait Marisol Winston ! Les Winston étaient en quelque sorte la famille royale des États-Unis ! Même si certains étaient temporairement en cure de désintoxication au shopping. De plus, les souhaits d'autant de fans auraient dû compter pour les entraîneurs et les dirigeants de l'équipe.

Elle étudia la question devant le spectacle de la mi-temps. En dehors du terrain, elle remarqua une dizaine d'équipes de caméramans et d'autres journalistes, tous équipés de blocs-notes ou de micros dirigés vers quelques joueurs en nage.

Aucune caméra n'était pointée sur Cash. Aucun reporter ne lui parlait, non plus. Malgré les efforts de Marisol pour montrer le soutien des fans pour le numéro sept, avec sa parade, son fanion, ses pompons, ses hurlements, sa ola et son rassemblement de supporters, les médias s'obstinaient à concentrer leur attention ailleurs. Sur Tyrell, par exemple. Pas étonnant que Cash traverse une mauvaise passe avec les dirigeants ! On le négligeait complètement… et injustement.

Marisol en avait assez.

D'un œil décidé, elle examina l'assemblée des journalistes. Il y avait forcément une tête connue parmi eux ; après tout, les paparazzis l'avaient traquée toute sa vie. À Los Angeles, elle ne pouvait pas poser un pied dehors sans être filmée. Quelle ironie ce serait si, maintenant qu'elle en avait vraiment besoin et envie, la presse lui était tout à coup inaccessible.

Par ailleurs, à quoi cela servait-il d'être une Winston – plus particulièrement elle – si elle ne pouvait pas utiliser ses atouts pour aider Cash ?

Marisol avisa enfin une personne familière. Laissant un instant Jacob, Hannah et Emily avec les femmes de footballeurs, elle fonça vers la ligne de touche en rajustant sa minijupe. Sur place, elle adressa un signe impérieux à un journaliste.

Celui-ci la repoussa d'abord, puis il écarquilla les yeux quand elle retira ses lunettes de soleil et qu'il la reconnut, sous sa casquette des Scorpions. Il se précipita alors vers elle, appareil photo en main.

— Salut, Joe! lança joyeusement Marisol. Comment ça va? Vous n'interviewez pas mon joueur préféré, Cash Connelly. Comment ça se fait?

Le journaliste, fréquemment présent sur les événements de Los Angeles, haussa les épaules.

— Il est fini. Maintenant, la star, c'est Tyrell.

Marisol jeta un coup d'œil vers le grand receveur qui monopolisait sans réserve la lumière des projecteurs. Bien qu'elle soit heureuse que les enfants l'apprécient, il n'était pas Cash. Il ne lui arrivait pas à la cheville.

Et le temps pressait.

— Tu sais quoi, Joe? ajouta-t-elle avec son sourire typiquement Winston, celui qui lui avait valu des tapis rouges et les couvertures d'un million de magazines. Tu as toujours envie de m'interviewer?

— Tu m'étonnes! acquiesça le reporter. Maintenant?

— Oui, je vais te donner une interview... si tu m'aides en couvrant un peu Cash Connelly.

— Pas moyen. Je suis le prochain pour parler à Tyrell.

— Comme des milliers d'autres journalistes, souligna Marisol en levant la main d'un air dédaigneux. Et si je te propose une interview plus des images exclusives de moi ? Je sais que tu pourras les vendre.

— Je ne sais pas…, hésita Joe, apparemment tiraillé.

— Ce seraient les premières depuis plus de cinq ans où on ne me verrait pas en blanc, souligna-t-elle.

Elle pivota pour montrer son maillot. Quand on négociait, il était de bon ton de montrer le produit aux acquéreurs.

— OK, marché conclu, accepta Joe en souriant et en braquant son appareil photo sur elle. Mieux vaut nous y mettre tout de suite. La mi-temps est presque terminée.

Soulagée, Marisol scella leur accord. Ils discutèrent brièvement, Joe la mitrailla de questions, et elle décrivit ses accessoires des Scorpions, son maillot numéro sept et son récent intérêt pour le football. Comme ils parlaient, les joueurs s'alignèrent sur le terrain se préparant au troisième quart-temps.

— Tu interrogeras Cash après le match, dit Marisol en désignant le banc des joueurs. Et fais ça bien. N'oublie pas : on a un marché.

— Bien sûr. Pas de problème. (Joe lui fit signe de reculer de quelques pas.) Prenons ces images, maintenant.

— Fais bien attention à faire un bon sujet sur Cash.

— Mais oui, mais oui. (Il prit une photo.) Bien. Oui!

Résignée à remplir sa part du contrat, Marisol adopta plusieurs poses en prenant soin de bien mettre en avant le maillot des Scorpions. Et puis quoi ? Cela ferait de la publicité au club. Ce qui profitait à l'équipe profitait à Cash. Marisol tenait presque le rôle d'ambassadrice de Cash Connelly.

— Cash est un joueur génial, déclara-t-elle entre deux prises. (Par réflexe, elle retira sa casquette et secoua ses cheveux, puis elle prit d'autres poses.) Il est vraiment dévoué à son métier. Et il est en forme. Et il est super avec ses enfants, aussi. Tu sais qu'il entraîne d'autres joueurs à ses heures perdues ?

Joe marmonna une réponse sans cesser de prendre des clichés. Marisol se dit que cela devait suffire, pour les photos. Puis, juste au moment où elle décidait de prendre la pose pour la dernière fois, un cri s'éleva du troupeau de journalistes.

— Eh ! C'est Marisol Winston.

— Marisol, par ici !

— Que faites-vous en Arizona, Marisol ?

Ils foncèrent vers elle, accourant par groupes de deux ou trois, leurs appareils déjà braqués sur elle et oubliant déjà le match. Ils flairaient une exclusivité, une histoire croustillante. N'importe quelle information sur l'héritière la plus photographiée, la plus connue et dont on parlait le plus au monde l'emportait sur un *scrimmage* de l'avant-saison de football.

Surtout quand cette héritière avait mystérieusement disparu des feux de la rampe depuis des mois.

— Où étiez-vous passée, Marisol ?

— D'où sort cette tenue, Marisol ?

— Par ici, un sourire, Marisol ! Marisol ! Par ici !

Les journalistes l'encerclèrent dans une ruée bruyante. Perdue au milieu de ce tintamarre, Marisol crut d'abord qu'elle avait vraiment réussi, cette fois. Elle utiliserait l'attention que lui conférait son statut de célébrité pour promouvoir Cash, et tout irait comme sur des roulettes.

Puis les reporters commencèrent à courir sur le terrain en plein milieu de la partie. L'un d'eux amena même sa camionnette satellite sur la ligne des vingt mètres, évitant de justesse un joueur. Devant ce spectacle, le public s'agglutina également sur les bords du terrain. Clairement déstabilisés, les commentateurs s'égosillaient.

Marisol n'avait rien prévu de tel. Ce n'était qu'une immense pagaille ! On lui collait les appareils photo et les micros en pleine figure et, quoi qu'elle fasse pour ramener le débat sur Cash, les journalistes ne cherchaient qu'à la photographier, à la filmer et à découvrir où elle se trouvait depuis des semaines. Sur la pointe des pieds, elle essaya de repérer Emily, Jacob et Hannah dans les tribunes, en espérant que Cassie, Amanda, Ashley et Lindsay les avaient mis à l'abri de la mêlée.

Elle ne les trouva pas. Elle ne voyait rien d'autre que la vague de journalistes, les flashs et les hordes de gens bouche bée. Elle commençait vraiment à stresser. D'habitude, à Los Angeles, elle prévoyait toujours une échappatoire, ou des amis pour l'aider à se cacher jusqu'à sa Mercedes. Ici... elle n'avait personne.

Où était Cash? Elle essaya de le trouver au milieu des joueurs, mais la partie semblait interrompue. Plusieurs joueurs la pointaient du doigt d'un air renfrogné. D'autres se rassemblèrent sur la pelouse. Au centre, quatre entraîneurs encerclaient un joueur – blessé et à terre. Elle ne réussit qu'à apercevoir un homme qui se tenait la cheville et qu'on aidait à se relever.

Épouvantée, Marisol essaya d'écarter les journalistes.

— Merci à tous, dit-elle d'une voix tremblante avec un sourire furtif. Ce sera tout pour aujourd'hui. Il faut vraiment que j'y aille…

Rien. Ils s'agglutinèrent juste un peu plus, éveillant en elle en sentiment de claustrophobie. Tous ces visages, toutes ces voix, tous ces gens la poussaient, la tiraient et lui réclamaient des choses. L'un d'eux agrippa même son maillot, comme pour lui arracher un souvenir. Un autre piétina sa casquette des Scorpions.

— N'oubliez pas de parler à Cash Connelly! lança-t-elle. (Elle tentait vaillamment de s'en tenir à son plan, mais sa voix tremblait autant que ses genoux.) Il est vraiment extraordinaire!

Soudain, un bras la saisit par la taille. Un homme, à en juger par sa taille, sa force et l'assurance de son geste. Et grand, aussi. Ce devait être Cash. Écartant les reporters d'un geste du bras, il se fraya un passage dans la foule à coups d'épaule, traînant derrière lui une Marisol paniquée.

Ils atteignirent la sortie des vestiaires, dont la semi-obscurité les enveloppa. Personne ne les suivit: il

436

s'agissait du territoire de l'équipe. Au moins, il restait encore quelques limites.

Totalement soulagée, Marisol s'effondra.

—Oh! Bon sang, Cash! Je…

—Je t'avais dit «plus d'exploits», la coupa Adam.

Il la poussa brusquement contre le mur. Son visage était empreint de colère, son regard noir et sa posture tendue.

—Où sont les enfants? demanda-t-il.

—Je ne sais pas. Comment tu as…?

Au bord des larmes, Marisol peinait à respirer. Elle aurait tellement voulu que ce soit Cash… et en finir avec cette histoire. Par un violent effort, elle rassembla ses esprits. Où étaient les enfants?

—Je les ai laissés avec les femmes des footballeurs. Euh… Cassie, Amanda, Ashley et Lindsay. On était assis juste à côté de la touche, mais quand les journalistes sont arrivés…

—De quel côté?

—Eh bien… (Hésitante, elle passa ses mains dans ses cheveux en réfléchissant.) De tous les côtés, en fait. Il en venait de partout!

—Non, de quel côté vous étiez assis? corrigea Adam.

—Euh… vers les tableaux d'affichage.

—Pas loin. Reste ici.

—Mais… il faut que j'aille chercher les enfants!

Comprenant le problème, Marisol tituba vers la lumière au bout du couloir, mais Adam l'arrêta.

—Si tu sors, tu ne feras qu'aggraver les choses, expliqua-t-il avec un regard sévère comme elle n'en avait jamais vu chez lui. Tu en as assez fait comme ça.

— Mais je dois bien pouvoir faire autre chose !

L'expression d'Adam suggéra plusieurs possibilités, mais rien de très poli.

— Je vais chercher les petits.

Laissant Marisol seule, il sortit en hâte, concentré sur sa mission.

Bravo pour le sauvetage ! se félicita-t-elle ironiquement. *Tu as bien aidé Cash.*

C'était un véritable fiasco, et ça continuait, à en juger par la clameur de la foule. Marisol se demanda si le *scrimmage* continuait malgré ce remue-ménage.

Sans savoir quoi faire, elle regarda autour d'elle. D'un côté du couloir, le terrain ; de l'autre, seulement des ombres.

Enfin, peut-être y avait-il un téléphone, par là. Sûrement. Elle le trouverait, appellerait une femme de footballeur et s'assurerait que Hannah, Jacob et Emily allaient bien. Prenant cette direction, Marisol regretta plus que jamais de ne pas avoir pris son sac à main – et son portable – pour son entretien désastreux avec Joe.

À mi-chemin, un grondement tonitruant l'arrêta.

Elle fit volte-face. L'équipe dans son intégralité – joueurs de toutes tailles, entraîneurs, personnel, etc. – arrivait vers elle. Apparemment, ils avaient mis fin au match, car les joueurs tenaient leur casque dans leurs mains bandées.

Au milieu du groupe, Cash traînait des pieds, la tête basse et le teint blême. Son œil poché lui donnait un air abattu, mais sa vue mit du baume au cœur de Marisol. Elle courut à sa rencontre et le prit par le bras pendant que les autres joueurs défilaient autour d'eux en gardant soigneusement leurs distances avec elle.

— Cash ! Je suis désolée ! Je ne me doutais pas que… (Elle leva le bras en un geste d'impuissance.) Je voulais juste t'aider, je te le promets.

D'un coup d'épaule et sans la regarder, il se dégagea de son étreinte.

— Je ne peux pas te parler maintenant.

— Quoi ? Bien sûr que si : je suis là. Il faut qu'on parle. (Elle trottait derrière lui obstinément, alors qu'il suivait l'équipe dans le couloir.) Qu'est-ce qui s'est passé pendant le *scrimmage* ? Tu ne vas jamais jouer ? (Elle déglutit.) Tu as vu les enfants ?

Cette fois, il la regarda dans les yeux…, et son expression effraya Marisol. Elle recula, le cœur battant.

— Tu ne sais pas où ils sont ? demanda Cash d'une voix rauque et brutale. (Il la prit par le bras et la secoua.) Tu ne sais pas où ils sont ?

— Non ! lâcha-t-elle avec des yeux exorbités. Adam est parti les chercher, mais je les ai laissés avec Cassie et Amanda et… (Cash la lâcha brusquement, la faisant chanceler.) Ils allaient bien quand je suis partie ! cria-t-elle. Je ne devais même pas m'absenter longtemps. Je voulais négocier une interview pour toi ! Pour que tu puisses rester dans l'équipe. Je n'ai pas pensé que…

— C'est ça, tu n'as pas pensé. Je les retrouverai tout seul.

Cash avait l'air dégoûté, comme plusieurs de ses coéquipiers.

— Mais je peux t'aider.

Marisol ravala les larmes qui menaçaient de couler. Elle avait du mal à croire qu'il soit si méchant avec elle. Certes, elle avait merdé, mais elle voulait tout arranger. Cela n'avait-il aucune importance ?

— Je peux arranger les choses ! Je peux appeler un hélicoptère, les forces de police, tout ce qui pourra servir ! bredouilla-t-elle. Je suis une Winston. J'obtiens toujours ce que je veux. Toujours !

Cash secoua la tête.

— Pas cette fois.

— Comment ça ?

Tremblant de tout son corps, Marisol inspira profondément. Elle n'avait jamais vu Cash aussi sinistre, ni aussi lassé de tout… y compris d'elle.

— J'ai déjà perdu les enfants une fois, rappelle-toi. Au supermarché. Tu n'as pas piqué de crise, ce jour-là. Tu m'as pardonnée parce que je les ai retrouvés. Je peux encore le faire aujourd'hui. Je n'ai besoin que…

Il leva la main.

— Arrête. Tais-toi.

Apparemment, elle était venue à bout de l'indulgence de Cash.

— Non, écoute-moi, insista Marisol pour qu'il comprenne. Tu ne m'as pas vu faire, c'est tout. Dès que je trouve un téléphone, je te promets que…

— Garde tes promesses, la coupa Cash. J'ai juste besoin que tu dégages.

Sur ce, il empoigna son casque et partit loin, dans les ombres, là où Marisol ne pouvait pas le suivre.

Chapitre 29

Après le désastre du *scrimmage*, Cash rentra dans une maison vide, animée uniquement par la sonnerie du téléphone. Sans répondre, il lâcha son sac et son équipement à terre, puis se rangea pour laisser passer les enfants, qui entrèrent en trombe.

— Prem's pour la télé! cria Jacob en sautant sur le canapé.

— C'était déjà toi le premier hier, se plaignit Emily.

— On devrait tirer à pile ou face, proposa Hannah d'un ton autoritaire. Ce serait le plus juste.

S'ensuivirent des chamailleries, faisant concurrence au bourdonnement du répondeur qui s'activait. Cash se figea. La voix de Marisol en sortit en un message affolé :

«Cash! Où est-ce que vous êtes? Adam m'a dit que tu avais trouvé les enfants. Ouf! (Un rire tremblant lui échappa.) Vous nous avez bien roulés, les enfants! Il paraît que Cassie, Amanda, Ashley et Lindsay vous ont emmenés chez *Pizza Hut* et qu'elles vous ont acheté des tonnes de jouets pendant que le match partait en vrille. Vous avez eu du bol, hein!»

Cash s'obligea à bouger pour partir dans la cuisine. Pato trotta vers lui pour lui réclamer des gratouilles, et Cash le satisfit avec raideur. Tandis que Marisol continuait ses babillages, il parla tout bas au chien. Il n'avait jamais été éloigné d'elle assez longtemps pour savoir qu'elle laissait des messages à rallonge.

« Bref, je rentre à la maison… enfin, chez toi, annonça-t-elle en claquant une portière. (Le moteur de la Prius vrombit.) Donc, à tout de suite, si vous êtes là ! Salut ! »

Immédiatement, une stupide vague d'appréhension monta en lui. Déterminé à ne pas se laisser faire, Cash la refoula. L'idée de revoir Marisol après tout ce qui s'était passé ne lui plaisait pas.

— Elle est à moi ! hurla Jacob. Donne-la-moi !

— Viens l'attraper, espèce de débile ! se moqua Emily.

— Taisez-vous ! intervint Hannah. Chacun son tour, c'est tout.

Cash les regarda. Jacob et Emily s'arrachaient sauvagement la télécommande. Entre eux, Hannah arbitrait leur lutte acharnée en faisant de grands gestes. Leurs cris atteignirent de nouveaux sommets, incitant Pato à remuer ses vieux os en aboyant.

— La ferme ! rugit Cash. (Les quatre autres – enfants et chien – le regardèrent bouche bée.) Montez ! Tout de suite. On s'est trop relâchés dans cette maison depuis plusieurs semaines, mais c'est fini, maintenant. Filez.

— Mais…, commença Emily.

— Tout de suite !

Le hurlement de Cash fit trembler les murs.

Les triplés lâchèrent la télécommande et obéirent. Hannah semblait au bord des larmes. Même le chien alla furtivement se réfugier dans une chambre en jetant à Cash un regard réprobateur. Trop à bout de nerfs pour s'en soucier, Cash fonça dans la cuisine pendant que les bruits des enfants à l'étage se calmaient.

Voilà qui était mieux. L'ordre était restauré, un minimum. Les choses revenaient presque à la normale, comme avant, comme elles devaient être quand il les contrôlait. Quand il les contrôlait vraiment.

Il s'arrêta devant le répondeur. Ses doigts s'attardèrent au-dessus du bouton de lecture. Un seul geste le séparait de la voix de Marisol. Il hésita, puis jura.

D'un pas lourd, il se rendit de l'autre côté de la maison. Il restait des choses à faire aujourd'hui, et le plus vite serait le mieux.

Cash venait de boucler la dernière valise quand Marisol, écarlate, entra dans sa chambre. Ses cheveux voletaient autour de son visage.

— Oh! Bon sang, ce que je suis contente que tu sois là! Les enfants vont bien?

Elle s'approcha de lui et jeta ses bras dans une tentative de câlin. Elle n'était pas assez forte pour le faire bouger, et Cash resta figé comme un roc.

— Je vais aller les voir à l'étage, mais je voulais d'abord savoir comment tu allais, donc… Qu'est-ce qui ne va pas? (Elle recula en le dévisageant.) Pourquoi tu es si… Tu es encore fâché contre moi? Mais tu as retrouvé les enfants, et je…

— Je ne suis pas fâché contre toi.

Cash abaissa les bras de Marisol et les écarta.

— Tant mieux. C'est bien ce que je pensais. Enfin, je veux dire, tu pardonnes toujours. (Elle le regarda d'un air ébahi quand il ramassa la valise.) Tu ne t'es même pas fâché quand tu avais des stickers collés partout, au camping.

Elle eut un rire forcé, mais Cash se contenta d'aller mettre la valise à côté de deux sacs posés par terre. Les bagages étaient alignés, prêts à partir.

— Eh! C'est ma valise! Et les fourre-tout, s'exclama Marisol en se précipitant vers lui et en changeant d'expression. Qu'est-ce que tu fais?

— Tes bagages. Il faut que tu partes.

La phrase sortit moins fermement qu'il ne l'aurait voulu. Néanmoins, il croisa les bras et la regarda de haut. Il ne pouvait pas – ne pouvait plus – se permettre d'être faible. Pas maintenant. Plus maintenant.

— Que je parte? répéta Marisol. Tout de suite?

Cash hocha la tête froidement.

— C'était une erreur. J'ai cru que je pouvais gérer, mais… (Il jura.) Ça n'aurait jamais dû se produire.

— Quoi? Nous?

Marisol le prit par les bras pour qu'il la regarde. Quelque chose devait transparaître sur son visage, car elle s'exprima avec plus d'insistance.

— Cash, tu es la meilleure chose qui me soit jamais arrivée! Grâce à toi, j'ai découvert la vie, la vraie, des trucs que je n'avais jamais connus avant. Grâce à toi, je suis tombée amoureuse! Je…

— Il faut que tu partes, répéta-t-il. (Peut-être que s'il continuait à le dire ce serait moins douloureux.)

Va-t'en. J'ai fait tes bagages pour que ce soit plus facile, dit-il en désignant la valise.

— Facile ? (Elle le regarda d'un air ahuri, les yeux pleins de larmes.) Tu trouves ça facile ? (Se forçant visiblement à reprendre le dessus, elle baissa la voix et prit une profonde inspiration.) Écoute, je sais que j'ai merdé. Je sais que je n'aurais pas dû laisser les enfants avec quelqu'un d'autre, et j'en suis désolée. Vraiment. Ça ne se reproduira plus jamais, je te le promets.

— Non, ça ne se reproduira pas, confirma Cash. Je ne le permettrai pas.

Désormais, il contrôlerait tout. Il serait de nouveau lui-même.

Et il resterait seul. Il avait commis une erreur en pensant que cela pouvait fonctionner autrement, une erreur qu'il devait réparer tout de suite. Marisol souffrirait encore plus s'il la laissait rester.

Il se força à s'écarter d'elle et prit l'enveloppe et le dossier posés sur son bureau. Il en tendit à Marisol le contenu nouvellement — et hâtivement — rempli et signé.

— Ce sont tes papiers pour *Dzeel*. Considère que ton stage est terminé. J'appellerai Fordham pour lui expliquer pourquoi ça finit plus tôt, si tu veux, mais tu auras une bonne appréciation.

— Je ne veux pas d'une bonne appréciation ! Je te veux, toi.

— J'ai dit que ton travail était excellent sur tous les formulaires, continua Cash obstinément tandis que ses yeux le brûlaient. Même sur le dernier. Il n'y a pas de raison pour que tu paies pour mes erreurs.

— Tes erreurs ? (Déconcertée, Marisol prit les documents et les posa sans même les regarder.) De quoi tu parles ? S'il te plaît, Cash, tu me fais peur.

Il n'en avait pas l'intention. Bon sang, que c'était dur ! S'armant de courage, il fournit la seule explication possible.

— Je n'aurais pas dû te laisser m'approcher. C'était une erreur. (Il marqua une pause.) Je ne suis pas fait pour… ça, dit-il avec un geste faible.

Le visage de Marisol s'adoucit. Elle se rapprocha pour essayer de le serrer dans ses bras.

— Bien sûr que si. Et bien sûr que tu m'as laissée t'approcher. (Elle rit doucement en essayant d'obtenir un câlin.) C'est ce qu'on fait quand on s'aime.

Il la bloqua.

— Je ne peux pas t'aimer et je n'aurais pas dû t'approcher autant.

Merde ! C'est vrai, je m'en suis trop approché, mais avant aujourd'hui, je croyais que…

Cash ferma les yeux et jura. Pourquoi s'était-il permis de perdre le contrôle ? De la laisser entrer dans sa vie ? Il aurait dû se méfier, surtout s'il voulait réussir sa seconde chance. Il secoua la tête.

— Tes cabrioles de tout à l'heure…, tous ces journalistes flippants…

— Je ne savais pas que ça se passerait comme ça ! protesta Marisol. J'avais conclu un marché avec un reporter. Un seul ! Et tout d'un coup…

— Un de nos demi-défenseurs ne pourra peut-être pas jouer cette saison, l'interrompit Cash. Il s'est cassé la cheville en évitant le putain de van qui a traversé le terrain pour toi.

—J'en suis désolée, s'excusa Marisol avec un regard solennel. J'irai le voir, je lui paierai le meilleur centre de convalescence, les meilleurs médecins et les meilleurs entraîneurs. Je lui offrirai tout ce dont il aura besoin ; mais Cash, je voulais bien faire. J'essayais de t'aider, parce que je t'aime et que tu avais besoin de moi.

—Arrête de dire ça.

Il ne pouvait plus en entendre davantage. Il devait agir. Il se détourna d'elle et reprit brusquement le dossier de *Dzeel* et ses bagages, qu'il emporta à l'entrée de la maison. Quand il lâcha les sacs, leur atterrissage retentit comme un glas.

—Je ne t'ai jamais demandé de m'aider.

—Bien sûr que si, insista Marisol en le suivant obstinément dans le vestibule. Tu as dit : « ça va », mais avec un regard qui semblait dire : « Fais-moi des macaronis au fromage. » Je craque chaque fois que tu me lances ce regard. Ça veut dire que tu as besoin de moi… Et Dieu sait que personne d'autre n'a vraiment besoin de moi.

Elle était folle. Cash Connelly ne regardait personne de cette façon. Marisol lisait peut-être en Adam comme dans un livre ouvert, mais pas en lui. Personne ne le pourrait jamais… s'il était malin. Il n'aurait jamais dû laisser l'amour interférer dans sa vie une nouvelle fois. Ni s'autoriser à avoir besoin de quelqu'un d'autre.

Il l'avait pourtant fait, et il en payait maintenant les conséquences.

— Tu ne m'as pas aidé. (Il claqua les papiers sur une valise.) Je me suis fait virer de l'équipe aujourd'hui.

Marisol s'immobilisa. Bouche bée, les yeux brillants de larmes retenues, elle s'avança et le serra dans ses bras.

Durant un instant – pas plus – Cash la laissa faire.

— Je suis désolée, murmura-t-elle. Sincèrement, ajouta-t-elle en l'étreignant plus fort.

Cash haussa les épaules.

— Trois avertissements : je dégage.

Sa voix faillit l'abandonner sur ces derniers mots. *Bon sang !* Cette nouvelle avait déjà été difficile à avaler quand Ed la lui avait annoncée sans prendre de gants, par un simple : « Numéro sept, tu dégages. »

D'un air hébété, Cash avait rangé son manuel de stratégie, jeté un dernier coup d'œil à sa tenue de numéro sept, puis il avait quitté l'équipe pour de bon.

Maintenant, il ne savait plus où aller, comment gagner sa vie…, comment annoncer cette nouvelle à Stephanie et aux enfants. Désormais, ses espoirs d'obtenir plus souvent la garde des triplés tombaient à l'eau. De même que ses rêves de victoire.

Cette fois, il n'avait rien à reprocher à son ex-femme ou à Tyrell. Il ne pouvait s'en prendre qu'à lui-même. Il s'était déconcentré. Il avait perdu la main. Il avait merdé.

Il était tombé amoureux. Encore. D'une femme à qui il ne pouvait pas se fier.

Souffrant de tout son être, il repoussa Marisol.

Tenace, elle revint auprès de lui. Elle était tellement mignonne dans son maillot des Scorpions qu'il avait du mal à résister. C'était adorable de sa part de porter ses couleurs… et de convaincre les enfants de jouer le jeu aussi. Toutefois, il ne s'agissait que de petits détails à côté du carnage qu'elle avait déclenché. Cash devait plus que jamais camper sur ses positions.

— Je suis vraiment navrée, dit Marisol d'une voix douce. Qu'est-ce que tu vas faire maintenant ?

Pour l'heure, il ne pouvait pas réfléchir à son avenir.

— Dans les dix prochaines minutes ? Te regarder partir.

Elle n'esquissa pas un geste, mais lui accorda un regard compatissant.

Et merde ! Ça s'annonce plus difficile que je ne pensais.

Il devait repousser Marisol…, l'éloigner de lui, qu'il le veuille ou non. Déterminé, il prit son courage à deux mains.

— Non, sérieusement. C'est peut-être mieux comme ça, insista Marisol. Tu ne crois pas ? Je veux dire, comme un coup de chance déguisé. Après tout, tu t'es blessé il n'y a pas si longtemps. Rappelle-toi. Tu as déjà pris ta retraite une fois, et tu es plus vieux qu'à cette époque, donc…

— Je ne suis pas trop vieux pour jouer au foot, la coupa Cash avec un regard noir.

— Mais si ça ne te plaît plus autant qu'avant…

Elle s'interrompit, probablement pour réfléchir à la meilleure façon de le frapper alors qu'il était déjà à terre. Pourtant, lorsqu'elle reprit la parole, ce fut pour dire :

— Tu peux sûrement faire autre chose. Un nouveau métier qui te plaira plus.

— Je n'ai jamais rien fait d'autre. (Il détourna les yeux.) La seule fois où j'ai essayé… *(Oh! Putain! C'est trop brutal.)* Peu importe.

— Je vais t'aider, annonça-t-elle à son plus grand étonnement. Les Winston n'abandonnent jamais, tu sais. C'est ce que dit toujours mon père, en tout cas. Je pensais que ce gène avait déserté notre arbre généalogique à ma naissance, mais j'ai l'impression qu'il vient juste de se réveiller. Depuis que je vous ai rencontrés, toi et les enfants.

Elle traversa le salon et prit son sac à main. Quand elle se retourna, elle tenait son téléphone.

— Qu'est-ce que tu fais ? demanda Cash.

— J'appelle Adam. On va organiser une réunion stratégique. Dès que les Scorpions comprendront à quel point tu veux faire partie de l'équipe, ils reviendront sur leur décision. Sinon, je peux peut-être offrir de nouvelles tenues, ou un stade, ou autre chose. Les Winston sont pleins aux as, tu sais…

— Arrête. (Cash empoigna le portable et le referma délicatement.) Je suis fini. C'est tout.

Marisol le regarda avec espoir et détermination. Les contours de ses yeux étaient légèrement rouges et son visage encore un peu crispé, mais, par-dessus tout, elle semblait persuadée qu'elle pouvait se rendre utile.

— Je sais que l'argent ne résout pas tout, reconnut-elle en posant une main sur le bras de Cash, mais je suis prête à tout pour toi, Cash. Je ferais n'importe quoi. Dis-moi ce qu'il te faut, et ce sera fait. Je te le promets.

Et voilà. Il n'aurait pas pu rêver d'une meilleure proposition. Dans ce cas, pourquoi sa gorge le brûlait-elle ? Pourquoi tout son corps se rebellait-il contre ce qui devait être fait ? Cash avait l'impression qu'on venait de le plaquer violemment au sol pour le rouer de coups, alors qu'il n'avait pas joué.

— J'ai besoin que tu partes, répondit-il, et que tu ne reviennes pas.

Marisol le dévisagea en fronçant les sourcils comme si elle ne comprenait pas une blague. Puis sa détermination joviale s'effaça progressivement de son visage.

— Tu es sérieux ?

Cash acquiesça douloureusement.

— Mais je… je t'offre tout ce que j'ai. (Une larme coula sur sa joue, puis une autre. Marisol déglutit et renifla.) Tout ce que je suis. C'est à toi si tu veux. Tu ne comprends pas ?

Cash acquiesça encore. La douleur si évidente et si indéniable de Marisol était comme un coup de poignard dans son cœur. Pourtant, il ne trouvait pas les mots pour s'expliquer davantage, et il n'osait pas non plus la toucher. S'il se le permettait, il perdrait sa fermeté. Ensuite, il ne lui resterait plus rien.

Marisol se redressa en s'essuyant les joues. Ses lèvres tremblaient.

— Est-ce que je peux au moins dire au revoir aux enfants ?

Cash regarda par-dessus son épaule. Ils étaient déjà là. Assis dans l'escalier, appuyés à la rampe, Emily, Jacob et Hannah observaient la scène d'un air grave. Cash ignorait ce qu'ils avaient entendu, mais il espérait ne plus jamais les voir aussi tristes.

Il accepta à voix basse et se rangea sur le côté. Avec une douleur à la poitrine, il regarda Marisol les rejoindre d'un bon pas en secouant ses cheveux et en s'éclaircissant la voix comme si rien ne l'atteignait. Elle adopta un sourire figé – lèvres tremblantes et yeux brillants de larmes –, puis elle se planta en bas des marches et tendit les bras.

— Hé! Les copains! (Sa voix céda, enrouée par l'émotion.) Apparemment, je dois partir un peu plus tôt qu'on pensait. Vous descendez pour…

Livides, ils dévalèrent l'escalier pour se jeter dans ses bras. Là, elle tomba à genoux et les étreignit de toutes ses forces. Ils se mirent bientôt tous à sangloter.

— Je veux pas que tu t'en ailles! pleura Emily. S'il te plaît! T'en va pas!

— Je te promets qu'on sera gentils, jura Hannah en enfouissant son visage dans le cou de Marisol. (Leurs cheveux se mélangèrent en tombant sur leurs maillots identiques.) On se disputera plus jamais, et on mangera tous nos légumes, et on se brossera les dents six fois par jour!

Jacob se contenta de hocher la tête en reniflant bruyamment, tout en s'accrochant à l'épaule de Marisol. Il lui tapotait le dos avec sa petite main, dans l'espoir évident de consoler sa nounou en larmes. Il leva le menton une fois, puis deux, de cette façon caractéristique des moments où il se retenait de craquer.

— Il faut que tu restes !

Marisol redressa la tête.

— Vous êtes vraiment adorables, tous les trois. Vous n'y êtes pour rien. Il est juste temps que je m'en aille, c'est tout. (Elle prit une profonde inspiration.) On savait tous que ça ne durerait pas pour toujours, pas vrai ? Vous allez bientôt retourner à Phoenix, vous allez rentrer à la grande école et vous allez oublier…

— Je m'en fiche de la grande école ! cria Emily.

— Un jour, tu seras contente d'y entrer, répondit doucement Marisol toujours à genoux et sans les lâcher. Et vous allez retrouver vos amis et vous amuser, et votre maman va bientôt rentrer de Paris, et vous oublierez cet été.

— C'est pas vrai ! nia Hannah. J'oublierai jamais !

— Moi non plus. (Jacob tourna virilement son visage vers Cash.) Dis-lui qu'il faut pas qu'elle parte, papa. Dis-lui !

— Si, il le faut. (Marisol leur donna une dernière accolade avant de se remettre debout avec un sourire vacillant.) Mais merci d'avoir été aussi formidables avec moi. J'ai vraiment aimé… tout.

Consternés, les triplés dévisagèrent Cash.

— Dis-lui, papa ! insista Emily. Dis à Marisol de rester !

— Ce n'est pas la faute de votre papa.

Marisol prit la boîte de mouchoirs, posée sur la console et en sortit une poignée qu'elle distribua aux enfants avec l'efficacité d'une nourrice, en en gardant un pour elle. Tous se mouchèrent longuement.

— Prenez soin de vous, d'accord ? Et si un jour vous venez à L.A., passez me voir.

Les enfants regardèrent Cash et leur nounou avec des visages striés par les larmes et une expression accusatrice.

— On va jamais à L.A., rétorqua Hannah d'un air maussade.

— Ouais, pourquoi on va jamais à L.A., papa ? demanda Jacob.

Oh, oh ! Ils se fâchent vraiment, maintenant.

Avant que Cash ait le temps de réfléchir à sa réponse et qu'Emily puisse transformer son expression blessée en une autre accusation, un coup de klaxon retentit.

Surpris, Cash se crispa.

— C'est ton chauffeur, annonça-t-il en indiquant la porte. J'ai appelé Tom à *Dzeel* pour qu'il vienne te chercher.

Marisol se tourna vers lui.

— Quelle efficacité !

Il haussa les épaules, sans rien ressentir du tout. Il refoulait tout ce qui n'avait pas de caractère impératif.

— Je suis quelqu'un d'efficace. Cet été n'a été qu'une aberration. C'est fini.

Marisol s'approcha tristement de lui.

— Je suppose qu'aucun de nous n'a changé comme on l'espérait. Je ne suis pas nourrice. Je ne suis qu'une fille à papa. Et tu ne feras pas ton grand retour, mais tu resteras toi-même. (Blessé mais aussi en colère, Cash pinça les lèvres.) Pourtant, je t'aime comme ça.

(Marisol lui caressa le visage avec un regard désabusé, puis elle laissa retomber sa main.) Si tu t'aperçois un jour que tu es capable du même sentiment à mon égard… tiens-moi au courant.

Cash hocha la tête sèchement. Cela ne pouvait pas le toucher. De toute façon, il ne ressentirait jamais une telle chose. L'amour ne lui avait jamais réussi et ne lui réussirait jamais.

Le klaxon retentit de nouveau. Marisol ramassa sa valise. Cash passa devant elle pour prendre ses fourre-tout et le dossier de *Dzeel*, puis il ouvrit la porte.

Pato arriva en trottinant et enfouit son museau dans la main de Marisol. Elle laissa échapper un rire sanglotant et caressa le berger allemand.

— Toi aussi, tu veux me dire au revoir, hein, bonhomme ? Tu as été un bon chien. Tu les surveilles bien, d'accord ?

Pato appuya sa tête contre sa jambe en remuant la queue.

Marisol releva la tête pour leur sourire.

— La vache ! On croirait presque qu'il comprend ce que je dis. Vous pourriez presque…

Là, son visage s'affaissa. Avec un sanglot étouffé, elle poussa la porte, cognant sa valise contre le montant. Elle descendit les marches, Cash dans son sillage.

Tom l'accueillit avec un sourire. En revanche, dès qu'il vit son visage mouillé de larmes, il regarda Cash d'un air soupçonneux et clairement hostile, avant de s'activer à charger les valises. Ensuite, il prit le dossier.

Tête baissée, Marisol s'assit sur le siège passager en serrant son mouchoir en boule.

Les enfants sortirent de la maison en file indienne et s'arrêtèrent sur le perron. Leur nourrice leur fit un signe de la main en essayant de sourire, et ils lui répondirent.

L'instant d'après, Cash la saluait d'un geste et la voyait disparaître avec la voiture au bout de la route, le laissant seul, comme il l'avait mérité… et comme il n'en avait pas du tout envie.

L'été était terminé. Cash carra les épaules et rentra faire ses valises pour retourner chez lui.

Chapitre 30

—Qu'est-ce que c'est que ce cirque?

Au son de la voix furieuse de son père, Marisol leva les yeux. À travers sa frange ébouriffée – fruit de son passage en urgence chez le coiffeur pour soigner sa peine de cœur – et contre toute attente, elle le vit traverser à grands pas son salon de Malibu.

Elle devait halluciner. Gary Winston ne se déplaçait pas à la maison de la plage, il ne criait pas et, surtout, il ne prenait pas la peine de rendre visite à sa fille unique.

Marisol décida de faire durer le plaisir.

—Comment tu es entré?

—C'est moi qui paie cette maison. Heureusement que je peux y venir quand je veux!

Elle haussa les sourcils, puis elle renonça. Cela lui importait peu, de toute façon.

—C'est vrai.

—En fait, c'est la femme de ménage qui m'a laissé entrer. Je peux m'asseoir?

Il s'approcha d'elle en désignant maladroitement une chaise. Il ne la prit pas d'office, ne la déplaça pas et ne prétendit pas qu'elle devrait être brûlée pour protester contre « l'horreur du modernisme ». Sans bouger… il attendit. Sa permission, apparemment.

Voilà qui était nouveau. Perplexe, Marisol acquiesça.

— Je t'en prie.

— Merci.

Il lâcha son journal sur la table basse Le Corbusier qu'elle aimait tant. La feuille de chou atterrit au milieu de verres de martini vides, de cendriers pleins, d'une paire de boucles d'oreilles en diamant et d'autres restes de sa fête de retour donnée la nuit dernière.

— Alors… (Son père souffla longuement.) Comment ça va ?

Ah ! C'était donc une visite officielle. Une vérification de l'état de la famille Winston. La direction de *The Home Warehouse* attendait certainement dehors de savoir si l'héritière de la famille n'avait pas succombé à sa peine de cœur et à une surexposition à la presse sportive. Marisol se redressa à contrecœur sur un coude. Elle referma sa robe de chambre en soie – jolie, mais pas aussi chaude que du tissu-éponge – et tourna le menton vers le journal.

Son état n'était pas en cause, de toute façon.

— Tu avais presque des flammes à la place des cheveux en entrant, dit-elle. Tu ne meurs pas d'envie de savoir ce que c'est que ce cirque ?

Confus, son père tripota le col de son polo de golf. Il était sur le green quand elle était rentrée, une semaine avant, et n'avait pas témoigné le moindre intérêt pour son diplôme de *Dzeel*. C'était donc la première fois qu'elle le revoyait.

—Euh… c'était juste une façon de lancer le sujet. (Il haussa les épaules.) Il n'y a rien dans les journaux… aujourd'hui. Rien de tel qu'une provocation pour lancer un débat. Tu devrais t'en souvenir pour tes futures négociations professionnelles.

Oui, comme si j'en avais déjà vécu.

Marisol bâilla et prit un shaker art déco argenté.

—Tu veux boire quelque chose ?

—Il est 10 heures du matin.

—Et alors ?

—Alors je commence à comprendre pourquoi Jamie a insisté pour que je vienne.

—Ah !

Les yeux chassieux – et larmoyants –, Marisol se servit un Gibson à température ambiante. Les oignons au vinaigre contenus dans le cocktail feraient office de nourriture plus solide que ce qu'elle avait réussi à avaler ces derniers jours. Elle but une gorgée, fit une grimace et poussa une feuille de son dossier en travers de la table basse avec son orteil.

—Tiens, tu peux dormir sur tes deux oreilles. J'ai fini ma cure haut la main. Regarde.

Son père n'esquissa pas un geste.

—Je suis content de le savoir, mais tu esquives ma question, et ça ne prend pas, objecta-t-il d'une voix bourrue d'homme d'affaires. Comment tu te sens ?

J'ai l'impression que mon cœur s'est effondré comme le World Trade Center et que je ne le retrouverai jamais, pensa Marisol. *Comme si rien n'avait plus d'importance.*

—Ça roule. *Salud,* dit-elle en levant son verre.

Son père lui lança un regard en coin.

—Jamie m'a dit que tu avais fêté ton retour quatre soirs d'affilée. Tu ne crois pas que c'est un peu beaucoup ?

—Pour qui ? demanda Marisol en haussant les épaules. Je suis une héritière aventureuse, stylée et croqueuse d'hommes. Un tel rythme de vie, ça s'entretient. On attend un certain nombre de choses de moi. En plus, il faut que je m'occupe autrement qu'en faisant du shopping. Cette semaine, c'est en faisant la fête et en buvant.

—Je vois. Ça te manque ?

Surprise, elle baissa son verre.

—Quoi ?

—Le shopping.

Son père hocha la tête, les mains ballantes entre ses genoux. Après mûre réflexion, elle constata qu'il semblait rongé par le souci. Son polo de golf était froissé et ses cheveux en désordre.

Était-il possible qu'il s'inquiète vraiment pour elle ?

—Tu sais de quoi je parle. (Il montra ses pièces de collection, ses meubles au design parfait et les accessoires dont elle avait toujours été tellement fière.) Est-ce que tu es en manque de shopping, comme un ancien fumeur a envie d'en griller une quand il est stressé ?

Il souligna son exemple en tapotant vaguement sa poche.

—Parfois, oui, reconnut Marisol. (Elle agita son cocktail et regarda les oignons flotter deux par deux.) Mais pas quand je vois une jolie jupe ou un fauteuil magnifique. Ça ne marche pas comme ça. (Elle le comprenait désormais, grâce à Imelda.) Par-dessus tout, j'ai toujours envie d'offrir aux autres de superbes cadeaux, mais je ne peux plus. Il ne me reste que moi. (Elle inspira profondément pour essayer d'avoir l'air décontractée.) Apparemment, ce n'est pas moi qui suis en demande, pour l'instant.

Son père se racla la gorge en remuant sur sa chaise.

Alerte ! Alerte ! Faiblesse émotionnelle !

Il regarda autour de lui, mal à l'aise, et fit craquer ses doigts. Gary Winston ne s'y connaissait pas tellement en confidences à cœur ouvert. Sa je-m'en-foutiste de fille n'aurait pas dû s'attendre à ce que cet empereur des affaires s'abaisse au niveau de son cœur brisé.

—En tout cas, ce n'est pas une raison pour rester assise à t'assommer avec l'alcool, déclara son père. (Il se pencha et lui arracha son verre, faisant gicler le gin, puis il la défia du regard.) Tu es ma fille, et je ne te laisserai pas te déprécier.

—Ah, d'accord ! Il n'y a que toi qui aies le droit de me rabaisser, c'est ça ?

—Te rabaisser, moi ? Depuis quand ? (Il cligna des yeux, interloqué.) Marisol, à ton avis, pourquoi je t'ai envoyée à *Dzeel* ?

—Je ne sais pas, dit-elle avec désinvolture. Pour que je me sente minable ? Si c'est ça, mission accomplie.

Elle imita un salut militaire, qui aurait été tellement plus insolent si elle avait eu son cocktail à la main.

Quelques instants passèrent, pendant lesquels son père sembla envisager de la laisser seule dans son délire sarcastique. Puis il reprit la parole.

—Je ne pense pas que ce soit *Dzeel* qui te donne l'impression d'être minable.

Manifestement, il était au courant pour Cash, certainement grâce à Jamie. Toutefois, malgré la douceur dans la voix de son père, elle ne voulait pas entendre son diagnostic, ni qu'on s'apitoie sur son sort. Elle ne voulait plus qu'on la prenne à avoir besoin de lui, ni de quiconque.

Le silence s'instaura, seulement perturbé par le tic-tac de son horloge George Nelson en forme de tournesol et par le bruit lointain du ressac.

Marisol se réinstalla sur le canapé, essuya une trace de verre et réarrangea la décoration de la table, puis elle leva les yeux.

—Je n'aurais pas vraiment bu tout le Gibson, avoua-t-elle. C'est l'alcool, qui aide vraiment à lancer un débat, papa, pas les provocations imaginaires. Tu devrais t'en souvenir.

Surpris, il rit.

—Tel père, telle fille, hein ?

—Euh… j'avais peur que tu ne partes si je ne retenais pas ton attention.

Une nouvelle cordialité s'installait entre eux, en douceur. Ragaillardie pour la première fois depuis plusieurs jours, Marisol lui accorda un sourire blafard.

—Tu n'es pas le seul à avoir besoin d'une excuse pour entamer certaines conversations, tu sais.

Comme si cette confession dénouait une tension entre eux, son père s'avança au bord de sa chaise et la regarda sérieusement.

—Il y a quelque temps, tu m'as demandé de l'argent pour ouvrir une boutique de décoration d'intérieur. Tu t'en souviens ?

—Rends-moi mon verre, dit-elle d'un air désabusé.

—Mais je ne pensais pas que tu étais prête à monter ta propre affaire, continua-t-il. Tu n'avais jamais rien fait de sérieux avant…

—Eh ! Mon festival de salsa n'était pas une promenade de santé, je te signale !

—… et tes dépenses étaient incontrôlables. Jamie aussi se faisait du souci. Il n'y avait qu'un seul moyen de découvrir si tu étais prête à franchir une étape dans ta vie, et c'était…

—… d'organiser une réunion de groupe et de me changer en bonniche ?

—… de te jeter à l'eau et de t'obliger à nager. Voilà pourquoi je t'ai envoyée à *Dzeel* – avec l'aide de Jamie et de tes amies, ne l'oublions pas. Et je ne regrette pas de l'avoir fait. Je suis fier de dire que… (Il hésita. Son visage affichait une expression inhabituelle.) Je suis fier de dire que je suis fier de toi, Marisol. Je sais que cette cure n'a pas été facile pour toi.

—Arrête, papa. Tu n'as même pas été fichu de m'appeler, lâcha Marisol, incapable de s'en empêcher. Deux coups de fil en trois mois ! C'est tout ! Est-ce que tu as seulement réfléchi un instant au fait que je pouvais avoir besoin de toi ? Que c'était peut-être pour ça que je t'appelais tout le temps ? Ou est-ce que Sophie ne te laissait pas mes messages ?

Son père regarda ses chaussures.

—Ils m'ont dit de ne pas t'appeler.

—Super, se moqua Marisol, encore plus blessée. Quelle bonne excuse! Imelda Santos et cette grande asperge de Jeremy Fordham ne sont pas là pour le confirmer.

—Tu n'as qu'à les appeler et le leur demander.

Elle secoua la tête.

—Je n'ai même pas envie de penser à l'Arizona. J'en ai fini avec tout ce qui se trouve là-bas.

Que je le veuille ou non.

—En ce qui me concerne, je les ai tous rencontrés. Je me suis rendu là-bas en hélicoptère deux fois par semaine pour des réunions, confessa son père en reportant son attention sur elle. J'ai découvert que j'avais une part de responsabilité, Marisol. C'est pour ça que j'ai fait ce qu'ils m'ont dit. Pour m'assurer que tu irais mieux.

Elle le dévisagea avec incrédulité.

—Tu es allé là-bas?

—Oui, et je suis désolé. Pour tout. (Il soupira en secouant la tête.) Pour ton enfance, pour le départ de ta mère, pour toutes tes belles-mères… et, surtout, pour mon manque d'attention. Je n'ai aucune excuse à part que j'étais un homme d'affaires qui ne pouvait pas se permettre de rester père célibataire.

Marisol ne savait pas quoi dire. Leurs problèmes remontaient à très loin, mais cette confession… avait comme un goût de nouveau départ.

—Je ne me suis pas très bien débrouillé, poursuivit son père d'une voix de plus en plus sûre. Mais je t'ai toujours aimée, Marisol. Depuis le premier jour, quand tu m'as regardé et que tu as crié à tue-tête dans ta couveuse. Je t'aime de tout mon cœur, et pour toujours.

— Oh, papa ! (Marisol secoua la tête en pleurant. Il n'était peut-être pas parfait, mais il était là, au moins.) Moi aussi, je t'aime.

Ils se levèrent tous les deux et faillirent se cogner. Ils se rapprochèrent d'un pas presque chorégraphié et, avec un soupir rauque, son père la prit dans ses bras. Marisol lui apprit alors à faire un vrai câlin, comme elle en avait vu chez les Connelly.

Puis elle recula en reniflant. Une larme coula sur le beau visage noble de son père. Marisol l'essuya avec son pouce.

— Tu as trop bonne mine pour un homme de soixante et un ans, dit-elle en l'étreignant encore. Je te soupçonne d'avoir recours au Botox. J'espère que tu ne paies pas trop cher.

— Bien sûr que si. Je suis un Winston. Je paie toujours le prix fort.

Ils éclatèrent de rire. Dans une atmosphère beaucoup plus détendue, ils se rassirent, cette fois, tous les deux sur le canapé. Avec une grimace, son père regarda le shaker, les restes de la soirée de la veille et son peignoir, puis il soupira.

— C'est vraiment ça qui te rend heureuse ? s'enquit-il. Sortir, apparaître dans les magazines, dormir jusqu'à midi ?

— Tu sais, ce n'est pas si terrible. (Décidée à entretenir l'optimisme qui s'était instauré entre eux, elle haussa les épaules.) Mais il faut que je fasse quelque chose. Tenley a trouvé un boulot dans une société de communication, et Caprice vient de décrocher un contrat pour écrire sur L.A. (Incroyable : cette commère tenait secrètement un blog très suivi sur lequel elle racontait la vie de la société, et une maison d'édition l'avait repérée.) Donc, elles sont toutes les deux pas mal occupées en ce moment, mais moi…

Cash me manque. Et Jacob, Hannah et Emily.

Il ne se passait pas un jour sans qu'elle pense à eux.

Bien sûr, ces souvenirs aboutissaient toujours à celui de la brutalité avec laquelle Cash l'avait mise à la porte, ce qui assombrissait tout de suite ce tableau idyllique.

— Mais… tu n'es pas encore prête à tourner la page ? demanda son père.

Marisol le dévisagea.

— Quelle page ? Cash ? Si, j'y arriverai. Un jour.

Son père secoua la tête en lui tapotant le genou d'un air compréhensif.

— Ne t'inquiète pas. Je n'ai jamais été très doué en amour.

— Jusqu'à Jamie, lui rappela Marisol.

— Évidemment. Elle est merveilleuse… Je n'en mérite pas tant. (Son père sourit, puis son air déterminé revint.) Est-ce que tu veux que je fasse souffrir Connelly ? Parce que je peux, tu sais. J'achète les Scorpions, je le reprends dans l'équipe et je l'empêche de jouer à chaque match. Tu n'as qu'un mot à dire, et je le fais. Plutôt deux fois qu'une.

— La vache ! Tu es vraiment cruel, papa.

— Si on fait du mal à ma petite fille, oui.

Oh ! C'est trop mignon ! Tordu et débile, mais mignon.

— Non, je ne veux pas que tu fasses quoi que ce soit à Cash. Ce n'est pas sa faute. C'est juste que je… je n'ai pas été à la hauteur.

— Mon cul, oui !

— Papa !

— Quoi ? C'est vrai. Si tu bois avant midi, j'ai bien le droit de jurer. Les masques sont tombés, dit-il en souriant. Tu es largement à la hauteur, Marisol. Et si Cash ne te voit pas à ta juste valeur, il ne te mérite pas.

— Merci, papa, dit Marisol en faisant la moue. Mais j'essaie de tourner la page, là, tu sais. Je suis passée par la coupe de cheveux ratée, les soirées démentielles et les bavardages avec Jamie. Maintenant, j'ai juste besoin de…

Cash, conclut son cœur.

— D'être heureuse, déclara son père. Et c'est tout ce que je veux pour toi. Dis-moi ce que je peux faire, et je le ferai. On ne lambine pas, chez les Winston.

La réponse de Marisol tomba du ciel.

— Débloque mon compte. Donne-moi l'argent nécessaire pour ma boutique. (Il la regarda d'un air suspicieux.) Écoute, je sais que ce projet est sorti de nulle part, reconnut-elle. Mais je veux m'occuper, et ouvrir la boutique de mes rêves m'empêchera de me complaire dans mon malheur… et de faire d'autres taches de gin sur ma table basse.

Son père soupira.

— Si tu crois que ça te rendra heureuse…

— J'en suis sûre.

J'espère.

— Alors j'accepte, décida-t-il.

Après un autre câlin, ils se rendirent ensemble à la banque.

Rien ne valait le samedi pour intervenir au *Shoparama*. Le supermarché grouillait de clients, les responsables de rayon étaient tous en place pour faire leurs annonces, et presque toutes les têtes de gondole offraient des échantillons et des cadeaux. À côté de son étal préféré, Cash sourit à une femme d'une quarantaine d'années.

— Merci de vous être arrêtée, dit-il. N'oubliez pas votre bon de réduction pour vos lingettes nettoyantes senteur forêt de sapins !

— Oups ! Vous avez raison. Je vais en avoir besoin.

— Et maintenant elles enlèvent vingt pour cent de saleté en plus. (Cash lui remit un coupon pré-imprimé et lui fit un clin d'œil.) C'est « lingettastique » !

La femme le salua du bout des doigts et s'en alla.

Les mains sur les hanches, Cash chercha sa prochaine cible. La vieille femme dodue qui choisissait des côtes de porc serait parfaite. Les clients d'un certain âge voulaient toujours économiser de l'argent.

— Madame ? Avez-vous essayé les nouvelles lingettes nettoyantes ? demanda-t-il en agitant ses bons de réduction pour l'attirer. Elles sont « lingettastiques » !

Il sursauta quand quelqu'un lui tapa l'épaule.

Une voix familière retentit à côté de lui.

— Qu'est-ce que tu fous ?

Cash se renfrogna en se frottant l'épaule. Quand il se tourna et vit Adam, apparemment grincheux, il eut envie de grommeler.

Ce type n'était pas près de le laisser tranquille. Il ne le lâchait plus depuis la catastrophe du *scrimmage*.

Il doit avoir besoin de tirer un coup, pensa Cash. *Sinon, pourquoi mon histoire d'amour l'obséderait-elle autant ?*

Surtout maintenant qu'elle est terminée. Maintenant que Marisol est partie…

Rien à foutre, se dit-il en levant fièrement le menton.

— Je travaille, annonça-t-il à son ex-manager en pointant son doigt sur son torse. Tu le saurais si tu faisais ton taf. Je me suis tapé tout le boulot de préparation pour cette putain d'intervention, comme pour les deux dernières. Je te garantis que tu ne toucheras pas un rond pour ça.

Adam secoua la tête.

— Garde ma part, tête de nœud. Je t'ai dit que je n'organiserais plus une seule intervention en public pour toi tant que tu ne serais pas redevenu toi-même.

— Je suis moi-même. (Cash fit signe à un client, à qui il donna un bon de réduction et un échantillon.) N'oubliez pas : c'est « lingettastique » !

— Pff ! lâcha Adam en se couvrant les yeux.

Saluant le client d'un signe de main, Cash gratifia son ami d'un air insouciant.

— Tu vois ? Ça va.

Exaspéré, Adam lui arracha son bloc de bons. Ensuite, le saisissant par le bras, il l'entraîna vers un étalage pyramidal de boîtes de thon et le plaqua contre les conserves comme sur un terrain de football.

— Non, ça ne va pas, insista Adam, et ce n'est pas toi. Ça ne te ressemble pas de distribuer des bons de

469

réduction pour des lingettes nettoyantes. Tu détestes les apparitions en public, tu te souviens?

—Ça, c'était l'ancien Cash Connelly, déclara-t-il sur un ton désinvolte. (Il tendit le doigt vers le rayon en regardant la foule des clients.) Eh! C'est le jour des mini-feuilletés à la saucisse! Viens! Edna est installée dans le rayon numéro quatre avec son réchaud électrique et ses cure-dents.

—Rien à foutre! C'est quoi, ton problème?

—Rien, répondit Cash avec un regard d'acier. Donc, pourquoi tu ne me fous pas la paix? La saison est commencée. Tu dois avoir plein de joueurs à gérer, non?

Adam serra les dents.

—Oui.

—Alors, dégage. Tu fais fuir les clients. (Cash récupéra violemment ses bons et se pencha sur le côté.) Madame! Tenez, un bon de réduction.

—Oh! Merci, jeune homme.

—Tout le plaisir est pour moi. Ces lingettes sont «lingettastiques»!

Adam vira à l'écarlate.

—Oui, j'ai du travail, confirma-t-il en relevant la tête et en marchant presque sur les pieds de Cash. Mais ce ne sont que des joueurs. Pas des amis. Ils ne sont pas toi.

—Waouh! s'exclama Cash en levant les yeux au ciel. J'ai toujours su que tu étais un cœur tendre, Sullivan. Les cartes de vœux sont dans le rayon dix-sept. Par contre, les médicaments pour les règles douloureuses sont au rayon douze.

— Ah ouais ? rétorqua Adam en lui donnant un coup sur le torse. Et tu peux m'indiquer le rayon de l'estime de soi, connard ? Parce que ça ne te ferait pas de mal.

— Ah ouais ? Va te faire foutre.

Ils entendirent un hoquet de surprise à la table d'à côté.

— Désolé, Agnes, s'excusa Cash auprès de la dame qui distribuait des échantillons de détergent. Ce type fait ressortir le pire de moi.

— Tu fais ça très bien tout seul, le reprit Adam en le poussant. Depuis que Marisol est partie, tu es insupportable.

Cash haussa les épaules.

— Je t'ai dit de me foutre la paix.

Marisol y arrive très bien, elle.

Au fond de lui, il regrettait qu'elle ne se soit pas battue davantage. C'était idiot, certes, mais il l'avait espéré, et il l'espérait encore parfois. Voilà pourquoi il devait s'occuper.

— Tu devrais l'appeler, intervint Adam. Parle-lui. Mets les choses à plat. Je sais qu'elle a perdu les enfants pendant la débandade du *scrimmage*, mais on les a retrouvés. Ils allaient bien. Ce n'est pas si grave.

— Ouais. Ce n'est pas le problème.

— Alors, de quoi il s'agit ? Éclaire-moi.

Buté, Cash ferma la bouche. Adam le dévisagea. Un instant, seuls le son des chariots, une annonce pour de la sauce tomate et le jingle de *Shoparama* occupèrent le silence qui durait entre eux. Puis le manager reprit la parole.

—Tu peux te lamenter sur ton sort autant que tu voudras, mon pote. Elle ne serait pas partie si tu ne l'y avais pas poussée.

À l'agonie, Cash tourna une mine renfrognée vers les boîtes de thon.

Voilà, ça recommence. Les reproches. Les «je te l'avais bien dit». Les intimidations. Je me sens déjà assez mal. Je n'ai pas besoin qu'un soi-disant ami vienne me harceler toutes les trente secondes.

—Écoute, j'ai fait ce que j'avais à faire, d'accord? dit Cash en serrant le poing. C'était pour son bien.

—Euh… et comment tu le sais?

Il n'en revenait pas qu'Adam ne l'ait pas compris.

—Tes petits sermons à la con commencent vraiment à me taper sur les nerfs, tu sais? Dégage. (Il passa devant lui avec un coup d'épaule.) J'ai des bons à distribuer. J'ai promis à Eunice de l'aider à s'en débarrasser.

Adam l'arrêta avec un regard sévère.

—Tu l'aimais.

—Ça n'a pas marché.

—Elle t'aimait aussi. Je le sais.

—Ça ne suffisait pas.

Il n'était pas à la hauteur. Surtout maintenant. Sans le football, que pouvait-il lui offrir? Il avait utilisé une partie de son chèque de congé pour payer un acompte sur une vieille maison à rénover dans un bon quartier, où Jacob, Emily et Hannah aimeraient lui rendre visite. Pour le reste… il récoltait quelques deniers grâce à des interventions au *Shoparama* et en vendant son vieil équipement sur eBay.

— C'est fini.

— Non. (Avec une assurance agaçante, Adam le suivit sous une banderole « Cash Connelly aujourd'hui ! » et se posta derrière la table de dédicaces.) Il n'y a pas de raisons pour que ce soit fini.

— Si, le contredit Cash en se figeant. Regarde-moi, bordel ! C'est moi qui suis fini. (En essayant de rire, il secoua la tête face au paquet de photos en attente de sa signature illisible.) La semaine prochaine, à la même heure, je ferai de la pub pour de la cire d'abeille.

Un nouveau groupe de fans approcha, parmi lesquels deux étudiantes surexcitées et leurs petits copains, deux grands gaillards tout droit sortis de fraternités portant des noms de lettres grecques. Cash leur serra les mains, sourit pour des photos et les congédia en dédicaçant des répliques de maillots et en leur offrant des bons de réduction.

— Merci, Cash ! cria Eunice, à deux rayons de là, avec un clin d'œil et en levant les pouces de ses mains fripées. Tu es génial.

— Pas de problème, Eunice !

Adam s'avança.

— J'ai plein de propositions pour toi, annonça-t-il avec insistance. Le téléphone n'arrête pas de sonner. Les Chargers auraient besoin d'un joueur. Les Ravens aussi. Plein d'équipes réorganisent encore leur composition, remplacent leurs blessés et…

— Ça ne m'intéresse pas. J'en ai fini avec le football.

— Ah bon ? s'étonna le manager d'un air révolté. Sympa de m'avoir prévenu. Du coup, je me suis cassé le cul pour… pour quoi, exactement ?

— Bon, je suis désolé, s'excusa Cash en étreignant l'épaule d'Adam. J'ai commis une erreur en revenant. Il m'a fallu du temps pour le comprendre.

En revanche, Marisol le savait. « Quand tu recommenceras à jouer chez les pros, tu ne seras pas malheureux de ne plus voir les enfants aussi souvent ? » lui avait-elle demandé lors de leur soirée chamallows grillés au camping. Et elle avait raison : il aurait été malheureux.

Il ignorait pourquoi il ne s'en était pas aperçu plus tôt.

— Tu me traites toujours de connard borné. Je crois que tu as tout compris. (Avec un sourire, Cash s'interrompit pour signer un autographe.) Je trouverai autre chose, dit-il ensuite. En attendant, distribue quelques bons de réduction.

Il en tendit une poignée à Adam, mais tout tomba par terre.

Qu'est-ce qu'il fout, putain ?

— Débrouille-toi tout seul. (Adam lâcha un paquet sur la table, cachant quelques portraits souriants de Cash.) Je suis seulement venu pour te donner ça. Et peut-être pour te ramener un peu à la raison, mais je vois que c'est inutile.

Cash retourna le paquet, dont l'emballage plastique grinça sous ses doigts. À travers, il aperçut les couleurs de son ancienne équipe, plusieurs objets et le numéro sept.

— C'est de la part de Marisol, expliqua Adam. Elle n'avait pas ta nouvelle adresse, mais elle voulait s'assurer que tu récupères tout ça. Ce sont les affaires qu'elle a empruntées chez Bulldozer, propres et emballées.

Sans vraiment l'écouter, Cash enfouit la main sous une paire de pompons et une casquette des Scorpions pour sortir le maillot. Mû par une étrange émotion, il en agrippa le tissu.

Il ne portait plus l'odeur de Marisol. Ça ne lui ressemblait pas non plus, puisque ce n'était ni blanc, ni court, ni sexy. Et ce n'était absolument pas aussi doux qu'elle. Pourtant, Cash le serra contre lui.

Un instant, tout le reste disparut.

Il aurait été étonné que Bulldozer veuille récupérer ce maillot. Cash le remettrait lui-même à sa place, s'il le fallait. Il releva la tête.

—Merci, Adam. C'est…

Son manager était déjà parti.

Cash empoigna le maillot. Marisol lui manquait énormément.

De toute façon, si Adam a renoncé, je n'ai aucune chance de rétablir la situation.

Résigné, Cash plia le maillot et le rangea dans le paquet.

—Mademoiselle, avez-vous essayé les nouvelles lingettes nettoyantes senteur forêt de sapin ? demanda-t-il à la femme qui passait devant lui. Elles sont «lingettastiques»!

Elle secoua la tête sans s'arrêter.

Merde! J'ai perdu toute ma motivation.

Qu'est-ce que je vais faire maintenant?

Chapitre 31

Marisol entra dans un local vide près du La Cienega Boulevard, suivie par sa conseillère en immobilier et son père qui avait pris sa journée pour l'aider à abattre le dernier obstacle qui se dressait entre elle et la boutique de ses rêves. Elle s'arrêta au milieu de l'étage en vente, entièrement blanc, et examina les fenêtres donnant sur la rue.

— C'est plutôt lumineux à l'intérieur, commenta-t-elle.

— C'est exposé plein sud, répondit l'agent immobilier en se rendant auprès de la vitrine avec un sourire d'expert. Idéal pour créer une atmosphère positive pour vos clients.

— C'est vrai. Mais une telle exposition risquerait de décolorer les revêtements en tissu. (Marisol fronça les sourcils en partant vers le fond de la pièce, où elle passa la main sur le comptoir froid.) Est-ce qu'on peut enlever ça ? Je préférerais vraiment un endroit plus intime pour les encaissements. Un bureau, peut-être. Je pense tout particulièrement à un meuble de style français très sympa.

Le sourire de la conseillère se fit encore plus crispé.

—Je suis sûre qu'on peut s'arranger. Vous avez de la chance de tomber sur ce local : la propriétaire est pressée de le relouer.

Elle avait déjà fourni un aperçu des termes de la location.

Marisol déambula encore, au son de l'écho de ses pas dans l'espace vide.

—Je ne sais pas… Je n'arrive pas à me projeter ici.

—Ce sera différent quand ce sera remis à neuf. (Son père jeta un coup d'œil à l'agent immobilier.) J'ai tous les contacts dont tu auras besoin pour en faire ton magasin idéal.

—Je sais, papa. C'est juste que… (Elle serra les bras autour de son ventre sous leurs regards curieux, bien qu'aucunement impatients.) J'ai l'impression que les murs ne sont pas droits. Et il y a trop de soleil.

À tel point qu'elle avait presque envie de pleurer.

—Trop de soleil ? répéta la conseillère. Vous ne venez pas de dire que vous aimiez la lumière du jour ? Franchement, mademoiselle Winston, si vous ne savez pas ce que vous voulez, s'il vous plaît, ne me faites pas perdre mon temps. Je fais partie des meilleurs agents immobiliers de la ville.

Son père leva la main pour la faire taire.

Patiemment, il suivit Marisol et lui passa un bras autour de ses épaules, qu'il étreignit gaiement.

—Les murs sont très bien. Et tu aimes le soleil ! Ta maison de Malibu est noyée de lumière. Tu pourrais même te faire bronzer dans ton salon.

—Je sais… Ce n'est pas pareil, dit-elle avec un geste d'impuissance.

—Ne sois pas nerveuse, la rassura son père. On a déjà visité quatorze locaux. Il doit bien y en avoir un qui se rapproche de ce que tu cherches.

Pinçant les lèvres, Marisol regarda de nouveau autour d'elle. Il avait sans doute raison. Peut être qu'elle chipotait un peu trop. Le local n'avait pas besoin de lui en mettre plein la vue. Il suffisait qu'il remplisse son rôle… et elle aussi. Sinon, elle perdrait la boule à force de penser à Cash.

—Qu'est-ce qu'il y a derrière ? demanda-t-elle en indiquant une porte fermée peinte aussi en blanc. L'arrière-boutique ?

Le menton levé, elle partit dans cette direction. Elle voyait pour la première fois combien le blanc pouvait paraître nu. Ici, dans cet endroit blanc comme neige, elle percevait pleinement son austérité.

—Ce qu'il faudrait vraiment à cet endroit, ce sont des traces de petites mains juste là, dit-elle en désignant la poignée de porte. Et peut-être quelques taches de gelée au raisin ici. Avec de la bave de chien par terre, juste pour qu'on se sente chez soi et que ça ait l'air convivial.

Son père et l'agent immobilier parurent consternés.

—Oh ! C'est bon, je plaisante !

Elle ouvrit rapidement la porte du bureau.

Quatre personnes s'y trouvaient déjà.

—Surprise ! lança Jamie en venant vers elle, les bras grands ouverts.

Marisol s'arrêta net en reconnaissant avec étonnement sa belle-mère, Caprice et Tenley.

—Qu'est-ce que vous faites là? (Puis elle pointa du doigt le seul homme du groupe.) Adam? C'est toi?

—Coupable. (Il lui sourit et s'approcha pour la serrer dans ses bras.) Salut, Marisol. J'espère que tu ne m'en veux pas. Je passais en ville pour rencontrer un joueur des 49ers, donc j'ai décidé de faire un détour.

—Ah oui? Mais les 49ers jouent à San Francisco, pourtant.

Tout le monde la regarda bouche bée, surtout son père. Adam sourit de plus belle, comme si elle venait de faire une gaffe adorable.

—Oui, j'ai appris deux ou trois trucs sur le foot, et alors? grommela-t-elle. Je mérite la peine de mort?

—Oui, bon, avant tout, on est contents que tu sois là. (Jamie joignit les deux mains en un geste serein de yoga qui fit tinter ses bracelets.) Ensuite… s'il te plaît, ne te fâche pas.

—Que je me fâche? Pourquoi? Qu'est-ce qui se passe?

En essayant de ramasser ses affaires, Marisol regarda son père et son agent immobilier: bras croisés comme des mafiosos, ils bloquaient la sortie. Étrange…

Ce qui se préparait lui rappelait vaguement quelque chose…

—Ne songe même pas à partir, la prévint son père.

—On a fait preuve de suffisamment de patience. Maintenant, on a notre mot à dire.

—Oui, confirma Tenley. On veut t'aider.

—Tu as un problème, ajouta Caprice.

Tout le monde acquiesça.

— Un sérieux problème, surenchérit Jamie. Et on est là pour t'aider à y faire face. Pour t'aider à te bouger le cul, à sortir d'ici et à te battre pour ton grand amour une bonne fois pour toutes.

« À te bouger le cul » ? *Au moins, c'est clair.*

Marisol cligna des yeux.

— Vous vous êtes réunis pour ça ?

Ils hochèrent la tête solennellement. Il n'en fallut pas plus à Marisol.

— Vous êtes vraiment la pire bande de fouineurs que…

Marisol s'interrompit, les regarda plus attentivement et ferma les yeux. Ils avaient raison, et elle le savait. Cela durait depuis trop longtemps.

— D'accord, je vous écoute. (Elle inspira profondément.) Dites-moi tout.

Même son ex-femme ne le lâchait plus.

Stephanie avait piégé Cash quand il était venu chercher les enfants pour le week-end – une tradition dont les limites s'étaient un peu assouplies grâce à un inexplicable radoucissement de leur mère. Elle ouvrit la porte pour l'accueillir, puis l'accula dans un coin du porche pour lui parler.

— Alors, comment se passe ta vie sentimentale ? demanda-t-elle.

— Merveilleusement bien, mentit Cash. C'est une invitation ou tu es juste un peu nostalgique, tout d'un coup ?

—Ah! Ce bon vieux Cash! (Son regard s'attendrit, et elle secoua la tête.) On ne s'est jamais posé de questions sur notre vie sentimentale, tu le sais bien.

—Ouais. Maintenant qu'on a bien reparlé du passé, les enfants sont prêts? J'ai de la route, insista-t-il en désignant sa Range Rover. Ça roule mal aujourd'hui.

—Je suis sérieuse. (Avec un regard posé, son ex-femme l'immobilisa réellement en s'appuyant contre le poteau surchargé de décorations.) Qu'est-ce qui se passe? Je croyais que Marisol te plaisait vraiment.

Sans mot dire, Cash regarda son ancienne rue.

—Mon vieux, tu es plus blessé que je ne le pensais. Déjà que tu ne te rases plus, commenta-t-elle en hochant le menton vers sa barbe de trois jours, mais te la jouer macho fort et muet avec moi… Ça ne rigole plus.

—Qu'est-ce que ça peut te faire? demanda-t-il en reportant son attention sur elle.

—Les enfants aiment Marisol. Ils parlent d'elle depuis des semaines (Elle haussa les épaules.) Et je ne serais pas mécontente de te voir heureux.

—Bien sûr.

C'est pour ça qu'elle a divorcé et presque mis mes comptes à sec il y a deux ans.

Cash lui décocha un regard sceptique.

—C'est vrai, Cash. Je ne suis pas méchante; je suis juste moi.

—Ouais, eh bien… moi aussi, je suis moi.

—Et ça n'a pas plu à Marisol?

— Les sentiments de Marisol pour moi n'étaient pas le problème, crois-moi.

Cash ne put s'empêcher de sourire. Ils avaient vraiment eu des sentiments l'un pour l'autre. Il hésita puis, sans vraiment comprendre comment ni pourquoi, il se laissa amadouer par l'expression compatissante de Stephanie. Il haussa les épaules.

— C'est juste que je ne suis pas fait pour ça, je suppose.

— Quoi ? Et tu n'étais pas non plus fait pour t'occuper des enfants quand ils étaient bébés ? (Stephanie secoua la tête sans méchanceté.) Tu étais le seul à le croire, Cash. Tu n'as pas été expert du premier coup, mais tu as appris. Point final.

N'importe quoi !

— Je ne me suis pas plus occupé d'eux parce que tu critiquais tout ce que je faisais et parce que je devais jouer pour gagner ma vie. Ça n'a rien à voir.

— Si. Et maintenant tu rejettes Marisol parce que tu crois que tu as un problème. (Elle lui enfonça un doigt dans les côtes, ce qui fit étinceler une bague de fiançailles qu'il n'avait pas remarquée jusque-là.) Exactement comme avec moi. Dès que tu crois que tu ne peux pas assumer une relation, tu déclares forfait. Ne commets pas deux fois la même erreur, Cash. C'est une deuxième chance, donc ne la gâche pas. En plus, Adam dit qu'elle est très mignonne, ajouta-t-elle sur un ton plus léger.

Bon sang ! Dans deux secondes, Tyrell va venir me donner des conseils sexuels, si ça continue. Hors de question !

Cash se pencha sur le côté pour héler les triplés.

— Les enfants ? Papa est là. On y va !

Ils déboulèrent et passèrent devant leur mère en braillant, traînant leurs sacs à dos et leurs couvertures. Cash s'agenouilla pour faire à Emily, Jacob et Hannah le meilleur câlin de la semaine.

À cet instant, rien d'autre ne comptait pour lui.

S'il devait un jour reparler d'amour avec son ex-femme, le plus tard serait le mieux.

Bras et jambes croisés, Marisol s'assit sur un seau de peinture au format industriel de quarante litres, au milieu de gens qui la harcelaient de questions. Pourquoi avait-elle accepté cela, déjà ?

Même Jamie – douce, aimante et adepte du yoga – s'était changée en une sorte d'avocate enragée de l'amour. Sa belle-mère arpentait la pièce en se creusant la tête sans prêter attention au reste du groupe d'intervention réuni pour Marisol. Finalement, elle se planta devant la jeune femme.

— Est-ce que tu as insisté pour rester et te battre ? demanda-t-elle. Tu as tendance à renoncer trop facilement, parfois.

— Bien sûr que j'ai insisté. Je t'ai dit que Cash m'a pratiquement mise à la porte ! répondit Marisol. Il voulait à tout prix que je parte.

— Et alors ? Il était peut-être blessé dans son amour-propre. Il avait passé une mauvaise journée. (Jamie la regarda sérieusement.) Il était peut-être préoccupé par la fin de sa carrière, et ça lui embrouillait les idées. Ça arrive.

Du coin de l'œil, elle vit Adam hocher la tête d'un air grave.

—Pas à Cash, contredit Marisol. Il est fort.

—Oh, ma chérie ! (Jamie secoua la tête.) Ce sont les plus forts qui ont le plus besoin d'aide. Ce sont eux qui ne supportent pas d'en demander.

—C'est vrai, intervint son père en acquiesçant énergiquement. Ce n'est peut-être pas un surhomme, tu sais.

—Je sais, mais… comprenez-moi. (Marisol se para d'un air courageux.) Je dois voir la réalité en face. Je n'étais pas à la hauteur pour lui. C'est tout. Sinon, il aurait voulu que je reste.

—C'est Cash qui te l'a dit ? s'enquit Tenley en posant les mains sur ses hanches. Est-ce qu'il a vraiment dit que tu n'étais pas à la hauteur de ses attentes ?

—Oui, est-ce qu'il t'a dit ça ? insista Caprice.

Gary et Jamie Winston haussèrent les sourcils. Apparemment, ils étaient prêts à détruire la vie de Cash Connelly pour de bon si elle le confirmait.

Absorbée par leur sermon, Marisol pivota sur son pot de peinture. Si elle prenait ce local, elle se chargerait en premier lieu de le peindre en tout, sauf en blanc.

—En fait… non. Il pense que tout est sa faute, dit-elle.

—Tu vois ? lança Jamie. Donc, tu es peut-être la seule à croire que tu n'es pas à la hauteur. En tout cas, aucun de nous ne le pense. On te trouve tous formidable.

Tout le monde hocha la tête, et plus particulièrement son père.

—Vous ne vous êtes pas dit que, si ça se trouve, Cash croit qu'il n'est pas à la hauteur de vos attentes ? (La conseillère s'avança en regardant Adam, avec qui elle échangea un sourire.) Les hommes peuvent être sensibles. Il a peut-être besoin que vous soyez forte et que vous lui montriez qu'il a tort.

—Vous ne le connaissez même pas ! s'exclama Marisol.

—Je sais, répondit-elle en haussant les épaules. Mais je suis restée longtemps célibataire, et j'ai rencontré beaucoup d'hommes. (Elle se faufila auprès d'Adam.) On se connaît ?

—Oh, pitié !

Marisol leva des yeux ébahis vers l'agent immobilier et le manager de Cash qui allèrent discuter en tête à tête dans un coin.

—Je sais que vous voulez tous bien faire, vraiment, mais à quoi ça sert ? Je veux dire, admettons que vous ayez raison, que j'aie peur de ne pas être à la hauteur, que lui aussi et que c'est pour ça que ça n'a pas marché. Et alors ? Comprendre ce qui s'est passé ne changera pas le fait qu'on est séparés, maintenant.

—Et que vous êtes malheureux, ajouta Adam. Enfin, toi, tu as l'air d'aller très bien. Mais Cash est un homme brisé.

Alors, il leur raconta une histoire à propos de bons de réduction « lingettastiques », puis Gary reprit la parole.

— Ça, ce n'est rien. Marisol a des traces de verres sur sa table Le Corbusier. Je les ai vues de mes propres yeux.

Ils en eurent tous le souffle coupé. Les larmes montèrent même aux yeux de Caprice.

— Ce n'est pas si grave, grommela Marisol.

— En venant ici, elle a évoqué la bave de chien comme élément de décoration, ajouta la conseillère immobilière en hochant la tête.

La famille et les amies de Marisol gémirent d'inquiétude et vinrent tous lui tapoter le dos et la serrer dans leurs bras.

— Bon, bon, arrêtez. Ça suffit! (Au centre du cercle, Marisol se leva en tendant les bras d'un air provocant.) Je n'ai pas besoin de votre pitié! Je suis parfaitement capable de gérer ça toute seule. Si j'ai bien appris une chose à *Dzeel* – et chez les Connelly – c'est que je sais faire plus de choses que je ne le pensais. Compris?

Ils reculèrent tous en murmurant entre eux.

— OK, répondit Jamie. On dirait que tu as pris une décision.

— Tout à fait. (Marisol hocha la tête en resserrant son sac à main contre elle, puis elle secoua ses cheveux.) Je vais louer ce local. Je veux que les papiers soient prêts dès que possible. Papa, il me faudra les coordonnées de quelques ouvriers pour les travaux d'intérieur. Tenley, je veux que tu t'occupes de la com. Caprice, si tu pouvais parler de ma boutique sur ton blog, ce serait génial.

— C'est comme si c'était fait, promit son amie.

— Parfait. (Marisol les examina tous, elle jeta un coup d'œil à la peinture, puis elle leva le menton.) Et je vais tout peindre en rose.

Sur ce, parée à démarrer, elle sortit.

— Vous êtes vraiment sûrs et certains que c'est ce que vous voulez ? demanda Cash. Des *monster trucks* et un salon de thé, c'est assez particulier.

Rassemblés autour de la vieille table de sa nouvelle cuisine en désordre, ses enfants acquiescèrent en chœur. Même Pato remuait la queue.

— C'est l'idée la plus cool du monde, soutint Jacob. J'adore.

— Tant qu'on a des grands chapeaux chics, déclara Hannah.

— C'est vraiment ce qu'on veut, confirma Emily en entrant dans la pièce avec un sac multicolore sous le bras. Et comme t'es le meilleur, le plus intelligent et le plus fantastique papa du monde, on sait que tu vas l'organiser à la perfection !

Dubitatif, Cash les dévisagea. Habituellement, c'était Stephanie qui organisait leurs fêtes d'anniversaire. Cette année, curieusement, elle lui avait refilé le bébé.

— D'accord. Dans ce cas, on ferait mieux de s'occuper tout de suite des invitations.

Hannah rassembla les fournitures. Cash prit les enveloppes et les cartons d'invitation vierges qu'il avait achetés – l'unique secret que Stephanie lui avait confié en la matière – et il les posa sur le plan de travail. Quand il se retourna, Jacob était là.

—Tiens, papa. (Il lui remit un paquet enveloppé de plastique, qui ne lui était pas inconnu.) Tu ferais mieux d'enlever ça de la table.

Dans ses mains, Cash reconnut le maillot et les accessoires des Scorpions renvoyés par Marisol. Depuis qu'il les avait rapportés chez lui, il avait lutté pour ne pas dormir avec ces trucs, mais il ne voulait pas flancher devant les enfants. Il les posa donc d'un geste brusque.

Une feuille de papier s'en échappa.

Jacob la ramassa.

—Regarde, y a un mot.

—Je vais le lire.

Cash déplia prudemment le billet.

« Cash, j'espère que tu pourras rendre toutes ces affaires à Bulldozer. Merci de m'avoir fait passer le meilleur été de ma vie… »

L'écriture de Marisol était franche, allongée et pleine de boucles. En la revoyant, Cash sourit.

« … Je suis désolée que ça se soit fini de cette façon. Tu pardonnes tellement facilement à tous les autres. Que dirais-tu de te pardonner à toi-même ?… »

Frappé par la capacité troublante de Marisol à reconnaître – et à accepter – les particularités d'autrui, il releva les yeux.

Elle avait compris Emily, Jacob et Hannah presque instantanément. Elle avait séduit sa dure à cuire de belle-mère, Leslie, en un clin d'œil. Elle avait fait d'Adam son fan-club personnel. Elle l'avait conduit à tomber amoureux, malgré tous ses efforts pour ne pas craquer.

Tout cela grâce à son extrême générosité, à sa compréhension, à son manque d'intérêt pour les défauts et à sa volonté d'accepter les gens tels qu'ils étaient.

Cash supposait qu'il s'agissait de toutes les meilleures qualités réunies, ou peut-être de juste assez de *dzeel*.

« … Prends soin de toi, Cash. Ne mange pas trop de chamallows grillés ! Je t'aimerai toujours, Marisol. »

— Qu'est-ce que c'est, papa ? s'enquit Emily avec un regard curieux.

— Rien. (Il rangea le papier dans sa poche.) Un mot de Marisol à propos des affaires qu'elle a renvoyées. (Il se reprit, refusant de prêter attention aux yeux écarquillés de sa fille, et se remit à la tâche.) Rien d'important.

— Est-ce qu'elle a parlé de notre goûter d'anniversaire ? demanda Hannah en trottinant vers lui, les bras chargés de crayons, de feutres, de colle, de rubans, d'autocollants et de paillettes. Parce que j'ai tout préparé pour lui fabriquer une super invitation rien que pour elle !

Le cœur de Cash se serra. Il n'avait pas du tout envisagé cela.

— Vous voulez inviter Marisol ?

— Bien sûr.

Emily étala gaiement sur la table la chose multicolore qu'elle avait apportée, qui flotta en l'air avant de se poser.

Cash resta bouche bée devant cette nappe de fortune. Des motifs artistiques de peinture à la main lui rendaient son regard, lui rappelant sans scrupule la décoration de son rideau de douche – de ce fameux rideau de douche – customisé par Marisol et les enfants, avec son style absolument « expressionniste abstrait ».

— Où est-ce que vous avez trouvé ça ? lâcha-t-il.

— Dans la maison de vacances. (Le sourire aux lèvres, Emily lissa la nappe.) Fais pas l'imbécile, papa. C'est toi qui l'as mis dans les bagages.

— Ouais. (D'un air absorbé, Jacob étala les cartons vierges et choisit un crayon.) T'as dit qu'il était hors de question de le laisser là-bas. T'as dit que t'en rachèterais un à Bulldozer.

— En plus, nous, on est pas assez grands pour décrocher un rideau de douche. (Hannah gloussa, comme si cette idée était ridicule, puis elle prit de la colle et des paillettes.) Nous, on fait les décorations, papa. Toi, tu écris. On a qu'à commencer par l'invitation de Marisol.

Il les regarda d'un air perplexe. Il ne se souvenait pas d'avoir empaqueté ce rideau de douche, mais il se trouvait ce jour-là dans un état d'abattement profond.

— Ça va être trop génial quand Marisol arrivera. (En tirant la langue, Hannah fit gicler un filet de colle.) J'ai hâte d'y être.

Les deux autres opinèrent du chef. Un peu plus loin, Cash fronça les sourcils. Il avait espéré que cette idée leur passerait, mais comme ils ne semblaient pas en démordre…

— Je suis désolé, les copains, mais Marisol ne viendra pas.

Il attendit l'explosion inévitable.

Nada.

— Tu te sentiras mieux quand Marisol sera là.

Avec nonchalance, Emily passa les paillettes à Hannah et prit un paquet de stickers Wonder Woman, qu'elle commença à coller.

— T'étais vachement plus heureux quand elle était avec nous, papa.

Jacob et Hannah hochèrent la tête sans interrompre dessin ni collage.

— Marisol vit à L.A., maintenant, leur rappela Cash. Elle ne viendra pas à votre goûter d'anniversaire.

— Eh! Et si on faisait les invitations pour votre mariage? proposa Jacob en levant son visage illuminé. Ça va être trop cool!

Ils ne l'écoutaient même pas.

La vache! Ce que ces enfants sont têtus! songca Cash en les rejoignant à grands pas.

— Marisol et moi, on ne va pas se marier, dit-il sur le ton le plus patient possible. Marisol ne va pas venir à votre goûter d'anniversaire.

Seul le bruit des feutres et de la colle lui répondit.

— Mais elle a promis qu'elle viendrait, objecta Hannah.

— On lui a même dit la date, ajouta Jacob en dessinant des smileys.

Aucun d'eux ne semblait le moins du monde inquiet.

— Ça m'étonnerait pas que Marisol arrive avant! (Emily versa encore des paillettes.) En plus, à mon avis, ici, ton lit il est plus grand que ton duvet, donc vous pourrez encore dormir ensemble !

Cash en rêvait.

— Marisol ne va pas passer la nuit ici, affirma-t-il d'un ton ferme. Marisol ne reviendra pas. Plus jamais.

Ces paroles lui crevèrent le cœur, de même que l'expression de ses enfants quand ils comprirent qu'il était sérieux. Ils parurent totalement abattus.

— Alors, ça la dérangera peut-être pas de dormir à l'hôtel, avança finalement Jacob. Surtout si c'est comme celui où va mamie, avec la piscine.

Emily et Hannah acquiescèrent et se remirent au travail.

Merde ! Ils sont encore plus têtus que moi !

Quelques instants plus tard, les triplés lui exposèrent joyeusement leur création. Sur la base d'un carton blanc, leur invitation dégageait un parfum de feutres et étincelait grâce à des paquets de paillettes. Elle était couverte de fleurs, de cœurs, d'étoiles et de smileys aux lignes ondulées caractéristiques de la minutie des enfants de leur âge. Au centre, un espace demeurait vide – Cash présuma qu'ils le réservaient au texte – juste au-dessus d'un dessin enfantin représentant cinq personnages bâtons, main dans la main.

— C'est nous avec toi et Marisol, expliqua Hannah en désignant les têtes souriantes. Vas-y, papa. C'est ton tour.

— Ouais, il faut que t'écrives, précisa Jacob.

—Sans faire de fautes et avec une jolie écriture, ajouta Emily. Pas comme quand tu signes des autographes sur des tee-shirts.

Calmé, Cash examina l'invitation de Marisol. L'un des enfants lui fourra un feutre magique dans la main, et les triplés le dévisagèrent impatiemment.

« T'étais vachement plus heureux quand elle était avec nous. » L'écho de cette phrase résonnait dans sa tête et lui procurait une sensation étrange.

Et puis merde ! Ça ne peut pas faire de mal de revoir Marisol juste un après-midi. Pas la peine d'en faire tout un fromage.

Il inscrivit quelques lignes, ajouta des détails, vérifia deux fois la date et l'heure sur le calendrier, relut cette satanée invitation et s'essuya le front.

—Faut pas avoir peur. (Hannah se colla à lui et regarda par-dessus son épaule, imitée par Emily et Jacob, captivés.) Moi aussi, je m'inquiète pour mon écriture, mais la tienne est jolie, papa.

—Je suis sûre qu'elle va l'aimer, déclara Emily.

—Peut-être assez pour réessayer de t'embrasser, s'emporta Jacob. Tu sais, te faire du bouche-à-bouche et te lécher la glotte.

Ils le regardèrent tous, pantois.

—Eh ! J'ai pas dit que j'allais le faire, moi ! (Les yeux écarquillés, Jacob tendit les bras avec horreur.) Les trucs d'amoureux avec Marisol, c'est le boulot de papa.

Emily et Hannah acquiescèrent pensivement.

Quant à Cash, il secoua la tête. Il n'avait qu'une chose à dire à propos de ses enfants : ils ne renonçaient jamais.

Cette fois, peut-être que lui non plus.

Peut-être, Il fallait simplement qu'il se résolve à poster cette invitation. Avant de se décourager, il écrivit l'adresse sur l'enveloppe à partir des informations mentionnées sur le colis que Marisol lui avait envoyé. Minutieusement, afin de ne pas décoller toutes les paillettes, il glissa le carton à l'intérieur.

Puis, d'un air grave, il la mit de côté. Il raconta une blague aux enfants et s'attela à l'invitation suivante.

Chapitre 32

Le goûter d'anniversaire des triplés tombait un samedi après-midi ensoleillé et il attira une bonne vingtaine d'enfants hystériques de cinq à sept ans, une poignée d'amis, de parents et de voisins, des bouquets de ballons et de serpentins, un château gonflable dans le jardin et un clown sérieusement en retard.

Tandis qu'il guettait l'arrivée de Tchao, Cash poussa une banderole « bon anniversaire » qui flottait sur son passage et sillonna sa maison pleine à craquer. Il n'aurait jamais cru qu'autant de personnes tiendraient dans une habitation aussi modeste, mais tout le monde semblait passer un bon moment à discuter, à manger des toasts et à boire du punch.

À table, plusieurs gamines – dont Hannah et Emily – sirotaient du thé dans une dînette sophistiquée, affublées d'énormes chapeaux couverts de fleurs. Dans le salon, assis par terre avec un groupe de copains, Jacob faisait des « vroum vroum » en mettant au point un rallye de *monster trucks* miniatures. Entre les deux, des ateliers de jeux étaient organisés dans toute la maison, supervisés par des adultes venus aider. Dehors, les enfants qui ne voulaient pas sauter comme des fous dans le château gonflable échangeaient des passes avec deux ballons vortex. Il y avait même une *piñata* pour plus tard.

Tout en saluant ses enfants, Cash regarda sa montre. Adam devait bientôt arriver avec le gâteau d'anniversaire, et il attendait Stephanie et Tyrell d'une minute à l'autre.

Bon sang! Mais où est le clown?

Cash jeta un coup d'œil par la fenêtre. Pas de chaussures géantes. Pas de nez rouge.

Pas de clown. Emily, Jacob et Hannah survivraient sûrement sans des blagues réchauffées et des ballons en forme d'animal, mais Cash voulait qu'ils aient tout ce qu'ils avaient demandé cette année. On n'avait pas tous les jours sept ans et une fête organisée par son papa… qui s'en occupait pour la première fois de sa vie.

—Salut, champion! Sympa, la fiesta.

Il fit volte-face et découvrit Leslie, resplendissante sous le plus grand chapeau à fleurs qu'il ait jamais vu et munie d'un *monster truck* miniature.

—Qu'est-ce qui t'arrive? demanda-t-elle en ajustant son couvre-chef avec un coup d'œil vers les filles. Tu n'arrêtes pas de t'agiter en regardant ta montre. Tu me rends nerveuse, à force.

—Ça va, répondit Cash. (Quand sa belle-mère grimaça, il s'aperçut qu'il recommençait à se fermer aux autres, comme avec Marisol.) Le clown que j'ai engagé ne se pointe pas, avoua-t-il. Je ne veux pas que les enfants soient déçus.

—Oh! Ne t'inquiète pas pour ça. Regarde-les!

En effet, ils paraissaient plutôt heureux ; mais quand même…

—Attention, attention ! Le gâteau est arrivé !

—Ouais ! Le gâteau, le gâteau, le gâteau !

Adam se fraya un chemin entre les invités ravis, en protégeant une gigantesque boîte rectangulaire de chez le pâtissier. Probablement pour la première fois de toute leur vie, Hannah, Jacob et Emily s'était mis d'accord sur le parfum du gâteau – chocolat et vermicelles multicolores – de sorte que Cash avait pu en acheter un au grand format. Soulagé, il partit à la rencontre de son manager.

Ils posèrent la boîte entre eux, dans la cuisine. Leslie et les enfants se rassemblèrent autour en attendant impatiemment le dévoilement du gâteau.

Cash souleva le couvercle de la boîte. Des effluves sucrés et chocolatés s'en élevèrent. Le gâteau était là, couvert d'un glaçage multicolore, au creux d'un moule en papier dentelle. Gros, long, d'un réalisme délirant, composé d'une partie allongée et de deux…

—Mais c'est un zob ! s'exclama Leslie.

Tout le monde en resta sans voix. Adam fut le premier à se reprendre et à refermer le couvercle.

—Quelque part dans le coin, il doit y avoir une future mariée fort déçue, commenta-t-il.

Cash ravala un juron.

—Tu t'es trompé de gâteau.

Emily et Hannah s'approchèrent en jouant des coudes.

—On veut voir !

—C'est quoi un zob, mamie ? s'enquit Jacob.

Leslie jeta un autre coup d'œil au gâteau et ricana.

— Je trouve l'arrondi vraiment exagéré.

« *Ding dong.* » Sauvés par le gong !

— On mangera le gâteau dans deux minutes, les enfants. (Cash se précipita vers la porte en priant pour un miracle au visage maquillé et au gros nez rouge.) En attendant, qui veut voir un clown ?

— Moi ! Moi ! crièrent plusieurs voix excitées.

Les petits le suivirent à la file indienne vers le salon, Jacob à leur tête. Se jurant de ne plus jamais embaucher ce type, Cash ouvrit la porte.

De l'autre côté, le clown, fardé d'un faux sourire, mal rasé et chancelant sérieusement, pinça le rebord de son minuscule chapeau de dessin animé. Un hoquet lui échappa.

— Tchao le clown, à votre service.

Sur ce, il leva son sac de farces et attrapes. Quelques ballons dégonflés tombèrent par terre et rebondirent sur ses chaussures géantes avec un canard en caoutchouc. Il se pencha, percuta Cash au bas-ventre, se redressa d'un air gêné et lui sourit de toutes ses dents.

— Salut, Tchao. Content que tu aies pu venir, lança Cash en attrapant le clown par son nœud papillon à pois pour l'attirer nez à nez avec lui. Tu schlingues la tequila, vieux. C'est quoi ton problème ?

— T'inquiète. C'est à cause de l'enterrement de vie de jeune fille où je travaillais juste avant. (Vacillant, Tchao lui adressa un clin d'œil exagéré.) À mes heures perdues, je suis aussi l'agent Tchao. J'arrête les vilaines futures mariées pour consommation abusive de tequila frappée sur le corps d'autrui. Ça arrive qu'elles partagent.

— Je ne paie pas un clown ivre mort.

— Je ne suis pas soûl ! (Dans un geste défensif, Tchao leva les deux mains en l'air.) Je n'ai pas eu le temps de me doucher et de me raser, c'est tout. Et j'ai peut-être bu un ou deux tout petits *shots*, mais c'est…

— C'est lui, le clown, papa ? Je veux un hippo-campe ! réclama Emily.

— Et moi je veux un caniche, s'il te plaît ! lança Hannah.

Tous les enfants se mirent à demander des ballons en forme d'animal. Juste sous le coude de Cash, Jacob intervint.

— Moi, je veux du gâteau.

Ah oui ! Merde ! Il faut encore que je m'occupe de ce gâteau d'anniversaire pornographique.

Cash lâcha le clown et épousseta sa ridicule chemise rayée pour s'excuser.

— Fais gaffe, l'avertit-il. J'ai un gâteau à couper.

— Vas-y, Papy Brossard !

Tchao lui fit un signe de la main avant d'entrer avec un sac de ballons. Il s'installa jovialement au milieu des enfants, prêtant l'oreille à leurs réclamations.

— Par qui on commence ?

Cash entra dans la cuisine d'un pas lourd, avec une folle envie de s'arracher les cheveux. Tchao le clown stripteaseur bourré faisait des animaux en ballon de baudruche dans le salon, les enfants envahissaient sa maison, et il devait trouver un moyen de servir un gâteau en forme de pénis à une bande de bambins.

— Désolé pour le gâteau, s'excusa Adam en examinant le dessert. La pâtisserie a dû mélanger les commandes.

— C'est bon. Il faut juste qu'on trouve un autre gâteau. (Cash regarda Leslie.) Hé !

— Ne me regarde pas, protesta sa belle-mère en secouant la tête. J'utilise mon four pour ranger mes pots de fleurs qui ne servent pas.

Cash se tourna vers Adam.

— Il va falloir que tu ailles chercher un autre gâteau.

— Attends. J'ai bien observé celui-ci, et je pense qu'on peut en tirer quelque chose. (Le manager ouvrit un tiroir, en sortit un couteau, deux cuillères et une spatule.) Tiens, prends ça.

Cash les repoussa.

— Qu'est-ce que tu vas faire ?

— Du calme, trouillard. Je vais juste procéder à une petite opération chirurgicale sur ce gâteau.

Adam se pencha alors sur son patient.

La clameur des enfants s'élevait en fond sonore, de même que le bruit des rebonds dans le château gonflable du jardin. À quelques pas de là, Tchao devenait de plus en plus bruyant.

— Regardez ! C'est une pieuvre ! dit-il.

Cash grommela en passant la tête par la porte pour superviser les opérations. Après un court aller et retour, il soupira.

Le silence tomba. Adam et Leslie le regardèrent bouche bée.

—Nom d'un chien ! Tu es vraiment une loque ! lança Leslie en le regardant curieusement. Qu'est-ce qui ne va pas, maintenant ?

—Ouais. J'ai presque fini d'arranger le gâteau. Plus que quelques petites finitions. (Adam tenait adroitement du glaçage entre deux cuillères.) Qu'est-ce qui t'arrive ?

Buté, Cash n'ouvrit pas la bouche. Il regarda sa montre.

Adam et Leslie se regardèrent et croisèrent les bras.

Face à leur attente, Cash finit par lâcher le morceau.

—D'accord. J'ai invité Marisol. Elle ne va sûrement pas venir, de toute façon, mais les enfants lui ont confectionné une invitation rien que pour elle, et je…

—Oh, Cash ! C'est génial ! le coupa Leslie en se jetant dans ses bras.

—Enfin ! (Affichant un grand sourire, Adam posa gâteau et cuillères, et secoua la tête avec stupéfaction.) Je me demandais combien de temps il te faudrait pour changer d'avis, avec ta tête dure, petit con.

—Sympa. Très touchant, répondit Cash.

Il était idiot de se confier. Plus rien de tout cela ne compterait si Marisol ne venait pas. Il subit un autre câlin de la part de Leslie, et, en un geste particulièrement exaspérant, Adam topa avec lui.

—Arrête de danser la gigue et arrange-moi cette saloperie de gâteau, tête de nœud !

—J'y travaille, répondit le manager en se calmant. C'est parti.

Muni du couteau, il coupa en quatre les deux protubérances – ce qui fit frémir Cash –, puis il replaça les parts de chaque côté de la hampe. Il étala le glaçage dessus, recouvrit généreusement tout le gâteau de vermicelles multicolores et il ajouta deux M&M'S au bout.

— Et voilà!

Il recula pour permettre aux autres de mieux voir.

Cash examina gravement le résultat.

Leslie l'imita.

— On dirait vaguement un ver avec des pattes… C'est une chenille! C'est mignon!

— Pas mal. (Cash y planta quelques bougies et emmena le tout sur la table de la cuisine.) Allons chercher les enfants. C'est l'heure du gâteau, tout le monde!

Il fallut six bonnes minutes à Marisol pour se résoudre à sortir de sa voiture de location. L'instant d'avant, elle s'arrêtait dans une rue de Phoenix pour vérifier son itinéraire. Maintenant, voilà qu'elle regardait fixement le porche de Cash. Se rappelant combien c'était important, elle retira les clés du contact et examina ses superbes bottes et son rouge à lèvres préféré pour se donner du courage. Puis, enfin, elle… se dégonfla.

Il s'agissait de la bonne maison. Pas de doute. Plusieurs voitures stationnaient devant. Des serpentins en papier crépon s'enroulaient autour des poteaux du porche. Des ballons flottaient en bouquet, accrochés à la boîte aux lettres. Pato roupillait même dans un coin du jardin, et les bruits de la fête et de musiques enfantines s'échappaient des fenêtres ouvertes.

Essayant d'apercevoir Cash, Marisol ne vit que des enfants et d'autres invités. Le cœur tambourinant et les mains tremblantes, elle trouva la force d'ouvrir la portière et de rassembler ses affaires. Elle n'était pas sûre du tout d'être la bienvenue. Cash risquait de la jeter comme une vieille chaussette.

Cependant, elle était arrivée jusque-là – encouragée par Jamie, son père, Caprice et Tenley, et même par sa conseillère immobilière –, donc elle devait trouver la *dzeel* de continuer. Si elle ne tentait pas le coup, elle se demanderait toute sa vie comment les choses auraient pu se dérouler si elle avait été un peu plus courageuse. Il fallait simplement qu'elle fonce.

« Il a peut-être besoin que vous soyez forte et que vous lui montriez qu'il a tort », se remémora-t-elle. Ce souvenir la convainquit enfin de s'extraire de la voiture. La Marisol Winston qui avait écopé d'une thérapie de résistance aux sacs à main n'aurait pas agi de cette façon, mais elle avait beaucoup appris depuis. Et la Marisol Winston qui avait pris un vol en classe éco pour venir ici ? Elle se fit violence.

D'un pas traînant et plus effrayée qu'elle ne s'y attendait, elle emprunta l'allée de la maison. Sonner à la porte lui donna presque des palpitations. Quand une gentille femme âgée lui ouvrit, Marisol songea sérieusement à revenir avec des cadeaux plus grandioses – comme un camion-benne plaqué or pour Jacob et deux diadèmes sertis de vrais diamants pour Emily et Hannah.

En revanche, elle n'avait amené que des choses simples… et elle-même. Elle entra nerveusement.

Les enfants la virent en premier, même au milieu de la mêlée d'enfants. Emily et Hannah se ragaillardirent et se frayèrent un chemin à travers la foule. Jacob sourit en jetant par terre son *monster truck* et, tout ébouriffé, il traversa la pièce pour l'accueillir aussi.

Quel bonheur de les revoir! Sans se soucier de ce que les autres pourraient penser, elle lâcha tout ce qu'elle tenait pour ouvrir grands les bras et tomber à genoux.

Elle atterrit à hauteur des enfants. Parfait! Jacob, Hannah et Emily foncèrent sur elle en criant puis l'enlacèrent en la serrant avec force.

—Attention! Vous allez me faire tomber! s'exclama Marisol.

Toutefois, elle ne pouvait se résoudre à bouger d'un centimètre. En revanche, elle les étreignit encore, enfouissant son visage dans leurs cheveux noirs au parfum de shampoing, et humant leur odeur de crayon, de pâte à modeler et de sucre – certainement leur gâteau d'anniversaire.

—Joyeux anniversaire!

—T'es venue, t'es venue! T'es venue pour de vrai! se réjouit Emily.

—Bien sûr que je suis venue!

Marisol ne pouvait pas leur avouer combien cela avait été difficile. Ni ce qu'elle risquait par sa simple présence. Son cœur était toujours fragile, ainsi que sa nouvelle force. Cependant, comme le disait toujours Bjorn quand ils s'entraînaient ensemble à Malibu, le seul moyen d'être plus forte était d'y travailler. Donc, elle était venue.

— Moi, je savais que tu allais venir, déclara Hannah. Même que je l'ai dit à tout le monde.

— Est-ce que ton hôtel a une piscine? demanda Jacob en s'écartant pour la dévisager sérieusement. Parce que c'est les meilleurs. Mamie, elle prend toujours ça.

— Tu aimes les piscines? s'enquit Marisol. Je crois que je ne vous l'ai jamais dit, mais j'ai une immense piscine de luxe chez moi, sur la plage de Malibu. Vous devriez…

Ils inclinèrent la tête. Voyant leur regard étrange, elle comprit qu'elle recommençait à essayer de se faire aimer pour ce qu'elle pouvait offrir, et non pour ce qu'elle était. Comme tout au long de sa vie.

— Peu importe, reprit-elle en leur faisant un autre câlin. Comme je suis contente de vous revoir, tous les trois! Je ne peux pas m'arrêter de sourire.

Ils se mirent à discuter au milieu du tohu-bohu. Hannah et Emily la prirent par la main pour lui faire visiter la maison. Jacob lui tapotait le bras toutes les deux minutes comme pour se rassurer sur la réalité de sa présence. Marisol, quant à elle, voulait se pincer pour se convaincre de la même chose. Elle était vraiment là. À sa place.

Profondément curieuse, elle examina du regard la petite maison chaleureuse. Pas la moindre trace de Cash. Maintenant qu'elle y pensait, elle ne voyait pas non plus Adam, Leslie ou qui que ce soit de connu. *Bizarre.* Déçue, elle s'arma de courage pour poser la question qu'elle repoussait depuis le début.

—Alors… *(Fais comme si de rien n'était.)* … où est votre papa?

Jacob, Hannah et Emily échangèrent un regard entendu.

—Il a dû appeler un taxi pour Tchao, répondit Hannah. C'est un clown. Même qu'il est drôle, mais il s'est endormi sur le gâteau d'anniversaire.

—Papa, il s'est fâché. Comme ça, montra Jacob en serrant les dents.

Emily hocha la tête.

—Y avait du gâteau partout. Adam, il a hurlé. Et mamie, elle a dit à papa de faire sortir Tchao par-derrière pour qu'on entende pas les gros mots pendant qu'il attendait le taxi.

—Il a très bien fait.

Marisol se massa la nuque en souriant et en essayant de voir de l'autre côté de la table de la cuisine, à travers la baie vitrée du jardin de derrière.

—Il est sorti depuis longtemps?

Jacob haussa les épaules.

—Juste avant que t'arrives.

Ils avaient dû se manquer de peu. S'il s'agissait d'un signe, alors elle n'aurait probablement pas dû venir…

Non. Elle ne renoncerait pas aussi facilement. Avec un sourire encore plus grand, elle ramassa ses affaires.

—Bon, en attendant que votre papa revienne, j'ai des cadeaux d'anniversaire quelque part par là.

—Oui! Youpi! s'exclama Hannah en se frottant les mains. Des cadeaux!

—Ouais! Des cadeaux! T'es la meilleure! lança Emily en s'approchant rapidement.

— J'espère qu'ils sont bien, dit Jacob. Qu'est-ce que c'est ?

Apparemment, la politesse n'exigeait plus aucune retenue chez les enfants de sept ans. Seuls comptaient les cadeaux. Dur, pour elle.

— Eh bien, ce n'est pas grand-chose, répondit Marisol en sortant un paquet emballé par ses soins, mais je les ai choisis toute seule, et j'ai aussi mis le papier cadeau moi-même. J'espère vraiment que vous allez aimer.

Le cœur battant, elle les regarda défaire le ruban et déchirer le papier. Les nœuds n'avaient rien d'artistique, et les angles n'étaient pas droits, mais Marisol avait fait de son mieux sans recourir à son équipe habituelle de professionnels du paquet. Elle les avait tous renvoyés avec une prime de départ, dans l'idée de façonner sa nouvelle vie autour de la générosité, et plus seulement en épatant les gens.

— Waouh ! C'est trop classe !

Emily tendit une poignée de rouges à lèvres : des échantillons de marques offerts à Marisol lors de fêtes ou dans l'espoir qu'elle en fasse la publicité.

— Et aussi un bon pour qu'on fasse du shopping ensemble ? J'adore !

— Regarde le mien ! cria Hannah de sa voix aiguë. (Elle mit le chapeau confectionné par Marisol en le tirant sur ses oreilles avant de tourner sur elle-même comme un mannequin.) Et des cours de ski ! C'est génial ! Merci, Marisol.

Époustouflée par la réaction de la petite, Marisol lui tapota le dos.

— J'ai pris des leçons de tricot branché il y a deux ans, mais je ne m'en suis jamais vraiment servie jusqu'à maintenant. Et je skie comme une pro, donc si ton papa est d'accord, on ira ensemble.

— Terrible !

Jacob arracha le dernier morceau de papier et découvrit une sorbetière que Marisol avait, jusque-là, laissée trop cruellement à l'abandon dans sa cuisine reluisante de célibataire. Il écarquilla les yeux en une expression d'admiration virile version junior.

— Je peux vraiment faire de la glace avec ? Tout seul ?

— Je te montrerai, répondit Marisol. Dedans, il y a un bon pour une soirée glaces avec moi. Tu peux inventer tous les parfums de glace que tu veux.

— Cool. (Il lui fit un câlin.) Les premières que je ferai, ce sera fraise-hot-dog !

Ses sœurs grimacèrent, puis elles imitèrent des vomissements.

— Je pense qu'il va falloir que tu gardes ce genre de parfums pour toi, lui conseilla Marisol. Mais on ne sait jamais… ce sera peut-être bon.

— Chiche de goûter la première cuillerée ? intervint une voix.

Marisol leva les yeux et découvrit Cash.

Il la surplombait de toute sa hauteur, si beau qu'elle en eut malgré elle le souffle coupé. Tandis qu'il lui souriait, une légère brise entra par la fenêtre.

— Chiche, réussit-elle à répondre en se relevant courageusement. *(Pourvu que mes bottes me soutiennent.)* Mais ça ne pourra jamais être aussi bon que de la menthe aux pépites de chocolat avec du coulis de framboises et des mini-bretzels.

Cash se rembrunit. Comme elle, il devait se rappeler leur casse-croûte lors de cette folle nuit romantique qu'ils avaient vécue à des semaines-lumière de là.

— Oui, qui aurait cru que ce mélange serait aussi bon ? dit-il. Pourtant, ça allait vraiment, vraiment bien ensemble.

Pendant un instant, ils se dévorèrent du regard. Marisol n'en revenait pas : le voir lui avait tellement manqué ! Ses yeux, son nez, sa bouche, ses oreilles…, tout. Elle voulait le lécher de haut en bas et le serrer contre elle pour qu'il ne puisse plus s'échapper.

— Eh, les enfants ! (Cash pointa le menton vers le patio, agissant clairement comme le roi du goûter d'anniversaire.) Mamie a besoin d'aide pour préparer la *piñata*. Vous voulez bien lui donner un coup de main ?

— On a compris, papa, répliqua Hannah. On vous laisse tout seuls.

— N'en fais pas trop, papa, recommanda Emily. Jacob ricana.

— Va y avoir du bisou ! chuchota-t-il.

Les triplés partirent en gloussant derrière leurs mains, laissant Marisol et Cash seuls. Vraiment seuls. Dans une situation qu'elle n'avait pas même envisagée. Cela la rendait incroyablement nerveuse.

Elle montra la maison confortablement meublée et chaleureuse.

— C'est chouette, ici.

—Oui, merci. (Cash fourra ses mains dans ses poches et haussa les épaules, mais il ne la quitta pas du regard.) Quand j'ai quitté les Scorpions, j'ai établi des contacts avec certaines personnes, et Adam aussi. J'ai commencé à travailler comme entraîneur particulier pour les *quarterbacks* de l'équipe de l'ASU. Un des campeurs du *Lézard joyeux* m'y a aidé.

—Oh, Cash ! Je suis contente pour toi. Et ça te plaît ?

Il hocha la tête.

—Ça ne fait que deux semaines, mais j'ai le coup pour entraîner. Le football m'amuse de nouveau, et ce boulot me laisse aussi plus de temps pour les enfants. Tu avais raison, Marisol. J'aurais été malheureux si j'avais été loin de… tout ça.

Il désigna du menton le carnage qui régnait autour d'eux. Les enfants couraient, les adultes déambulaient avec leurs verres de punch et du gâteau d'anniversaire, en essayant de leur laisser de la place. Marisol et Cash se sourirent, mais il ne sortit pas les mains de ses poches ; il resta raide et en partie tourné vers l'extérieur.

Pourquoi étaient-ils aussi gênés ? Pourquoi n'étaient-ils pas déjà en train de s'embrasser ?

Cela ne ressemblait pas au happy end digne de la comédie romantique qu'elle avait imaginée. Inquiète, Marisol entendit à peine Cash reprendre la parole.

—D'une certaine façon, tu m'as sauvé de moi-même, dit-il d'un ton qui se voulait léger. J'en déduis que tu as reçu ton invitation…

—Non…, répondit-elle d'un air interrogateur. Tu m'en as envoyé une ?

—J'étais obligé. J'avais besoin de te voir, avoua-t-il.

—Tu voulais que je vienne? s'enquit-elle en même temps.

Apparemment confus, Cash était beau, et merveilleux. Elle avait tellement envie de lui que c'en était presque douloureux. Peut-être que, par hasard...

Il cligna des yeux, puis il acquiesça.

—On voulait tous que tu viennes, mais si tu n'as pas reçu d'invitation, pourquoi...

—Je ne pouvais plus rester loin de vous une minute de plus, confessa-t-elle. C'est tout. Je suis beaucoup plus courageuse, maintenant, Cash. Et la façon dont on s'est quittés...

—C'était une erreur. J'ai été bête. (Son regard la suppliait de le comprendre.) Te chasser a été la chose la plus dure que j'ai jamais faite. Mais maintenant que tu es revenue, maintenant que tu es là...

Il s'interrompit et se passa la main dans les cheveux, puis leva les yeux vers elle avec un sourire modeste, signe d'une humilité inattendue, mais non moins irrésistible.

Marisol s'aperçut que Cash paraissait embarrassé.

—Merde! J'avais pensé à tout. Si tu venais, je devais avoir l'air super détendu. Je me suis même entraîné, mais maintenant...

—Pour moi? Oh, Cash! C'est trop...

—... débile, je sais.

—Non! C'est adorable!

—Mais maintenant que tu es vraiment là, tout ce qui me vient en tête, c'est que je suis désolé. (Il lui

511

adressa un regard angoissé.) Je suis vraiment désolé de t'avoir blessée. Ça n'a jamais été mon intention.

Marisol leva la main en réprimant ses larmes.

—Ça va, je vais bien.

—Non, tu ne vas pas bien. Adam m'a parlé de l'incident de la bave de chien et des traces de verres sur ta table. (Cash lui caressa la joue en secouant la tête.) Tout est ma faute, et j'en suis désolé. Je sais que j'ai tout gâché, j'ai bien merdé, mais j'ai besoin de toi, Marisol. Sans toi, je ne suis que la moitié d'un homme. Et je ne veux pas passer le restant de mes jours sans sentir mon cœur battre comme aujourd'hui, pour toi.

—Oh, Cash !

Ravalant ses larmes, Marisol serra la main de Cash dans la sienne. Il était tellement grand, fort et solide. Pourtant, si elle avait de la chance, il pourrait lui appartenir.

—Je n'ai rien d'autre à te donner que moi-même, mais je sais maintenant que… c'est beaucoup.

—C'est tout ce que j'ai toujours voulu. (Avec un sanglot rauque, Cash l'attira dans ses bras.) Je n'ai jamais voulu que toi, dit-il en appuyant son front contre celui de Marisol pour la regarder droit dans les yeux. Depuis la première fois où je t'ai vue, depuis la première fois que tu m'as souri, tu m'as émerveillé. Ensuite, j'ai eu la chance de t'avoir pour moi, et je savais que ça ne pouvait pas durer. Je le savais. Mais j'ai commencé à espérer, parce que je t'aime, Marisol.

Elle se mit à rire et à pleurer en même temps. Elle en croyait à peine ses oreilles : tout ce qu'elle ressentait sortait de la bouche de Cash. Ils étaient sur la même longueur d'ondes, et elle aussi avait besoin de lui.

— J'aime ton rire, déclara-t-il en parlant plus vite. Et ta démarche sexy, et ta manie de faire des squats en te brossant les dents…

— Bjorn dit que c'est important de se muscler les quadriceps.

— … et j'aime ta détermination, et j'aime ta façon bizarre de tailler les bâtons pour les chamallows grillés avec ta lime à ongles, et j'aime me réveiller avec toi et m'endormir avec toi. (Cash posa ses mains de chaque côté du visage de Marisol. Ses traits rudes et virils s'adoucirent un peu.) Je sais qu'il y a encore un million de choses… Bon sang! Je les avais toutes listées pour que ce soit parfait… mais ensuite je me suis dit que ce n'était qu'un rêve, et te voilà, donc…

— Donc tout est redevenu parfait.

Incapable de résister, Marisol l'embrassa. Ses larmes de joie coulèrent aussi sur les joues de Cash, mais cela ne lui parut pas grave, en de telles circonstances.

— Je t'aime aussi, Cash. Je t'aime, mais je n'ai jamais cru que ce serait réciproque. Chaque fois que tu me souriais, j'essayais de m'en souvenir. Chaque fois que tu me touchais, je mettais ça de côté pour me le rappeler plus tard. Chaque fois que tu m'aidais, que tu me taquinais, ou que tu te blottissais contre moi, j'en profitais au maximum, parce que je savais que ça ne durerait pas. Puis je me suis rendu compte que ça pourrait durer, entre nous. Si je trouvais le courage de m'en donner les moyens. Si j'étais capable de maîtriser le lave-vaisselle et la benne à ordures, je pouvais aussi gérer ça.

Cash acquiesça solennellement.

—Donc, me voici, sans rien d'autre que moi à offrir. Pas de mousse à raser, pas de cadeaux, pas de tour en hélicoptère ou de sortie shopping. Rien que moi. Et si ça t'intéresse…

—Dans combien de temps tu peux emménager ici ?

—… alors je suis toute à toi !

Prise de vertige, Marisol sauta au cou de Cash et l'embrassa doucement. Sans délicatesse ni la moindre hésitation, il lui rendit son baiser.

—Attention, Phoenix ! J'arrive ! s'écria-t-elle.

—Ouais ! lancèrent les voix joyeuses des triplés derrière la porte du patio.

Emily, Jacob et Hannah accoururent et se jetèrent dans leurs bras.

—Ça veut dire que tu restes ? demanda Hannah.

—Oui, confirma Marisol avec un grand sourire.

—Absolument, confirma Cash avec autant d'entrain.

—Il était temps ! intervint Leslie.

Les cinq autres la regardèrent bouche bée. La totalité des invités leur sourirent, figés dans une position d'écoute circonspecte. Même la *piñata* et le gâteau d'anniversaire étaient laissés à l'abandon.

—On dirait que tu as un paquet de nouveaux amis à rencontrer, annonça Cash. Je vous présente Marisol, la femme que j'aime.

—Bonjour, Marisol ! lancèrent-ils tous en chœur, même les jeunes enfants.

Elle leur adressa un geste de la main.

—Désolée d'interrompre la fête.

—N'importe quoi! C'est pour la bonne cause.

Soudain, Adam était là, avec des yeux curieusement bordés de rouge. D'un geste bourru, il mit un coup de poing dans le bras de Cash.

—Bien joué, couillon!

Leslie serra Marisol dans ses bras.

—Je savais que vous correspondiez parfaitement à ce dont cette famille avait besoin. Cash vous attendait.

—Je l'attendais aussi. Seulement, je ne le savais pas, déclara Marisol. Je les attendais tous!

Elle étreignit de nouveau Cash et joignit Hannah, Emily et Jacob à ce câlin en s'assurant de bien les sentir contre elle. La famille idéale, tout comme l'affaire du siècle et le grand amour, ne se présentait pas tous les quatre matins. Quand on la trouvait, il fallait s'y accrocher fermement et ne plus jamais la lâcher.

—Youpi! hurla Jacob. Qui c'est qui veut encore du gâteau zob?

Stupéfaite, Marisol en resta muette. Il ne pouvait pas parler d'un…

—En fait, ça ressemble plus à une chenille, corrigea Adam.

—Ou vaguement à un ver avec des pattes, s'empressa d'ajouter Leslie.

—Il se peut qu'on vienne de démarrer acciden-tellement une tradition familiale un peu bizarre. (Cash passa son bras sur les épaules de Marisol en l'entraînant chaleureusement vers la cuisine.) Tu te dégonfles ?

—Moi ? (Marisol lui lança un regard taquin. S'il s'agissait d'un test, elle comptait bien le réussir.) Avec toi ? Et ces enfants ? Jamais. Montre-moi ça. Plus on est de zobs, plus on rit.

—Mesdames et messieurs, nous avons une gagnante ! s'exclama Cash en levant le bras de Marisol en l'air comme pour un champion de boxe.

Et tout le monde entrant dans la cuisine, il se pencha vers elle et lui murmura à l'oreille :

—J'ai de la chance : c'est moi qui me couche.

Sur ce, il haussa les sourcils et lui offrit un sourire promettant amour, rire et tellement plus… : de l'omelette aux biscuits, et tout le bonheur dont Marisol était capable.

Chapitre 33

Pour la troisième fois en deux semaines, en rentrant de sa journée de coaching, Cash trouva une tente montée dans le salon.

Tout le monde se taisait, même Pato, mais il ne s'y laissa pas prendre. Il connaissait leur petit manège. D'un moment à l'autre, il entendrait Emily, Hannah et Jacob ricaner. Ils feraient griller des chamallows dans la maison, dormiraient dans des duvets par terre, il leur raconterait une longue histoire – interactive – et il passerait encore une nuit sans dormir avec Marisol dans leur grand lit double.

Lâchant son sac de sport, il s'approcha à pas de loup. Son rôle consistait à faire semblant de ne pas voir la tente, à feindre une surprise exagérée quand les enfants surgiraient en criant, puis à accepter d'un ton grincheux qu'ils campent encore à l'intérieur. Il se prépara donc en revêtant le masque de son personnage.

Celui d'un papa pseudo-ronchon.

S'il ne se montrait pas maussade, ils croiraient qu'il s'attendrissait, et ce après seulement six mois de bonheur conjugal. Il refusait catégoriquement de décevoir qui que ce soit… même si, ces derniers temps, il avait appris que, pour entretenir le bonheur de tout le monde, rien ne valait les excuses et les discussions sur ce qui posait problème – même si cela le faisait passer pour une lopette.

Grâce à Marisol, Cash ne portait plus tout sur ses seules épaules.

Affichant un air renfrogné, il avança vers la tente.

À son approche, Marisol passa la tête par l'ouverture et lui sourit de toutes ses dents.

— Salut, mon grand. Sois le bienvenu chez toi. Que dirais-tu de me rendre visite dans ma tente, un de ces jours ?

Son intonation grivoise le fit sourire.

— Il va falloir arrêter de me faire le coup du camping en famille, dit-il. Les enfants vont finir par oublier ce que c'est de dormir dans un lit.

— Hum. Tu as sûrement raison. (Elle lui fit signe d'approcher, mais n'ouvrit toujours pas la tente en entier.) C'est peut-être pour ça que je les ai envoyés chez Stephanie et Tyrell pour la nuit.

Depuis peu, leur arrangement pour la garde des enfants s'était relâché, et, désormais, Cash passait tout le temps qu'il voulait avec Jacob, Hannah et Emily. Cela n'empêchait pas qu'il restait des moments où l'homme qu'il était voulait du temps pour lui.

Des moments comme celui-ci, quand son épouse préférée le gratifiait de ce sourire si particulier.

— Pour la nuit ? répéta-t-il. Toute la nuit ?

— Parfaitement, acquiesça Marisol. Toute la nuit. Alors, entre. J'ai quelque chose à te montrer et je crois que tu vas aimer.

Aimer ? Il adorait déjà, alors qu'il ignorait de quoi il s'agissait, mais le regard rêveur de Marisol lui indiquait que ce serait bon.

Il jeta ses chaussures et avança une première suggestion en plissant les yeux.

— C'est une nouvelle chaise design pour ta boutique ?

Il n'avait pas fallu longtemps à Marisol pour prendre d'assaut la région. Son nouveau magasin de décoration d'intérieur récemment ouvert à Scottsdale – en jumelage avec son local de Los Angeles – faisait fureur.

— Non. Ce n'est pas une chaise.

Cash retira sa chemise.

— C'est un coussin à froufrous ?

— Non. Ce n'est pas un coussin.

S'immobilisant, une main sur sa ceinture, Cash leva les yeux au plafond pour réfléchir à une nouvelle supposition. Il ne voulait pas se précipiter. Cinquante pour cent du plaisir résidait dans l'attente.

— Je sais. C'est une de ces tables de cuisine bizarres, en verre et en câbles de pontage ?

— Ce ne sont pas des câbles de pontage. (Apparemment sur le point de rire, Marisol secoua la tête.) Et ce n'est pas une table.

Elle referma sa main sur le rabat de la tente.

Cash regarda avec intérêt.

— C'est ça. (Elle se montra à lui.) Surprise !

— Oh, la vache !

Électrisé jusqu'à la moelle et subitement à l'étroit dans son pantalon, Cash planta son regard sur elle, sur son insolente minijupe noire, ses escarpins sexy, son petit bonnet en dentelle et son simple tablier blanc. Sur sa tenue hyperaguicheuse de soubrette.

— Je n'y crois pas.

— Non seulement tu peux y croire, mais tu peux y toucher. (Marisol haussa les sourcils pour lui lancer un regard tentateur.) Tu peux me l'enlever, même. Tout ce que tu voudras.

Cash ne se le fit pas dire deux fois. Débordant d'amour et d'un puissant désir, il rampa dans la tente. Il entraîna Marisol dans ses bras, sexy et rieuse, lui fit pencher la tête en arrière et l'embrassa. Avant qu'ils se redressent, Cash avait déjà les deux mains pleines de dentelle.

— Je ne veux que toi, déclara-t-il en s'avançant pour un autre baiser.

Ce fut difficile, vu qu'il ne pouvait s'empêcher de sourire – un problème fréquent, ces derniers temps. Il réussit néanmoins à la faire gémir d'envie et d'admiration.

— Matin, midi et soir. Tout le temps. Toi, toi, toi.

— Tu m'as.

Elle le regarda droit dans les yeux et lui sourit de cette façon caractéristique qui ne manquait jamais de lui gonfler le cœur à bloc.

— Alors, qu'est-ce que tu vas faire de moi ? demanda-t-elle.

Avec un râle, il enfouit son nez dans le cou de Marisol. Qu'elle était belle ! Et douce ! Et comme elle sentait bon !

— Pour commencer, je vais t'arracher ce costume.

Marisol hoqueta.

— Bon plan. Et ensuite ?

— Ensuite, comme d'habitude, répondit-il avec un sourire coquin. Te faire supplier d'envie.

— Oh ! (Elle l'aida à ouvrir sa braguette.) Et après ?

— Après ?

Cash fit semblant d'y réfléchir, mais ce n'était vraiment pas nécessaire. Il lui caressa la joue et hocha la tête.

— Après, je vais t'aimer, bébé. Et ça ne s'arrêtera jamais.

Alors, il ferma les yeux, allongea Marisol sur le dos et réalisa leur rêve commun.

Deux fois.

BRAGELONNE – MILADY,
C'EST AUSSI LE CLUB :

Pour recevoir le magazine *Neverland* annonçant les parutions de Bragelonne & Milady et participer à des concours et des rencontres exclusives avec les auteurs et les illustrateurs, rien de plus facile !

Faites-nous parvenir votre nom et vos coordonnées complètes (adresse postale indispensable), ainsi que votre date de naissance, à l'adresse suivante :

**Bragelonne
60-62, rue d'Hauteville
75010 Paris**

club@bragelonne.fr

Venez aussi visiter nos sites Internet :
**www.bragelonne.fr
www.milady.fr
graphics.milady.fr**

Vous y trouverez toutes les nouveautés, les couvertures, les biographies des auteurs et des illustrateurs, et même des textes inédits, des interviews, un forum, des blogs et bien d'autres surprises !

The Fell Types are digitally reproduced by Igino Marini.
www.iginomarini.com

Achevé d'imprimer en septembre 2012
Par CPI Brodard & Taupin - La Flèche (France)
N° d'impression : 70305
Dépôt légal : octobre 2012
Imprimé en France
81120857-1